고등
국어
HIGH SCHOOL

실전기출
문제은행

2B
2학기기말

창비 | 최원식

이 책의 구성 및 특징

교과서 확인학습

- 교과서 핵심내용 해설 및 확인 문제
- 교과서 지문의 핵심내용 파악, 어휘 및 구문 풀이
- O,X 문제 및 서답형 문제 학습

객관식 기본문제

- 기초단계 기출문제 제시 및 풀이능력 체크
- 각 단원의 핵심문제 제시
- 교과서 기반의 기본적인 학습능력 제공

객관식 심화문제

- 중상급 난이도 기출문제 제시 및 오답풀이
- 전국 고등학교 중요 기출문제 엄선 및 풀이
- 변별력 있는 문제 중심으로 기출유형 분석
- 교과서 밖 연계지문 활용 고난도 문제풀이

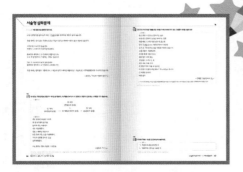

서술형 심화문제

- 서술형 기출문제 제시 및 풀이능력 향상
- 배점 높은 서술형 문제의 적중도를 높임

단원별 종합평가

- 단원별 학습 후 모의시험을 통한 수준평가
- 각 단원의 최종 점검 및 학습 마무리

《Contents

6

국어의 변화와
의사 소통

㉮ 세종어제훈민정음

世·솅宗종御엉製졩訓·훈民민正졍音흠

나·랏:말ᄊᆞ·미中듕國·귁·에달·아文문字·ᄍᆞ·와·로서르ᄉᆞᄆᆞᆺ·디아·니ᄒᆞᆯ

·ᄊᆡ·이런젼·ᄎᆞ·로어·린百·ᄇᆡᆨ姓·셩·이니르·고·져·홇·배이·셔·도ᄆᆞ·ᄎᆞᆷ:내제

·ᄠᅳ·들시·러펴·디:몯ᄒᆞᆶ·노·미하·니·라·내·이·ᄅᆞᆯ爲·윙·ᄒᆞ·야:어엿·비너·겨

·새·로·스·믈여·듧字·ᄍᆞ·ᄅᆞᆯ밍·ᄀᆞ노·니:사ᄅᆞᆷ:마·다:ᄒᆡ·ᅇᅧ:수·ᄫᅵ니·겨·날·로

·ᄡᅮ·메便뼌安한·킈ᄒᆞ·고·져ᄒᆞᇙᄯᆞᄅᆞ·미니·라

– 「월인석보」(1459년) –

> **[현대어 풀이]**
>
> 우리나라 말이 중국과 달라 한자와는 서로 통하지 아니하므로 이런 까닭으로 어리석은 백성이 말하고자 하는 바가 있어도 마침
> <small>창제 당시의 언어 현실(언어와 문자의 불일치)   애민 · 창조정신</small>
> 내 제 뜻을 능히 펴지 못하는 사람이 많다. 내가 이를 가엾게 여겨 새로 스물여덟 글자를 만드니, 모든 사람들로 하여금 쉽게 익혀
> <small>   실용정신</small>
> 서 날마다 쓰는 데 편하게 하고자 할 따름이다.

㉯ 소학언해

孔·공子·ᄌᆞ曾증子·ᄌᆞᄃᆞ·려닐·러글ᄋᆞ·샤·ᄃᆡ·몸·이며얼굴·이며머·리털·이

·며·술·흔父·부母:모·ᅴ받ᄌᆞ·온거·시·라敢:감·히헐·워샹히·오·디아

·니:홈·이효·도·이비·르·소미·오·몸·을셰·워道:도·를行ᄒᆡᆼ·ᄒᆞ·야일·홈·을後

:후世·셰·예:베퍼·뻐父·부母:모ᄅᆞᆯ:현·뎌케·홈·이효·도·이ᄆᆞ·ᄎᆞᆷ·이니·라

– 「소학언해」(1587년) –

> **[현대어 풀이]**
>
> 공자가 증자에게 일러 말씀하시되 몸과 형체와 머리털과 살은 부모께 받은 것이다. 감히 헐게 하여 상하게 하지 아니함이 효도
> <small>   창신체보중(身體保重) – 효도의 시작</small>
> 의 비롯함이고, 몸을 세워 도를 행하여 이름을 후세에 널리 퍼지게 하여 부모를 드러나게 하는 것이 효도의 마침이다.
> <small>   입신양명(立身揚名) – 효도의 끝</small>

음운과 표기

중세 국어의 음운 가운데 자음에서 드러나는 가장 큰 특징은 '병(순경음 비읍)'이나 'ㅿ(반치음)'과 같이 현대 국
_{중세 국어 음운의 특징 ①}
_{사라진 음운의 예 ①}

어에서는 쓰지 않는 자음들이 있었다는 것이다. '병'은 ㉮의 ':수·빙'에서 찾아볼 수 있다. 'ㅿ'은 'ᄆᆞᅀᆞᆯ'과 같은 단어
_{현대 국어로 오면서 '병' 소멸 : 수·빙>쉬이(쉬)}   _{사라진 음운의 예 ②}

에서 찾아볼 수 있는데 'ᄆᆞᅀᆞᆯ'은 현대 국어의 '마을'이다. 'ㅿ'은 '병'보다 오래 존재했지만 곧 사라졌다.

중세 국어에서는 이전 시기에 나타나지 않던 된소리가 발달하기 시작하였다. 다만 현대 국어와 달리 각자 병서
_{중세 국어 음운의 특징 ②}

(各自竝書)인 'ㄸ'이나 'ㄲ'이 아니라 주로 'ㅅ'으로 시작하는 합용 병서(合用竝書)로 표기되었다. 이는 ㉮의 'ᄡᆞᆯ·
_{합용병서의 예}

미니·라'에서 살펴볼 수 있다.

현대 국어와 다른 중세 국어의 특징은 ㉮의 '·ᄲᅮ·메'와 ㉯의 '·ᄣᅥ'처럼 단어의 첫머리에 여러 개의 자음, 즉 어두
_{어두 자음군의 예}   _{중세 국어 음운의 특징 ③}

자음군(語頭子音群)이 올 수 있었다는 점이다. 그리고 이때 'ㅂ'은 실제로 발음되었던 것으로 보인다. 현대 국어에

서는 단어의 첫머리에 여러 자음이 올 수 없다.

중세 국어의 모음 중에서 가장 특징적인 것은 ㉮, ㉯에서 보이는 '·(아래아)'의 존재이다. 이 음운은 'ㅏ'와 'ㅗ'
_{중세 국어 음운의 특징 ④}

의 중간 음 정도로 소리 났을 것으로 추정된다. 이를 포함하여 중세 국어의 단모음은 'ㅣ, ㅡ, ㅓ, ㅏ, ㅜ, ㅗ, ·'
_{중세 국어 음운의 특징 ⑤ – 7모음 체계 → 현대 국어는 10모음 체계(ㅣ, ㅔ, ㅐ, ㅟ, ㅚ, ㅡ, ㅓ, ㅏ, ㅜ, ㅗ)}

였다. 그리고 'ㅐ, ㅔ, ㅚ, ㅟ'는 이중 모음이었다. 현대 국어에서는 '·'가 사라지고 'ㅐ, ㅔ, ㅚ, ㅟ'가 단모음이 되
_{중세 국어 음운의 특징 ⑥}

었다.

한편 이 시기에는 모음 조화가 비교적 잘 지켜져, 양성 모음은 양성 모음끼리 음성 모음은 음성 모음끼리 결합
_{중세 국어 음운의 특징 ⑦}   _{모음조화의 개념}

하는 규칙성을 보였다. ㉮의 '·ᄠᅳ·들'과 '여·듧字·쫑·를'의 '을'과 '를'이 이를 잘 보여 준다. 그러나 모음 조화는 후대

로 갈수록 흔들리기 시작하였다.
_{예) (나)에서의 '비·르·소미·오', '·몸·을', ':도·를' 등}

중세 국어가 현대 국어와 크게 다른 것 가운데 하나는 ㉮, ㉯에서 보이는 성조(聲調)의 존재이다. 성조는 음절에
_{중세 국어 음운의 특징 ⑧}   _{성조의 개념}

서 나타나는 소리의 높낮이를 말하는데, 이는 단어의 뜻을 분화하는 변별적 기능을 한다. 이 시기의 한글 문헌들

은 글자 왼쪽에 방점을 찍어 성조를 나타냈다. 낮은 소리인 평성에는 점을 찍지 않고, 높은 소리인 거성에는 점을
_{방점을 이용한 성조의 표기 방법}

하나 찍었으며, 처음이 낮고 나중이 높은 소리인 상성에는 점을 두 개 찍었다.

중세 국어의 표기에서 나타나는 가장 큰 특징은 띄어쓰기를 하지 않았다는 것이다. 그리고 현대 국어라면 '놈이'
_{중세국어 표기의 특징 ① – 띄어쓰기를 하지 않음(붙여쓰기)}

처럼 의미를 살려 '끊어적기' 하여 적을 것을 ㉮의 '·노·미'처럼 소리 나는 대로 '이어적기'를 하여 적은 것도 중세
_{현대 국어 – 표의주의 표기법(분철표기)}   _{중세국어 표기의 특징 ② – 표음주의 표기법(연철표기)}

국어 표기의 특징이다. 그러나 어느 정도 시간이 지난 후에는 ㉯의 '몸·이며', '얼굴·이며', '머·리털·이·며'에서처럼
_{끊어적기의 예}

끊어적기 표기를 하는 경우도 적지 않았다.

그리고 <u>단어의 끝에 적을 수 있는 받침은 현대 국어와 달리 'ㄱ, ㄴ, ㄷ, ㄹ, ㅁ, ㅂ, ㅅ, ㆁ'의 여덟 개뿐이었다.</u>
중세국어 표기의 특징 ③ - 팔종성법

이를 팔종성법(八終聲法)이라 한다. 중세 국어는 <u>현대 국어와 달리 음절의 끝에 오는 끝소리에서 'ㅅ'과 'ㄷ'을 구</u>
현대 국어 - 음절의 끝소리 규칙에서 일곱 개의 자음 허용(ㄱ,ㄴ,ㄷ,ㄹ,ㅁ,ㅂ,ㅇ)
<u>별하여 발음</u>하였기 때문에 이를 표기에서도 구별했던 것이다.

어휘

<u>중세 국어에는 훗날 한자 차용어로 대체되어 사라져 버린 고유어가 상당히 많았다.</u> '구룸'을 비롯하여 '온', '뫼'
중세 국어 어휘의 특징 ① - 고유어가 많음　　　　　　　　　　　　　사라진 고유어의 예
등의 고유어가 현대 국어에서는 각각 '강(江)', '백(百)', '산(山)' 등의 한자어로 바뀌었다.

<u>한편 단어의 의미가 변화한 것도 적지 않은데</u> ㉮의 '어·린', ':어엿·비'는 각각 '어리석은', '가엾게'의 의미로, 현
중세 국어 어휘의 특징 ② - 의미가 변화한 단어가 많음.　　　　　　　　의미변화의 예 - 의미의 이동
대 국어와 차이가 있다. ㉯의 '얼굴'도 현대 국어와는 달리 '형체'라는 의미로 쓰였다.

<u>중세 국어에서 끝소리가 'ㅎ'인 단어가 꽤 있었던 것도 현대 국어의 어휘와 차이 나는 점이다.</u> ㉮의 '나·라', ㉯
중세 국어 어휘의 특징 ③ - 'ㅎ종성체언'의 존재　　　　　　　　　　　　　　　'ㅎ종성체언'의 존재
의 '머·리', ':숤' 등이 이러한 예이다. 끝소리의 'ㅎ'은 항상 나타나는 것이 아니라 <u>모음으로 시작하는 조사와 만날</u>
'ㅎ종성체언'이 나타나는 환경
때에만 그 모습을 온전히 나타내었고 '과, 도'와 같은 조사와 만날 때에는 '콰', '토'처럼 간접적으로 그 모습을 드
<u>러내었다.</u> ㉮의 '나·랏:말'은 '나랗'이 관형격 조사 'ㅅ'을 만나 'ㅎ'이 생략된 것이고, ㉯의 '머·리털'은 '머맇'이 자
음으로 시작하는 '털'을 만나 'ㅎ'이 생략된 것이다. ':숤·흔'에서는 '숧'이 조시 '은'을 만나 'ㅎ'이 나타난 것을 확인
할 수 있다.

문법

현대 국어와 다른 중세 국어의 문법적 특징은 조사에서 두드러지게 나타난다. <u>중세 국어에서는 주격 조사로 '이'</u>
중세 국어 문법의 특징 ① - 주격 조사 '이'만 사용됨.(현대 국어는 '이/가' 사용)
<u>만 사용되었다.</u> '이'는 경우에 따라서 'ㅣ'로 실현되기도 했고 아예 나타나지 않기도 했다. ㉮의 ':홇·배', ㉯의 '孔·
주격 조사 '이'의 실현 양상 - '이' 또는 'ㅣ'로 실현되고 생략 가능함.
공子·직'에서 모음으로 끝나는 '바', '즈' 다음에 'ㅣ'만 실현되었음을 볼 수 있다. 현대 국어에서는 '하는 바가', '공
주격 조사 'ㅣ'만 사용된 예
자가'처럼 주격 조사 '가'를 사용한다.

그리고 <u>관형격 조사로 '의' 외에 모음 조화에 따른 '·'가 있었고, 무엇보다 'ㅅ'이 관형격 조사로 쓰였다는 사실</u>
중세 국어 문법의 특징 ② - 관형격 조사로 '의'와 'ㅅ'이 쓰였음.
이 현대 국어와 뚜렷하게 다른 점이다. ㉮의 '나·랏:말쑛·미'의 'ㅅ'은 현대 국어의 '나라의 말씀이'에서 '의'에 해당
관형격 조사 'ㅅ'이 쓰인 예
한다.

한편 현대 국어에서 '먹음'의 '-음'과 같은 <u>명사형 어미</u>가 중세 국어에서는 모음 조화에 따라 '-움'이나 '-옴'으
중세 국어 문법의 특징 ③ - 명사형 어미 '-움/-옴'의 존재
로 실현되었다. <u>㉮의 '·뿌메'에서는 '-움', ㉯의 '·홈·이', '비·르·소미·오'에서는 '-옴'이 쓰인 것에서 이를 확인할 수</u>
명사형 어미 '-움/-옴'이 쓰인 예
있다.

- **어제(御製)** 임금이 몸소 짓거나 만듦. 또는 그런 글이나 물건.
- **순경음** 고어에서 입술을 거쳐 나오는 가벼운 소리.
- **각자 병서** 같은 자음 두 글자를 가로로 나란히 붙여 쓰는 것으로 'ㄲ, ㄸ, ㅃ, ㅆ, ㅉ, ㆅ' 등이 그 예이다.
- **합용 병서** 서로 다른 자음을 가로로 나란히 붙여 쓰는 것으로 'ㅺ, ㅼ, ㅽ, ㅳ, ㅄ, ㅴ, ㅵ' 등이 그 예이다.

- **이중 모음** 입술 모양이나 혀의 위치를 처음과 나중이 서로 달라지게 하여 내는 모음.
- **양성 모음** 'ㆍ, ㅏ, ㅗ, ㅑ, ㅛ, ㅘ' 등처럼 어감이 밝고 산뜻한 모음.
- **음성 모음** 'ㅓ, ㅜ, ㅕ, ㅠ, ㅡ, ㅝ' 따위의 어감이 어둡고 큰 모음.
- **차용어** 외국에서 들어온 말로 국어처럼 쓰이는 단어.

◉ 핵심정리

갈래	설명문	성격	예시적, 분석적
주제	중세 국어의 특징과 국어의 변화		
특징	• 「세종어제훈민정음」과 『소학언해』의 내용을 예로 들며 중세 국어의 특징을 설명함. • 중세 국어의 특징을 현대 국어의 특징과 비교하며 국어의 변화를 알 수 있게 함.		

확인학습 ......

01 중세 국어에서는 음가 없는 'ㅇ'을 사용하였다.　　○□ ×□

02 중세 국어에서는 어두에 둘 이상의 자음을 사용하였다.　　○□ ×□

03 중세 국어에서는 주격 조사로 '이'와 '가'를 사용하였다.　　○□ ×□

04 중세 국어에서는 소리 나는 대로 적는 것을 원칙으로 하고 있다.　　○□ ×□

05 중세 국어에서는 소리의 높낮이를 통하여 단어의 뜻을 분별할 수 있다.　　○□ ×□

06 중세 국어에서는 띄어쓰기를 하지 않았다.　　○□ ×□

07 중세국어의 'ㅇ, ㆆ, ㅸ' 등의 자음은 현대 국어에서는 사용하고 있지 않다.　　○□ ×□

08 중세 국어는 현대 국어와 달리 두음 법칙이 적용되지 않았다.　　○□ ×□

09 중세 국어는 현대 국어와 달리 소리 나는 대로 표기하는 부분이 있다.　　○□ ×□

10 중세 국어에서는 입술소리 'ㅁ, ㅂ, ㅃ, ㅍ' 다음에서 평순 모음 'ㅡ'가 사용되었으나 현대 국어에서는 평순 모음 'ㅡ'
가 원순 모음 'ㅜ'로 바뀌었다.　　○□ ×□

11 방점은 점의 개수로 소리의 높낮이를 알 수 있다.　　○□ ×□

12 방점이 없으면 소리를 낼 수 없다.　　○□ ×□

■ 이해 활동

1. 「세종어제훈민정음」과 『소학언해』의 해당 부분에 드러나는 중세 국어의 특징을 〈보기〉에서 찾아 그 기호를 써 보자.

┤ 보기 ├
ㄱ '녕(순경음 비읍)'이 쓰임.   ㄴ 어두 자음군이 올 수 있음.
ㄷ 방점을 왼쪽에 찍어 성조를 나타냄.   ㄹ 이어적기를 함.
ㅁ 주격 조사로 'ㅣ'가 쓰임.   ㅂ 끝소리가 'ㅎ'인 단어가 있음.

[예시답안]

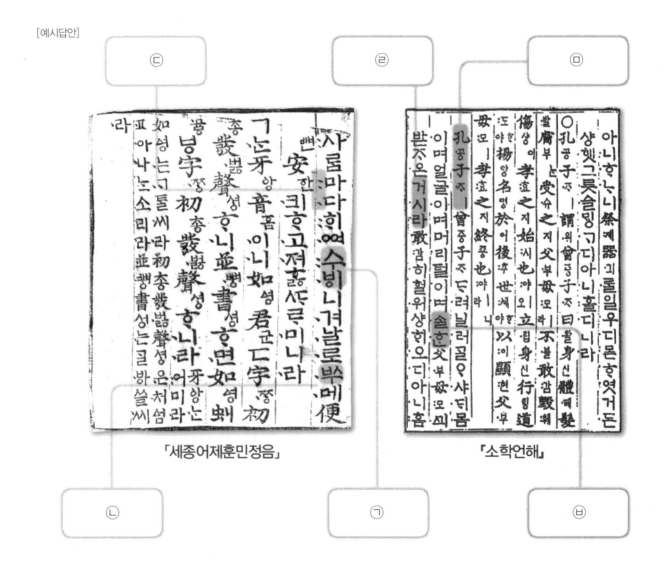

「세종어제훈민정음」   「소학언해」

[해설]
• ㅁ: '孔·공子·ㅈ'는 '공ㅈ'에 주격 조사 'ㅣ'가 결합한 것으로, 현대 국어에서는 이처럼 모음으로 끝나는 경 우 '공자가'처럼 조사 '가'를 사용한다.
• ㅂ: '·솔·흔'은 '숳'과 조사 '은'이 결합한 것으로, 중세 국어에는 끝소리가 'ㅎ'인 단어가 있었음을 알 수 있다.

2. 중세 국어와 현대 국어의 단모음 체계에 어떤 차이가 있는지 다음 표를 살피며 파악해 보자.

중세 국어				현대 국어			
ㅣ	ㅡ	ㅜ		ㅣ	ㅟ	ㅡ	ㅜ
ㅓ	ㅗ		→	ㅔ	ㅚ	ㅓ	ㅗ
ㅏ	ㆍ			ㅐ			ㅏ

[예시답안]
• 단모음 'ㆍ(아래 아)'가 사라졌다.
• 중세 국어에서는 이중 모음이었던 'ㅔ', 'ㅐ', 'ㅟ', 'ㅚ'가 현대 국어에서는 단모음이 되었다.

3. 다음 어휘들이 중세 국어에서 현대 국어로 넘어오며 그 의미가 어떻게 달라졌는지 알아보자.

[예시답안]

어휘	의미 변화		
	중세 국어		현대 국어
어·린	어리석은	→	나이가 적은
:어·엿비	가엾게	→	예쁘게
얼굴	형체	→	안면(顔面)

[해설] '어·린'과 ':어·엿비'는 각각 '어리석은', '가엾게'라는 의미가 '나이가 적은', '예쁘게'라는 의미로 변하였으므로 의미 변화 가운데 '이동'에 해당한다.
또한 '얼굴'은 '형체'를 뜻하였다가 몸의 일부인 '안면'만을 뜻하는 것으로 변하였으므로 의미 변화 가운데 '축소'에 해당한다.

■ **목표 활동**

4. 『용비어천가』의 2장과 그 현대어 풀이를 비교하며 제시된 활동을 해 보자.

> 불·휘기·픈남·ᄀᆞᆫ ᄇᆞᄅᆞ·매아·니:뮐·ᄊᆡ곶:됴·코여·름·하ᄂᆞ·니
> :ᄉᆡ·미기·픈·므·른·ᄀᆞᄆᆞ·래아·ᄂᆞ·니그·츨·ᄊᆡ:내·히이·러바·ᄅᆞ·래·가ᄂᆞ·니
>
> |**현대어 풀이**
> 뿌리가 깊은 나무는 바람에 아니 움직이므로 꽃이 좋고 열매가 많으니
> 샘이 깊은 물은 가뭄에 아니 그치므로 내가 이루어져서 바다에 가니

(1) 『용비어천가』의 2장에서 팔종성법에 어긋나게 표기된 것을 찾아보자.

[예시답안] '곶'
[해설] 팔종성법은 받침으로 'ㄱ, ㄴ, ㄷ, ㄹ, ㅁ, ㅂ, ㅅ, ㅇ'만을 적는다는 것인데, '곶'은 'ㅈ'을 받침으로 적고 있어서 팔종성법에 어긋난다.

(2) 『용비어천가』의 2장을 설명한 내용이 맞으면 ○, 틀리면 X 표시를 해 보자.

> • 중세 국어의 ':내·히'에서는 주격 조사 '이'가 사용되었는데 현대 국어에서는 '내가'로 주격 조사 '가'가 사용되었다. ( )
> • 중세 국어의 '기·픈'은 끊어적기 표기이고 현대 국어의 '깊은'은 이어적기 표기이다. ( )
> • 중세 국어의 '·므·른'과 현대 국어의 '물은'은 모두 음성 모음끼리 결합하여 모음 조화가 지켜진 예이다. ( )

[예시답안] ○, X, ○
[해설] '기·픈'은 이어적기 표기이고 '깊은'은 끊어적기 표기이다.

(3) 다음의 '이 단어'가 무엇인지 『용비어천가』 2장에서 찾고, '다른 단어'는 무엇일지 말해 보자.

> '이 단어'는 용언으로, 중세 국어에서도 어간이 'ㅏ'로 끝났기 때문에 어간이 'ㆍ'로 끝
> 나는 '다른 단어'와 형태와 의미가 구별되었다.

↓

> 그런데 '다른 단어'의 어간에서 'ㆍ'가 나중에 'ㅏ'로 바뀌면서 '이 단어'와 '다른 단어'
> 의 형태가 같아지게 되었다.

↓

> 결국 '이 단어'는 같은 의미를 가지는 '많다'에 밀려 사라지고, '다른 단어'만 현대 국
> 어로 이어지게 되었다.

[예시답안] • '이 단어': '하ᄂ니'
　　　　　　• '다른 단어': 'ᄒ다'(혹은 'ᄒᄂ니')

[해설] 『용비어천가』 2장에서 어간이 'ㅏ'로 끝나는 용언은 '하ᄂ니'와 '가ᄂ니'이다. 하지만 중세 국어에 'ᄀ다'라는 용언은 존재하지 않고 '가ᄂ니'의 의
미는 '이동하다'로서 '많다'와는 차이가 있으므로 '가ᄂ니'는 제시된 설명에 부합하지 않는다. 따라서 '하ᄂ니'가 '이 단어'에 해당한다.

■ 적용 활동

5. 중세 국어로 된 다음 수수께끼의 답을 친구와 함께 그림의 물건에서 찾아보자.

> ᄆ형·은 :뫼 우·희·셔 ·붑·
> 티·고, :둘·잿 형·은 오·락
> 가·락ᄒ·고, :세·잿 형·은
> 헤혀·고·져 ᄒ·고, :넷·잿
> 형·은 ᄒ ·듸 모·도고·져·
> ᄒᄂ·니?

> ᄆ형·은 방:츄, :둘·잿 형·은 __다·리우·리_, :세·잿 형·은 __ᄀ·쇄__ :네·잿
> 형·은 __바·ᄂ:실__ .

– 장숙영 옮김, 『번역 박통사(상)』에서 –

⊙ 어휘 풀이

• ·붑 북.
• 헤혀·고·져 헤치고자.
• 모·도고·져 모으고자.

• 다·리우·리 인두.
• 바·ᄂ 바늘.
• ᄀ·쇄 가위.

• 방:츄 방망이.

중세국어 총 정리

▶ 현대 국어와 비교한 중세 국어의 특징 – 음운

① 자음

중세 국어	현대 국어
• '병', 'ㅿ' 존재 • 된소리 발달 → 주로 합용 병서로 표기 • 어두 자음군 존재	• '병', 'ㅿ' 소멸 • 된소리를 각자 병 서로 표기 • 어두 자음군 올 수 없음.

② 모음

중세 국어	현대 국어
• 'ㆍ(아래아)' 존재 • 단모음 7개 → 'ㆍ, ㅣ, ㅡ, ㅓ, ㅏ, ㅜ, ㅗ, ㆍ' • ㅐ, ㅔ, ㅚ, ㅟ는 이중 모음	• 'ㆍ(아래아)' 소멸 • 단모음 10개, 이중 모음의 단모음화 → 'ㆍ'가 사라지고 'ㅐ, ㅔ, ㅚ, ㅟ'가 단모음이 됨.

③ 기타

중세 국어	현대 국어
• 모음 조화가 비교적 잘 지켜짐. • 성조 존재 → 음절에서 나타나는 소리의 높낮이, 단어의 뜻을 분화하는 기능	• 모음 조화가 흔들림. • 성조 소멸

▶ 현대 국어와 비교한 중세 국어의 특징 – 표기

중세 국어	현대 국어
• 붙여쓰기 → 띄어쓰기를 하지 않음. • 이어적기 → 소리 나는 대로 씀. • 팔종성 → 8개의 자음 'ㄱ, ㄴ, ㄷ, ㄹ, ㅁ, ㅂ, ㅅ, ㅇ'으로 받침을 씀.	• 띄어쓰기 → 단어마다 띄어씀. • 끊어적기 → 의미를 살려 씀. • 모든 자음을 받침으로 사용

▶현대 국어와 비교한 중세 국어의 특징 – 어휘

중세 국어	현대 국어
• 훗날 한자 차용어로 대체된 고유어가 많음. → 'ㄱ 룸, 온, 뫼' • 현대와는 의미가 다른 단어가 많음. → '어·린, :어 엿·비' • 끝소리가 'ㅎ'인 단어가 많음. → '나·라, '머·리, · 솔'	• 한자 차용어가 많음. → '강(江), 백(百), 산(山)' • 중세와는 의미가 다른 단어가 많음. → '어리석은, 가엾게' • 끝소리가 'ㅎ'인 단어가 사라짐.

▶현대 국어와 중세 국어의 특징 – 문법

중세 국어	현대 국어
• 주격 조사로 '이'만 사용 → 경우에 따라 'ㅣ'로 실 현되거나 나타나지 않기도 함. • 관형격 조사로 '의' 외에 '이', 'ㅅ' 존재 • 명사형 어미가 '-움'이나 '-옴'으로 실현	• 주격 조사 '가' 사용 • 관형격 조사 '의'만 사용 • 명사형 어미 '-ㅁ/-음' 사용

▶어휘의 의미 변화

	중세 국어	현대 국어
어·린	어리석은	나이가 적은
:어·엿비	가엾게	예쁘게
얼굴	형체	안면

[01~02] 다음 글을 읽고 물음에 답하시오.

世솅宗종御엉製졩訓훈民민正졍音음

㉠나·랏:말쏘·미 中듕國·귁·에 ㉡달·아 文문字·쫑·와로 서르 스뭇·디 아·니홀·씨 ·이런 젼·츠·로 어·린 ㉢百·빅姓·셩·이 니르·고·져 ·㉣홇·배 이·셔·도 ᄆᆞ·춤:내제 ㉤·뜨·들 시·러 펴·디 :몯홇 ·노·미 하·니·라 ·내 ·이·를 為·윙·ᄒᆞ·야:어엿·비 너·겨 ·새·로 ·스·믈여·듧 字·쫑·ᄅᆞᆯ 밍·ᄀᆞ노·니 :사ᄅᆞᆷ:마·다 :ᄒᆡ·ᅇᅧ :수·비 니·겨 ·날·로 ·뿌·메 便뼌安한·킈 ᄒᆞ·고·져 홇 ᄯᆞᄅᆞ·미니·라

01 윗글의 ㉠~㉤을 통해 알 수 있는 중세국어의 특징으로 적절한 것은?

① ㉠ : 부사격 조사를 표기할 때 'ㅅ'을 사용하여 표기하였다.

② ㉡ : 용언 뒤에 모음으로 시작하는 어미가 이어질 때 이어 적기하여 표기하였다.

③ ㉢ : 한자어를 표기할 때 형식적으로 종성 'ㅇ'을 사용하여 초성, 중성, 종성을 모두 표기하였다.

④ ㉣ : 주격 조사를 쓸 때 모음 뒤에서는 주격 조사를 쓰지 않고 생략하였다.

⑤ ㉤ : 초성을 쓸 때 합용 병서를 단어의 첫머리에 써서 어두 자음군을 표기하였다.

02 〈보기〉는 윗글을 바탕으로 학생들이 중세국어와 현대국의 차이점을 탐구한 자료 중 일부이다. 탐구자료 ㉠~㉢에 들어갈 적절한 예시만을 짝지은 것은?

┤ 보기 ├

탐구 영역	탐구 자료	탐구 내용
음운의 측면	㉠	가연 : 중세국어 시기에는 두음 법칙이 없었다고 볼 수 있군.
어휘의 측면	㉡	나연 : 국어가 변화하면서 어떤 어휘는 없어지기도 하고, 어떤 어휘는 그 의미가 바뀌기도 하는군.
문법과 문법 요소 측면	㉢	다연 : '가'가 쓰일 자리에 다른 형태가 쓰인 것을 보니 현대국어와 달리 중세국어 시기에는 주격조사 '가'가 없었구나.

	㉠	㉡	㉢
①	서르	어엿브다	:몯홇 ·노·미 하·니·라
②	니르고져	어리다	홇 ·배 이·셔·도
③	날로	젼츠	나·랏 :말쏘·미
④	너겨	놈	·스·믈여·듧 字·쫑·를
⑤	사ᄅᆞᆷ마다	나라	百·빅姓·셩·이 니르·고·져

[03~09] 다음 글을 읽고 물음에 답하시오.

世·솅宗죵御·엉製·졩訓·훈民민正·졍音름

㉠나·랏:말쏘·미 ㉡中듕國·귁·에 달·아 文문字·쫑·와·로 서르 스뭇·디 아·니홀·씨 ·이런 젼·츠·로 어·린 百·빅姓·셩·이 니르·고·져 ·홇 ㉢배 이·셔·도 무·춤:내제 ·뜨·들 시·러 펴·디 :몯홇 ·노·미 하·니·라 ·내 ·이·를 ㉣爲·윙·ᄒᆞ·야:어엿·비 너·겨 ·새·로 ㉤스·믈여·듧 字·쫑·를 밍·ᄀᆞ노·니 :사름:마·다 :히·여 :수·비 니·겨 ·날·로 ·뿌·메 便뼌安한·킈 ᄒᆞ·고·져 홇 ᄯᆞ른·미니·라

– 「훈민정음」 언해, 1459년 –

[현대어 풀이]
우리나라 말이 중국과 달라 한자와는 서로 통하지 아니하여서 이런 까닭으로 어리석은 백성이 말하고자 하는 바가 있어도 마침내 제 뜻을 펴지 못하는 사람이 많다. 내가 이것을 가엾게 여겨 새로 스물여덟 자를 만드니, 모든 사람으로 하여금 쉽게 익혀서 날마다 쓰는 데에 편하게 하고자 할 따름이다.

03 윗글을 읽고 중세 국어의 특징을 설명한 것으로 적절하지 <u>않은</u> 것은?

① 현대 국어와 달리 띄어쓰기를 하지 않았다.
② 현대 국어에서는 소실된 음운을 사용하고 있다.
③ 체언과 조사를 적을 때 그 체언의 원형을 밝혀 적었다.
④ 초성에 둘 이상의 자음이 오는 어두 자음군이 존재했다.
⑤ 비교의 의미를 드러내는 부사격 조사가 현대 국어와는 다른 형태로 존재했다.

04 윗글을 읽고 국어의 변천에 대해 탐구한 내용으로 적절하지 <u>않은</u> 것은?

① 중세 국어는 현대 국어와 달리 구개음화가 일어나지 않았다.
② 중세 국어는 현대 국어와 달리 두음법칙이 적용되지 않았다.
③ 중세 국어는 현대 국어와 달리 방점을 찍어 성조를 표시하였다.
④ 중세 국어의 'ㆍ'(아래 아)는 현대 국어에서 더 이상 음운으로 사용되지 않는다.
⑤ 중세 국어는 현대 국어와 달리 단어의 첫머리에서 둘 이상의 자음이 쓰일 수 없었다.

05 ㉠~㉤에 대해 탐구한 내용으로 적절하지 <u>않은</u> 것은?

① ㉠의 'ㅅ'은 현대 국어 관형격 조사에 해당하겠군.
② ㉡의 '에'는 부사격 조사의 기능을 하고 있군.
③ ㉢의 'ㅣ'는 주격조사로, 현대 국어와 다른 형태가 사용되었군.
④ ㉣의 'ᄒᆞ야'를 보니 모음조화가 제대로 지켜지지 않았음을 알 수 있군.
⑤ ㉤을 보니 원순모음화가 일어나지 않았음을 알 수 있군.

06 아래의 밑줄 친 조사 중에서 윗글의 ⓒ'배'에 쓰인 조사와 같은 역할을 하는 조사가 쓰인 것은?

① 이번 월드컵은 우리나라<u>에서</u> 우승을 차지하였다.
② 긴 겨울이 지나자 강물이 녹아 얼음<u>이</u> 되었다.
③ 피서지에서 예약한 방이 깨끗하지<u>가</u> 않았다.
④ 그가 우리를 도와줄 적임자<u>가</u> 아닐까?
⑤ 지금의 야자가 미래의 성공<u>이</u> 될 것이다.

07 윗글에 사용된 단어에 대한 설명으로 적절하지 <u>않은</u> 것은?

① '말씀'은 '일반적인 말'을 의미했지만, 오늘날 남의 말을 높여 이르는 말이나 자기 말을 낮추어 이르는 말을 가리킨다는 점에서 의미 확대의 예이다.
② '사뭇다, 젼ᄎ'는 오늘날 사용하지 않는 단어이기 때문에 어휘 소멸의 예이다.
③ '어리다'는 '어리석다'를 의미했는데, 오늘날 '나이가 적다'를 가리킨다는 점에서 의미 이동의 예이다.
④ '놈'은 '일반 사람'을 의미했지만 오늘날 '남자, 사람'을 낮잡아 이르는 말로 쓰여 의미 축소의 예이다.
⑤ '어엿브다'는 '가엽다'를 의미했지만, 오늘날 '예쁘다'를 가리킨다는 점에서 의미 이동의 예이다.

08 현대어 풀이를 참고할 때, 윗글의 'Ⓐ노·미'와 표기의 측면에서 가장 이질적인 것은?

① 말ᄊᆞ·미   ② 쁘·들   ③ 어엿·비
④ 니·겨   ⑤ ᄯᆞᄅᆞ·미 니·라

09 〈보기〉의 ㉠, ㉡, ㉢의 사례를 순서대로 바르게 짝지은 것은?

┤ 보기 ├

• 'ㅇ롤 입시울쏘리 아래 니어 쓰면 ㉠<u>입시울 가배야ᄫᆞᆫ 소리</u> 두외ᄂᆞ니라
　[현대어 풀이] ㅇ을 순음 아래 이어 쓰면 순경음이 된다.

• ·와 ㅡ와 ㅗ와 ㅜ와 ㅛ와 ㅠ는 ㉡<u>첫소리 아래 브텨 쓰고</u> ㅣ와 ㅏ와 ㅓ와 ㅑ와 ㅕ와란 ㉢<u>올ᄒᆞᆫ녀긔 브텨 쓰</u>라.
　[현대어 풀이] ·와 ㅡ와 ㅗ와 ㅜ와 ㅛ와 ㅠ는 첫소리 아래 붙여 쓰고 ㅣ와 ㅏ와 ㅓ와 ㅑ와 ㅕ는 오른쪽에 붙여 쓰라.

	㉠	㉡	㉢
①	文문字ᄍᆞ	나랏	펴디
②	百빅姓셩이	ᄒᆞ고져	니겨
③	딩ᄀᆞ노니	이런	달아
④	ᄒᆡᅇᅧ	ᄆᆞᄎᆞᆷ내	시러
⑤	수비	몯ᄒᆞᆶ	하니라

[10~13] 다음 글을 읽고 물음에 답하시오.

世·솅宗종御·엉製·졩訓·훈民민正·졍音흠

나·랏@:말쑤·미 中듕國·귁·에 달아 文문字·쭝·와로 서르 스뭇·디 아·니홀·씨 ·이런 젼·츠·로 ⓑ어·린 百·빅姓·셩·이 니르·고·져 ·홇 ·배 이·셔·도 무·춤:내제 ·쁘·들 시·러 펴·디 :몯홇 ⓒ노·미 하·니·라 ·내 ·이·를 爲·윙·ᄒ·야ⓓ:어엿·비 너·겨 ·새·로 ·스·믈여·듧 字·쭝·를 밍·ᄀ노·니 ⓔ:사롬:마·다 :ᄒ·ᅇᅧ :수·비 니·겨 ·날·로 ·뿌·메 便뼌安한·킈 ᄒ·고·져 홇 ᄯᆞ르·미니·라

– 「훈민정음(訓民正音)」 언해본에서 –

[현대어 풀이]

우리나라 말이 중국과 달라 한자와는 서로 통하지 아니하여서 이런 까닭으로 어리석은 백성이 말하고자 하는 바가 있어도 마침내 제 뜻을 펴지 못하는 사람이 많다. 내가 이것을 가엾게 여겨 새로 스물여덟 자를 만드니, 모든 사람으로 하여금 쉽게 익혀서 날마다 쓰는 데에 편하게 하고자 할 따름이다.

10 윗글의 ⓐ~ⓔ 중, 〈보기〉의 설명과 관련 없는 것은?

┤ 보기 ├

언어는 시간의 흐름에 따라 신생, 성장, 소멸한다. 마찬가지로 단어의 의미도 시간의 흐름에 따라 변화하는데, 의미 영역이 확대되기도 하고(의미 확대), 반대로 축소되기도 하며(의미 축소), 전혀 다른 의미로 변화하기도 한다.(의미 이동).

① ⓐ : 말씀
② ⓑ : 어리다
③ ⓒ : 놈
④ ⓓ : 어엿브다
⑤ ⓔ : 사름

11 윗글을 통해 알 수 있는 중세국어의 특징으로 알맞지 않은 것은?

① 동국정운식 표기법을 사용하고 있다.
② 성조(聲調)를 통해 단어의 뜻을 구별할 수 있다.
③ 음운 측면에서 '스뭇·디'처럼 어휘가 사라진 것도 있다.
④ 중세국어 표기법은 실제 발음을 충실히 반영하고 있다.
⑤ 표기 측면에서 이어적기를 하고 띄어쓰기를 하지 않는다.

12 윗글에 대한 설명으로 알맞지 않은 것은?

① 'ㆍ, ㅸ, ㆆ'이 사용되고 있다.
② 훈민정음의 창제 동기가 나타난다.
③ 어두자음군과 합용병서가 나타난다.
④ 평성은 방점이 한 개이며 높은 소리이다.
⑤ 훈민정음은 자음 17자, 모음 11자로 되어 있다.

13 윗글을 통해 알 수 있는 중세국어의 특징에 해당하는 사례로 적절하지 않은 것은?

중세국어 특징	사례
① 구개음화가 사용되지 않음	펴·디
② 비교부사격 조사 '에'가 사용됨	中듕國·귁·에
③ 두음법칙이 사용되지 않음	니르·고·져, 니·겨
④ 주격조사 ' ㅣ '가 사용됨	·내, 제
⑤ 모음조화가 잘 지켜짐	爲·윙·ᄒᆞ·야

[14~16] 다음 글을 읽고 물음에 답하시오.

(가) 世솅宗종御엉製졩訓훈民민正정音흠

나·랏:말ᄊᆞ·미中듕國·귁·에달·아文문字·ᄍᆞ·와·로서르ᄉᆞᄆᆞᆺ·디아·니ᄒᆞᆯ·씨·이런젼·ᄎᆞ·로어·린百·빅姓·셩·이니르·고·져·ᄒᆞᇙ·배이·셔·도ᄆᆞᄎᆞᆷ:내제·ᄠᅳ·들시·러펴·디:몯ᄒᆞᇙ·노·미하·니·라·내·이·ᄅᆞᆯ爲·윙·ᄒᆞ·야:어엿·비너·겨·새·로·스·믈여·듧字·ᄍᆞ·ᄅᆞᆯᄆᆡᇰ·ᄀᆞ노·니:사ᄅᆞᆷ:마·다:ᄒᆡ·ᅇᅧ:수·ᄫᅵ니·겨·날·로·ᄡᅮ·메便뼌安한·킈ᄒᆞ·고·져ᄒᆞᇙᄯᆞᄅᆞ·미니·라

– 「월인석보」, 세조 5년(1459년) –

[현대어 풀이]

우리나라 말이 중국과 달라 한자와는 서로 통하지 아니하여서 이런 까닭으로 어리석은 백성이 말하고자 하는 바가 있어도 마침내 제 뜻을 펴지 못하는 사람이 많다. 내가 이것을 가엾게 여겨 새로 스물여덟 자를 만드니, 모든 사람으로 하여금 쉽게 익혀서 날마다 쓰는 데에 편하게 하고자 할 따름이다.

(나) 孔·공子·ᄌᆞ ᆞ 曾증子·ᄌᆞᄃᆞ·려 닐·러 ⊙·ᄀᆞᆯᄋᆞ·샤·ᄃᆡ 몸·이며 얼굴·이며 머·리털·이·며 ·ᄉᆞᆯ·흔 ⓛ父·부母:모·씌 받ᄌᆞ·온 거·시·라 敢:감·히 헐·워 샹히·오·디 아·니:홈·이 :효·도·이 비·르·소미·오 ·몸·을 셰·워 道:도·를 行ᅘᆡᇰ·ᄒᆞ·야 일·홈·을 後:후世:셰·예 ·베퍼 ·ᄡᅥ 父·부母:모롤 :현·뎌케 :홈·이 :효·도·이 ᄆᆞ·ᄎᆞᆷ·이니·라

– 「소학언해」, 권 제2, 선조 20년(1587년) –

[현대어 풀이]

공자께서 증자에게 일러 말씀하시기를, 몸과 형체와 머리털과 살은 부모께 받은 것이라. 감히 헐게 하여 상하게 하지 아니함이 효도의 시작이고, 입신(출세)하여 도를 행하여 이름을 후세에 날려 이로써 부모를 드러나게 함이 효도의 끝이니라.

14 (가)와 (나)에 대한 설명으로 가장 적절한 것은?

① (가)의 '듕귁에 달아'에서 현대와는 다른 주격 조사의 실현을 볼 수 있다.

② (나)의 '일홈'은 현대에 '명예'로 의미 이동이 일어났다.

③ (가)는 (나)와 달리 명사형 전성어미 '-옴/-움'을 사용하였다.

④ (나)는 (가)와 달리 한자어를 현실음에 맞게 표기하였다.

⑤ (가)의 '말ᄊᆞ미', (나)의 '뻐'에서 현대와는 달리 어두자음군의 모습을 볼 수 있다.

15 ㉠과 ㉡에 대한 설명으로 적절하지 <u>않은</u> 것은?

① ㉠에서 높임의 대상은 '공주'이다.
② ㉡에서 높임의 대상은 '부모'이다.
③ ㉠은 현대 국어와 유사하게 선어말어미를 이용하여 주체 높임을 실현하고 있다.
④ ㉡은 현대 국어와 유사하게 선어말어미를 이용하여 객체 높임을 실현하고 있다.
⑤ ㉡은 현대 국어와 유사하게 '씌'와 같은 부사격 조사를 이용하여 객체 높임을 실현하고 있다.

16 〈보기〉를 참고했을 때 주격 조사가 'ㅣ'로 실현된 예로 가장 적절한 것은?

┤ 보기 ├

현대 국어에서는 주격 조사로 '이', '가'가 쓰이는 반면, 중세 국어에서는 주격 조사가 음운론적 환경에 따라 '이', 'ㅣ'의 형태로 실현되었다. 조사가 쓰이는 환경 및 조사의 형태를 정리하면 다음과 같다.

쓰이는 환경	체언의 끝소리가 자음일 때	체언의 끝소리가 모음일 때
주격 조사의 형태	이	ㅣ

① 훓 배 이셔도 　　② 나랏 말ᄊᆞ미 　　③ 어린 빅셩이
④ 부모를 현더케 홈이 　　⑤ 효도이 ᄆᆞᄎᆞᆷ이니라

17 〈보기〉의 설명을 참고했을 때, ㉠~㉢에 들어갈 목적격 조사가 모두 올바르게 짝지어진 것은?

┤ 보기 ├

모음조화란 한 단어 내에서 같은 성질을 가진 모음들이 어울리는 현상이다. 국어의 모음조화는 양성 모음을 양성 모음끼리, 음성 모음은 음성 모음끼리 어울리는 현상이라고 하는데, 이러한 모음조화는 중세국어 시기에 더 철저하게 지켜졌다(다만, 중세 후기부터는 혼란스러운 모습을 보인다.). 양성모음은 'ㆍ, ㅏ, ㅗ', 음성모음은 'ㅡ, ㅓ, ㅜ'이다. 중세 국어에서 목적격 조사는 'ᄋᆞᆯ, 을, ᄅᆞᆯ, 를'이 있다. 이들 중 어떤 것이 선택되는가는 체언이 자음으로 끝나느냐 모음으로 끝나느냐와 함께 체언과의 모음조화에 따라서 결정되었다. 예를 들면 아래와 같다.

중세국어	현대국어	중세국어	현대국어
도+ᄅᆞᆯ	도를	뜯+㉠	뜻을
몸+㉡	몸을	공자+㉢	공자를

	㉠	㉡	㉢
①	ᄋᆞᆯ	을	ᄅᆞᆯ
②	ᄋᆞᆯ	을	를
③	을	을	를
④	을	ᄋᆞᆯ	ᄅᆞᆯ
⑤	를	ᄋᆞᆯ	를

객관식 심화문제

01 〈보기〉에 대한 설명으로 적절하지 <u>않은</u> 것은?

┤ 보기 ├

불·휘기·픈남·ᄀᆞᆫ·ᄇᆞᄅᆞ매아·니:뮐·ᄊᆡ곶:됴·코여·름·하ᄂᆞ·니:ᄉᆡ·미기·픈·므·른·ᄀᆞᄆᆞ·래아·니그·츨·ᄊᆡ:내·히이·러바·ᄅᆞᆯ·래·가ᄂᆞ·니

[현대어 풀이]

뿌리 깊은 나무는 바람에 움직이지 아니하므로, 꽃 좋고 열매 많습니다. 샘이 깊은 물은 가뭄에 그치지 아니하므로, 내(川)가 이루어져 바다에 갑니다.

① 띄어쓰기를 전혀 하지 않았다.
② '됴코'는 '둏+고'의 음운변동을 반영한 표기이다.
③ '하ᄂᆞ니'의 기본형 '하다'는 현대 국어로 '많다'라는 뜻이었다.
④ 글자 옆에 있는 방점은 중세 국어에 성조가 있었음을 알려 준다.
⑤ 음절 말에서 소리 나는 8개의 자음만 표기하는 8종성법이 잘 지켜졌다.

[02~07] 다음 글을 읽고, 물음에 답하시오.

(가) 世솅宗종御엉製졩訓훈民민正정音흠

나·랏 :말ᄊᆞ·미 中듕國·귁·에 달·아 文문字·ᄍᆞ·와·로 서르 ᄉᆞᄆᆞᆺ·디 아니홀·ᄊᆡ ·이런 젼·ᄎᆞ·로 ㉠어·린 百·빅姓·셩·이 니르·고·져 ·홇 ·배 이·셔·도 ᄆᆞ·ᄎᆞᆷ:내 제 ·ᄠᅳ·들 시·러 펴·디 :몯홇 ·노·미 하니·라 내·이·ᄅᆞᆯ爲·윙·ᄒᆞ·야 ㉢:어엿·비 너·겨 ·새·로 ·스·믈여·듦 字·ᄍᆞ·ᄅᆞᆯ 밍·ᄀᆞ노·니 :사름:마·다 :ᄒᆡ·ᅇᅧ :수·비 니·겨 ·날·로 ·ᄡᅮ·메 便뼌安한·킈 ᄒᆞ·고·져 홇 ᄯᆞᄅᆞ·미니·라

(나) 孔·공子·ᄌᆞ | 曾증子·ᄌᆞᄃ·려 닐·러 ᄀᆞᆯᄋᆞ·샤·ᄃᆡ 몸·이며 ㉣얼굴·이며 머·리털·이·며 ·슬·흔 父·부母:모·ᄭᅴ 받ᄌᆞ·온 거·시·라 敢:감·히 헐·워 샹히·오·디 아니·홈·이 :효·도·이 비·르·소미·오 ·몸·을 셰·워 道:도·를 行ᄒᆡᆼ·ᄒᆞ·야 ㉤일·홈·을 後:후世:셰·예 :베퍼 ·ᄡᅥ 父·부母:모·ᄅᆞᆯ :현·뎌케 :홈·이 :효·도·이 ᄆᆞ·ᄎᆞᆷ·이니·라

(다) 밤 ᄌᆞᆺ던 긔운이 희 되야 ᄎᆞᄎᆞ 커 가며 큰 징반만 ᄒᆞ여 븕웃븕웃 ⓐ<u>번듯번듯</u> 뛰놀며 젹식이 왼 바다희 씨치며 몬져 븕은 긔운이 ᄎᆞᄎᆞ 가시며 희 흔들며 뛰놀기 더욱 ᄌᆞ로 ᄒᆞ며 항 ᄀᆞᆺ고 독 ⓑ<u>ᄀᆞᆺ흔</u> 것이 좌우로 뛰놀며 황홀이 번득여 냥목이 어즐ᄒᆞ며 븕은 긔운이 명낭ᄒᆞ야 첫 홍식을 혜앗고 텬듕의 징반 ᄀᆞᆺ흔 것이 수레박희 ᄀᆞᆺᄒᆞ야 믈 속으로서 치미러 밧치ᄃᆞᆺ시 올나 븟흐며 항독 ᄀᆞᆺ흔 긔운이 스러디고 처엄 ⓒ<u>븕어</u> 것츨 빗최던 ⓓ<u>거ᄉᆞᆫ</u> 모혀 소혀텨로 드리워 믈 속의 ⓔ<u>풍덩</u> ᄲᅡ디ᄂᆞᆫ듯 시브더라 일식이 됴요ᄒᆞ며 믈결의 븕은 긔운이 ᄎᆞᄎᆞ 가시며 일광이 쳥낭하니 만고 텬하의 그런 쟝관은 디두할 ᄃᆡ 업슬 ᄃᆞᆺᄒᆞ더라

---

02 (가)를 탐구한 내용으로 적절하지 <u>않은</u> 것은?

① '나랏'의 'ㅅ'은 현대 국어의 '의'에 해당하는 관형격 조사로 쓰였군.
② '中듕國·귁·에'의 '에'는 장소를 나타내는 부사격 조사로 쓰였군.
③ '文문字·ᄍᆞ'은 중국 원음에 나타내는 부사격 조사로 쓰였군.
④ '펴·디'에서는 구개음화가 확인되지 않는군.
⑤ '便뼌安한·킈'를 보니 오늘날에는 없는 자음이 쓰였음을 알 수 있군.

03 〈보기〉의 ⓐ~ⓔ 중, (가)의 현대어 풀이로 적절하지 <u>않은</u> 것은?

┤ 보기 ├

　　우리나라의 말이 중국과 달라 한자와 서로 ⓐ<u>통하지</u> 아니하여서 이런 ⓑ<u>까닭으로</u> 어리석은 백성이 ⓒ<u>말하고자</u> 하는 바가 있어도 마침내 제 뜻을 펴지 못하는 사람이 많다. 내가 이것을 가엾게 생각하여 새로 스물여덟 글자를 만드니, 모든 사람으로 하여금 ⓓ<u>쉼 없이</u> 익혀서 날마다 ⓔ<u>쓰는 데</u> 편안하게 하고자 할 따름이다.

① ⓐ　　　　　② ⓑ　　　　　③ ⓒ　　　　　④ ⓓ　　　　　⑤ ⓔ

04 ㉠~㉤의 의미의 변화 양상을 적절하게 연결한 것은?

의미의 축소	의미의 이동
① ㉠, ㉡	㉢, ㉤
② ㉠, ㉢	㉡, ㉣
③ ㉡, ㉣	㉠, ㉢
④ ㉡, ㉤	㉢, ㉣
⑤ ㉢, ㉤	㉠, ㉣

05 (가)~(다)를 비교한 내용으로 적절하지 <u>않은</u> 것은?

① (가)에서는 각자 병서가 쓰였으나 (나), (다)에서는 쓰이지 않고 있다.

② (가)는 연철 표기(이어적기)가 보편적이고, (나), (다)는 분철 표기(끊어적기)가 확대되었다.

③ (가)에서는 'ㄹㅇ'형 활용형이 나타나고 있으나, (나)에서는 'ㄹㅇ'형 활용형이 'ㄹㄹ'형으로 나타나고 있다.

④ (가), (나)와 달리 (다)에는 하나의 음소를 두 개의 음소로 쪼개어 표기하는 방식이 나타나고 있다.

⑤ (가), (나)에서는 명사형 어미 '-옴/움'이 규칙적으로 쓰이고 있으나 (다)시기에는 '-옴/움'의 불규칙한 사용이 나타나고 있다.

06 (다)의 밑줄 친 단어 중, 모음조화가 지켜지지 <u>않은</u> 것은?

① ⓐ　　　　　② ⓑ　　　　　③ ⓒ　　　　　④ ⓓ　　　　　⑤ ⓔ

07 (다)가 쓰인 시기의 국어의 특징이 아닌 것은?

① 'ᄯᅱ놀기'에서는 명사형 어미 '-기'가 쓰였음을 알 수 있다.
② '것출'에서는 중철 표기(거듭적기)가 나타난 것을 알 수 있다.
③ '물속으러셔'에서는 원순모음화가 일어나지 않았음을 알 수 있다.
④ 방점이 안 나타는 것으로 보아 성조가 소실되었음을 알 수 있다.
⑤ 'ᄀᆞᆺ흔'의 'ㅅ'을 보니 받침 표기에 'ㅅ'이 들어오면서 8종성 체계가 정착되었음을 알 수 있다.

[08~11] **다음 글을 읽고, 물음에 답하시오.**

(가)

불·휘기·픈남·ᄀᆞᆫ·ᄇᆞᄅᆞ매아·니:뮐·ᄊᆡ곶:됴·코여·름·하ᄂᆞ·니
:ᄉᆡ·미기·픈·므·른·ᄀᆞᄆᆞ·래아·니그·츨·ᄊᆡ:내·히이·러바·ᄅᆞ·래·가ᄂᆞ·니

– 「용비어천가(龍飛御天歌)」, 세종(世宗) 29년(1447년) –

(나) 世·솅宗종御·엉製·젱訓·훈民민正·졍音ᅙᅳᆷ

나랏:말ᄊᆞ·미中듕國·귁ⓐ·에달·아文문字·ᄍᆞᆼ·와·로서르ᄉᆞᄆᆞᆺ·디아·니ᄒᆞᆯ·ᄊᆡ·이런젼·ᄎᆞ·로어·린百·ᄇᆡᆨ姓·셩·이니르·고·져·홇·배이·셔·도ᄆᆞ·ᄎᆞᆷ:내제·ᄠᅳ·들시·러펴·디:몯ᄒᆞᇙ·노·미하·니·라내·이·ᄅᆞᆯ爲·윙·ᄒᆞ·야:어엿·비너·겨·새·로·스·믈여·듧字·ᄍᆞᆼ·ᄅᆞᆯᄆᆡᇰ·ᄀᆞ노·니:사ᄅᆞᆷ:마·다:ᄒᆡ·ᅇᅧ:수·ᄫᅵ니·겨·날·로·ᄡᅮ·메便뼌安ᅙᅡᆫ·킈ᄒᆞ·고·져ᄒᆞᇙᄯᆞᄅᆞ·미니·라

– 「월인석보(月印釋譜)」, 세조(世祖) 5년(1459년) –

(다) 소학언해(小學諺解)

孔·공子·ᄌᆡ 曾증子·ᄃᆞ려 닐·러 ᄀᆞᆯᄋᆞ·샤·ᄃᆡ· 몸·이며 얼굴·이며 머·리털·이·며 ·ᄉᆞᆯ·ᄒᆞᆫ 父·부母:모·ᄭᅴ 받ᄌᆞ·온 거·시·라 敢:감·히 헐·워 샹히·오·디 아·니 :홈·이 :효·도·ᄋᆡ 비·르·소미·오 ·몸·을 셰·워 道:도·를 行ᄒᆡᇰ·ᄒᆞ·야 일:홈·을 後:후世:셰·예 :베퍼 ·ᄡᅧ 父·부母:모ᄅᆞᆯ :현·뎌케 :홈·이 :효·도·ᄋᆡ ᄆᆞ·ᄎᆞᆷ·이니·라

– 「소학언해(小學諺解)」 권 제2, 선조 20년(1587년) –

---

08 (가)와 (나)를 통해 알 수 있는 중세국어의 특징과 그에 해당하는 예를 정리한 것이다. 적절하지 않은 것은?

	중세국어의 특징	예
A	성조를 표시하는 방점이 있었다.	불·휘
B	현대국어에서는 없는 음운이 존재했다.	:말ᄊᆞ·미
C	소리나는 대로 적는 이어적기가 쓰였다.	ᄇᆞᄅᆞ·매
D	현대국어에 비해 모음조화가 잘 지켜졌다.	·ᄀᆞᄆᆞ·래
E	초성에 둘 이상의 음운이 올 수 있었다.	·홇·배 이·셔·도

① A　② B　③ C　④ D　⑤ E

09 다음은 (다)의 중세국어와 현대국어의 차이점을 정리한 것이다. 적절하지 <u>않은</u> 것은?

	(다)	현대국어	차이점
A	孔·공子·지	공자가/공자께서	중세국어에 사용되던 주격 조사 'ㅣ'가 현대국어에서는 '가', '께서'로 바뀌었다.
B	닐·러	일러	중세국어에서는 두음 법칙이 사용되었으나 현대 국어에는 적용되지 않았다.
C	머·리털·이·며	머리털과	중세국어의 접속조사 '이며'가 현대국어에서의 '과'로 바뀌었다.
D	받즈·온	받은	중세국어의 객체높임 선어말어미 '-즙-'이 현대국어에서는 사라졌다.
E	아·니:홈	아니함	중세국어의 명사형어미 '-옴'이 현대국어에서는 '-(으)ㅁ'으로 바뀌었다.

① A   ② B   ③ C   ④ D   ⑤ E

10 (나)와 (다)는 약 130년의 시간 차이가 있는 국어자료이다. 둘을 비교하여 추측할 수 있는 국어의 변화양상으로 적절한 것은?

① (나)시기에 나타나던 어두자음군이 (다)시기에는 된소리로 변하였군.
② (나)시기에 혼란이 있었던 보음소화 현상이 (나)시기에는 잘 지켜지기 시작했군.
③ (나)시기에는 끊어적기가 보편적이었으나 (다)시기에는 이어적기와 끊어적기의 혼란이 생겼군.
④ (나)시기에는 고유어가 대부분이었으나 (다)시기에는 한자어의 쓰임이 증가했음을 알 수 있군.
⑤ (나)시기에는 한자어를 초성, 중성, 종성을 모두 적는 『동국정운(東國正韻)』식으로 표기하다가 (다)시기에는 한자어를 현실음에 맞게 표기하였군.

11 밑줄 친 것 중 ⓐ와 문법적 기능이 동일한 것은?

① 그가 가지고 있는 장갑은 내가 잃어버린 것<u>과</u> 똑같다.
② 희진이는 이번 방학<u>에</u> 캐나다로 떠날 계획이다.
③ 나는 친구<u>와</u> 함께 점심을 먹고 있었다.
④ 동생<u>의</u> 밥을 먹으라고 나를 불렀다.
⑤ 진수가 운동장<u>에서</u> 뛰고 있다.

12 〈보기〉를 바탕으로 훈민정음의 초성자와 중성자에 대해 탐구한 내용으로 가장 적절한 것은?

┤ 보기 ├

　　훈민정음 28자는 상형의 원리에 따라 기본자를 만든 다음 이를 기초하여 나머지 글자를 만들었다. 초성자는 기본자에 가획을 하여 만들었으며, 가획의 원리에서 벗어난 글자인 이체자가 있었다. 중성자는 기본자를 합성하여 만들었는데, 기본자 'ㆍ'와 나머지 기본자 하나를 합성하여 초출자를 만들고 이러한 초출자에 'ㆍ'를 다시 합성하여 재출자를 만들었다. 초성의 기본자는 'ㄱ, ㄴ, ㅁ, ㅅ, ㅇ'의 다섯이고, 중성의 기본자는 'ㆍ, ㅡ, ㅣ'이다.

초성					
기본자	ㄱ	ㄴ	ㅁ	ㅅ	ㅇ
가획자	ㅋ	ㄷㅌ	ⓐ	ㅈㅊ	ⓑ
이체자	ㆁ	ⓒ		ㅿ	

중성	
기본자	ㆍ, ㅡ, ㅣ
초출자	ⓓ
재출자	ⓔ

① 'ㅱ'과 'ㅸ'은 'ㅁ'에 가획을 한 것이므로 ⓐ에 해당하겠군.
② 'ㆆ'과 'ㆀ'은 'ㅇ'에 가획을 한 것이므로 ⓑ에 해당하겠군.
③ 'ㄹ'은 가획의 원리에서 벗어난 이체자이므로 ⓒ에 해당하겠군.
④ 'ㅢ'는 기본자 'ㅡ'와 'ㅣ'이 합성한 것으로 ⓓ에 해당하겠군.
⑤ 'ㅘ'는 초출자 'ㅗ'와 'ㅏ'이 합성한 것으로 ⓔ에 해당하겠군.

[13~17] 다음 글을 읽고, 물음에 답하시오.

(가)

불·휘 기·픈 남·군 ·ᄇᆞ·ᄅᆞ매 아·니 ㉠:뮐·씨 곶 :됴·코 여·름·하ᄂᆞ·니
:싴·미 기·픈·므·른 ·ᄀᆞᄆᆞ·래 아·니 그·츨·씨 :내·히 이·러 ㉡바·ᄅᆞ·래·가ᄂᆞ·니

– 「용비어천가(龍飛御天歌)」, 세종(世宗) 29년(1447년) –

[현대어 풀이]
뿌리 깊은 나무는 바람에 움직이지 아니하므로, 꽃 좋고 열매 많습니다. 샘이 깊은 물은 가뭄에 그치지 아니하므로, 내(川)가 이루어져 바다에 갑니다.

(나) 世·솅宗종御·엉製·졩訓·훈民민正·졍音흠

나·랏 :말쌋·미 中듕國·귁·에 달·아 文문字·쭝·와·로 서르 스뭇·디 아·니홀·씨 ·이런 젼·ᄎ·로 어·린 百·빅姓·셩·이 니
르·고·져 ·홇 ·배 이·셔·도 ᄆ·ᄎ·ᆷ:내 제 ·ᄠ·들 시·러 펴·디 :몯홇 ·노·미 하·니·라 ·내 ·이·를 爲·윙·ᄒ·야 ·어엿·비 너·겨
·새·로 ·스·믈여·듧 字·쭝·를 밍·ᄀ노·니 :사름:마·다 :히·여 :수·비 니·겨 ·날·로 ⓒ·뿌·메 便뼌安한·킈 ᄒ·고·져 홇 ᄯᄅ·
미니·라

－「월인석보(月印釋譜)」, 세조(世祖) 5년(1459년) －

[현대어 풀이]

우리나라 말이 중국과 달라 문자와 서로 통하지 아니하여 이런 까닭으로 어리석은 백성이 말하고자 하는 바가 있어도 마침내 제 뜻을 능히 펴
지 못하는 사람이 많다. 내가 이것을 위하여 가엾게 여겨 새로 스물여덟 자를 만드니, 모든 사람들로 하여금 쉽게 익혀서 날마다 쓰는 데 편하게
하고자 할 따름이다.

(다) 孔·공子·ᄌ ·ㅣ 曾증子·ᄌᄃ·려 닐·러 ᄀᆲᄋ·샤·디 ·몸·이며 얼굴·이며 머·리털·이·며 ·솔·흔 父·부母:모·끠 받ᄌ·온
거·시·라 敢:감·히 헐·워 샹ᄒ·오·디 아·니·홈·이 :효·도·익 비·르·소미·오 ·몸·을 세·워 道:도·를 行ᄒᆡᆼ·ᄒ·야 ⓔ일:홈·을
後:후世·셰·예 :베퍼 ·뻐 父·부母:모·를 :현·뎌케 :홈·이 ⓜ:효·도·익 ᄆ·ᄎ·ᆷ·이니·라

－「소학언해(小學諺解)」 권 제2, 선조 20년(1587년) －

[현대어 풀이]

공자께서 증자에게 일러 말씀하시기를, 몸과 형체와 머리털과 살은 부모께 받은 것이라. 감히 헐게 하여 상하게 하지 아니함이 효도의 시작이
고, 입신(출세)하여 도를 행하여 이름을 후세에 날려 부모를 드러나게 함이 효도의 끝이니라.

13 (가)~(다)에 대한 설명으로 가장 적절한 것은?

① (가)와 달리, (나)와 (다)는 동일한 한자음 표기 방식을 사용하고 있다.
② (가)와 달리, (나)와 (다)는 동일한 종성(받침) 표기 방식을 사용하고 있다.
③ (가)~(다) 모두 한자의 음과 뜻을 빌린 '차자(借字)' 표기 방식을 사용하고 있다.
④ (가)~(다) 모두 현대 국어와 달리 소리의 장단(長短)과 고저(高低)를 표시하는 기호를 사용하였다.
⑤ (가)~(다) 모두 글자를 표기할 때 현대 국어와 달리 형태소의 원형을 밝혀 적는 방식을 사용하고 있다.

14 (가)에 대한 설명으로 가장 적절한 것은?

① '남ᄀᆫ'과 '불휘'를 통해, '이어 적기' 표기 방식을 사용했음을 알 수 있다.
② '기픈'과 '그츨씨'를 통해, '종성부용초성'의 받침 표기 방식을 확인할 수 있다.
③ 'ᄇᄅ매'와 'ᄀᄆ래'를 통해, 'ᆞ'의 음운 변천 과정이 '음절' 위치에 따라 달라졌음을 알 수 있다.
④ '여름'과 '내'를 통해, 현대 국어와 '형태'는 동일하지만 '뜻'이 다른 어휘가 있음을 확인할 수 있다.
⑤ '하ᄂ니'와 '가ᄂ니'를 통해, 현대어 풀이를 고려하여 '상대 높임' 표현이 생략되어 있음을 알 수 있다.

15 다음은 (나)에 사용된 어휘들을 통해 중세 국어의 특징을 정리한 것이다. 어휘와 중세 국어 특징의 연결이 가장 적절한 것은?

	어휘		중세 국어의 특징
A	달·아	→	중세 국어 시기에는 '끊어 적기(분철)' 표기 방식을 주로 사용하였다.
B	어·린	→	중세–근대–현대 국어로 이동하면서 단어의 의미가 축소되기도 하였다.
C	쁘·들	→	종성 표기로는 '8종성법'이 원칙이었다.
D	수·비	→	훈민정음 초성 17자 중 근대–현대 국어에는 사라진 음운이 있었다.
E	便뼌安한·킈	→	한자음을 중국 발음에 가깝게 표기하기 위한 방법을 사용하였다.

① A   ② B   ③ C   ④ D   ⑤ E

16 (다)는 16세기 후반의 문헌 자료이다. (다)의 어휘들을 15세기의 표기 형태로 고친다고 할 때, 잘못 고친 것은?

소학언해   15세기

① 孔·공子·진   →   孔·공子·징
② 닐·러   →   닐·어
③ 받ᄌ·온   →   받ᄌ·ᄫᆞᆫ
④ 비·르·소미·오 →   비·르·수미·오
⑤ ·몸·을   →   ·모·믈

17 ㉠~㉢ 중 〈보기〉의 ⓐ, ⓑ에 해당하는 사례끼리 바르게 연결된 것은?

┤ 보기 ├

　국어의 모음들은 같은 종류의 모음끼리 어울리는 경향이 있다. 양성 모음인 'ㆍ, ㅏ, ㅗ'는 양성 모음끼리, 음성 모음인 'ㅓ, ㅜ, ㅡ' 등은 음성 모음끼리 어울리는 현상을 모음 조화라고 한다. 모음 조화는 중세 국어 시기에는 ⓐ비교적 엄격하게 지켜졌다. 그러나 중세 국어 시기에도 ⓑ모음 조화를 깨뜨리는 형태들이 나타나기 시작했다.

	ⓐ	ⓑ
①	㉠, ㉡	㉣, ㉢
②	㉡, ㉢	㉠, ㉢
③	㉡, ㉢, ㉢	㉣
④	㉢, ㉣, ㉢	㉠
⑤	㉠, ㉡, ㉢, ㉢	㉣

[18~25] 다음 글을 읽고, 물음에 답하시오.

(가) 世·솅宗종御·엉製·졩訓·훈民민正·졍音흠

나·랏:말ᄊᆞ·미中듕國·귁·에달·아文문字·ᄍᆞ·와·로서르ᄉᆞᄆᆞᆺ·디아·니ᄒᆞᆯ·ᄊᆡ·이런젼·ᄎᆞ·로어·린百·ᄇᆡᆨ姓·셩·이니르·고·져·ᄒᆞᇙ배이·셔·도ᄆᆞ·ᄎᆞᆷ:내제·ᄠᅳ·들시·러펴·디:몯ᄒᆞᇙ·노·미하·니·라내·이·ᄅᆞᆯ為·윙·ᄒᆞ·야:어엿·비너·겨·새·로·스·믈여·듧字·ᄍᆞ·ᄅᆞᆯ밍·ᄀᆞ노·니:사ᄅᆞᆷ:마·다:ᄒᆡ·ᅇᅧ:수·ᄫᅵ니·겨·날·로·ᄡᅮ·메便뼌安한·킈ᄒᆞ·고·져ᄒᆞᇙᄯᆞᄅᆞ·미니·라

– 「월일석보」(권1)에서, 세조(世祖) 5년(1459년) –

(나) [현대어 풀이]
우리나라 말이 중국과 달라 한자와 서로 통하지 아니하여서, 이런 까닭으로 어리석은 백성이 말하고자 하는 바가 있어도 마침내 제 뜻을 능히 펴지 못하는 사람이 많도다. 내가 이것을 가엾게 생각하여 새로 스물여덟 글자를 만드니, 모든 사람으로 하여금 쉽게 익혀서 날마다 쓰는 데 편안하게 하고자 할 따름이다.

(다) 워닌 아바님ᄭᅴ 샹ᄇᆡᆨ
자내 샹해 날ᄃᆞ려 닐오ᄃᆡ 둘히 머리 셰도록 사다가 흠ᄭᅴ 죽쟈 ᄒᆞ시더니 엇디ᄒᆞ야 나ᄅᆞᆯ 두고 자내 몬져 가시ᄂᆞ.

〈하략〉

– 「이응태 묘 출토 편지」에서(1586년) –

18 (가)를 읽고 이해한 내용으로 적절하지 <u>않은</u> 것을 〈보기〉에서 있는 대로 고른 것은?

┤ 보기 ├
㉠ 평등사상을 전제로 한다.
㉡ 우리말은 중국의 말과 다르다.
㉢ 훈민정음의 문자의 수는 28자이다.
㉣ 훈민정음의 창제 원리를 밝히고 있다.
㉤ 당시 문자 생활에 어려움을 겪는 이가 많았다.
㉥ 백성의 어려움을 살피는 통치자의 태도가 드러나 있다.
㉦ 중국과의 소통에 도움을 주기 위해 새로운 문자를 만들었다.

① ㉠, ㉡, ㉤　　② ㉠, ㉢, ㉥　　③ ㉠, ㉣, ㉦　　④ ㉡, ㉢, ㉣　　⑤ ㉡, ㉥, ㉦

19 (가)와 (다)의 표기상의 특징으로 적절하지 <u>않은</u> 것 두 개는?

① (가)는 (다)와 달리 방점을 사용하였다.
② (가)와 (다) 둘 다 어두자음군이 사용되었다.
③ (가)와 달리 (다)는 두음법칙이 적용되지 않았다.
④ (가)와 (다) 둘 다 오늘날에는 쓰이지 않는 음운이 사용되었다.
⑤ (가)와 (다) 둘 다 종성에서 음가가 없는 'ㅇ'을 형식적으로 표기하였다.

20 (가)와 (나)의 자료를 활용하여 중세 국어와 현대 국어를 비교한 결과로 적절하지 <u>않은</u> 것을 있는 대로 고른 것은?

비교 자료				비교 결과
	중세 국어 (가)	현대 국어 (나)		
㉠	나랏	나라의	→	(가)에서 사잇소리 'ㅅ'은 (나)에서 관형격조사 '의'로 나타난다.
㉡	ᄠᅳ들	뜻을	→	(가)에서는 이어 적기가, (나)에서는 끊어 적기가 나타난다.
㉢	펴디	펴지	→	'ㅣ'모음 앞에 있던 'ㄷ'은 (가)와 달리 (나)에서 구개음인 'ㅈ'이 되었다.
㉣	爲윙ᄒᆞ야	위하여	→	(가)에는 (나)와 달리 특정 모음끼리 좋아하여 어울리는 현상이 나타나 있다.
㉤	하니라	많다	→	(가)에서 '하다'는 '행동이나 작용을 이루다'와 '많다'의 두 가지 의미를 모두 지녔으나, (나)에서는 하나의 의미만 남았다.
㉥	배, 내	바가, 내가	→	(가)에는 주격조사가 사용되지 않았으나 (나)에는 주격조사 '가'가 사용되었다.

① ㉠, ㉡   ② ㉡, ㉢   ③ ㉢, ㉣   ④ ㉣, ㉤   ⑤ ㉤, ㉥

21 '중세 국어'의 특징으로 <u>틀린</u> 것은?

① 10세기~16세기 국어를 가리켜 말한다.
② 어휘가 지금과는 다른 양상으로 쓰였다.
③ 지금은 사용하지 않는 음운들이 쓰였다.
④ 훈민정음 창제기~임진왜란까지의 국어이다.
⑤ 문법도 현대 국어와는 다르게 쓰인 점이 많다.

22 중세 국어의 표기 원리(이어적기)가 반영되지 <u>않은</u> 것은?

① 나랏말ᄊᆞ미
② ᄠᅳ들
③ 밍ᄀᆞ노니
④ ᄲᅮ메
⑤ ᄊᆞᆞ미니라

23 중세 국어 자료에서는 '나 ·랏 :말 ᄊ ·미'와 같은 부호들이 보인다. 이 부호에 대한 설명으로 **틀린** 것은?

① '방점'이라고 불렀다.
② 점은 '없거나, 1개, 2개'를 붙였다.
③ 근대 국어 시기를 거치면서 사라졌다.
④ 성조(소리의 높낮이)를 표기했던 부호이다.
⑤ 동국정운식 표기를 반영하기 위한 것으로 한자에만 찍었다.

24 윗글의 어휘를 설명한 것으로 **잘못된** 것은?

① 中듕國귁에 달아 : '에'를 현대어로 옮기면 '보다'가 된다.
② 文문字ᄍ, 爲윙ᄒᆞ야 : 한자어의 받침이 빈 자리에 'ㅇ'을 넣어 주었다.
③ 노미 하니라 : '하다'는 '많다'는 의미로 쓰였다.
④ 젼ᄎ : '까닭'이란 뜻이었다.
⑤ ᄠᅳ들, ᄲᅮ메 : 첫소리에도 겹자음이 쓰였다.

25 '니르고져 ᅙᅩᇙ배 이셔도'에 대한 설명으로 **틀린** 것은?

① '이르고자 할 바가 있어도'의 의미이다.
② '니르고져'는 현대 국어에서 '이르고저'로 바뀌므로 두음법칙이 적용되었다고 볼 수 있다.
③ '배'는 '바'에 주격조사 'ㅣ'가 결합된 형태다
④ 중세 국어에서는 아직 주격 조사 '가'가 등장하지 않았음을 추측할 수 있다.
⑤ '이셔도'에서는 주체 높임 선어말 어미 '-시-'가 쓰였음을 알 수 있다.

(가)

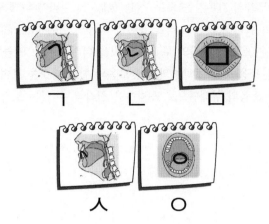

(나)

```
ㄱ → ㅋ
ㄴ → ㄷ → ㅌ ( ㄷ → ㄹ )
ㅁ → ㅂ → ㅍ
ㅅ → ㅈ → ㅊ ( ㅅ → ㅿ )
ㅇ → ㆆ → ㅎ ( ㅇ → ㆁ (옛이응) )
```

(다) "훈민정음 해례본"에서는 초성 17자에 속하지 않는 자음자들을 만들어 쓰는 방법으로 '병서'와 '연서'를 설명하고 있다. 병서는 'ㄲ, ㄸ, ㅃ, ㅆ' 등처럼 둘 이상의 같거나 다른 자음을 가로로 나란히 쓰는 방법으로, 'ㄲ, ㄸ, ㅃ'같이 쓰인 것을 '각자병서', 'ㅳ, ㅺ, ㅄ' 같이 쓰인 것을 '합용병서'라고 한다. 연서는 'ㅱ, ㅸ, ㆄ' 등처럼 두 개의 자음을 세로로 이어 쓰는 방법이다.

(라)

·	하늘의 둥근 모양을 본뜸.
ㅡ	땅의 평평한 모양을 본뜸.
ㅣ	사람이 서 있는 모양을 본뜸.

(마)

초출자	• ㅗ, ㅏ, ㅜ, ㅓ • '·'를 'ㅡ', 'ㅣ'에 결합하여 만듦.
재출자	• ㅛ, ㅑ, ㅠ, ㅕ • 초출자에 다시 '·'를 결합하여 만듦.

(바) "훈민정음 해례본"에는 중성 11자 외에도 둘이나 세 글자를 합하여서 만든 'ㅘ, ㅝ, ㆇ, ㆊ, ㅓ, ㅢ, ㅚ, ㅐ, ㅟ, ㅔ, ㆉ, ㅒ, ㆌ, ㅖ, ㅙ, ㅞ' 등의 모음자가 더 설명되어 있다. 이 모음자들은 '합용'의 원리에 의해 만들어진 것이다.

26 윗글을 바탕으로 한글의 제자 원리에 대해 이해한 것으로 적절하지 않은 것은?

① (가)와 (라)를 통해 자음과 모음의 기본자는 모두 '상형(象形)'의 원리에 의해 만들어졌음을 알 수 있다.

② (나)는 (가)의 기본자에서 획을 더해 거센 소리를 표현한 자음의 이원적(二元的) 구성을 보여준다.

③ (나)의 'ㄹ, ㅿ, ㆁ(옛이응)'은 소리의 세기와 무관하며 획을 더하지 않고 만들었으므로 '이체자'라고 부른다.

④ (마)는 (라)의 기본자에서 단모음의 합성 과정과 이중모음의 합성 과정을 보여준다.

⑤ 윗글을 통해 한글은 자음과 모음의 형태만으로도 발음을 짐작할 수 있는 조직적인 문자임을 알 수 있다.

27 윗글과 〈보기〉를 읽고 이해한 것으로 가장 적절한 것은?

┤ 보기 ├

휴대전화기에서 위의 자판으로 '통닭과 빵'을 표기하기 위해서는 다음과 같이 숫자 키패드를 누르는 과정이 필요하다.

ⓐ 통 : 6번 → 6번 → 2번 → 3번 → 0번

ⓑ 닭 : 6번 → 1번 → 2번 → 5번 → 5번 → 4번

ⓒ 과 : 4번 → 2번 → 3번 → 1번 → 2번

ⓓ 빵 : 7번 → 7번 → 7번 → 1번 → 2번 → 0번

① ⓐ~ⓓ 모두 가획의 원리가 적용되었다.

② ⓐ는 연서의 방법으로 자음을 표현하였다.

③ ⓑ의 종성은 각자병서의 방법으로 자음을 표기하였다.

④ ⓒ는 합용의 원리가 적용되었다.

⑤ ⓓ의 초성은 합용병서의 방법으로 자음을 표기하였다.

(가) ㉠나·랏:말ᄊᆞ·미中듕國·귁·에달·아文문字·ᄍᆞ·와·로서르ᄉᆞᄆᆞᆺ·디아·니ᄒᆞᆯ·ᄊᆡ·이런젼·ᄎᆞ·로어·린百·ᄇᆡᆨ姓·셩·이니르·고·져 ㉡·홇·배이·셔·도ᄆᆞ·ᄎᆞᆷ:내제 ㉮ 시·러펴·디:몯홇·노·미하·니·라·내·이·ᄅᆞᆯ爲·윙·ᄒᆞ·야:어엿·비너·겨·새·로·스·믈여·듧字·ᄍᆞ·ᄅᆞᆯ밍·ᄀᆞ노·니:사름:마·다:ᄒᆡ·ᅇᅧ:수·ᄫᅵ니·겨·날·로·㉢·ᄡᅮ·메便뼌安한·킈ᄒᆞ·고·져홇ᄯᆞᄅᆞ·미니·라

(나) 乃냉終즁ㄱ소리는 다시 첫소리를 ㉣ᄡᅳᄂᆞ니라

　　　ㅇ·를 입시울쏘리 아래 니ᅀᅥ쓰면 입시울가ᄇᆡ야ᄫᆞᆫ소리 ᄃᆞ외ᄂᆞ·니·라.

　　　첫소리를 어울워 ᄡᅮ·디면 글ᄫᅡ쓰라 냉終즁ㄱ소리도 흔가지라

　　　　　　　　　　　　　　　　　　　　　　　　　　　　　－「훈민정음」언해 －

(다) 불휘 기픈 ㉤남ᄀᆞᆫ ᄇᆞᄅᆞ매 아니 뮐ᄊᆡ

　　　곶 됴코 여름 하ᄂᆞ니

　　　시미 기픈 ㉯ ᄀᆞ므래 아니 그츨ᄊᆡ

　　　내히 이러 바ᄅᆞ래 가ᄂᆞ니

　　　　　　　　　　　　　　　　　　　　　　　　　　　　－「용비어천가」, 〈제2장〉 －

28 (가), (나)에 나타난 중세국어의 음운에 대해 설명한 것으로 적절하지 <u>않은</u> 것은?

① 초성에 둘 이상의 자음이 오는 어두자음군이 있었다.

② 지금은 쓰이지 않는 자음 'ㅿ'과 'ㅸ'이 존재하였다.

③ 평성, 거성, 상성, 입성을 방점의 개수로 구분하였다.

④ 종성에서 'ㄷ'과 'ㅅ'이 다르게 발음되었다.

⑤ 종성에 음가가 없는 ㅇ이 있었다.

29 〈보기〉와 어휘의 변화의 양상이 같은 것끼리 짝지어진 것은?

┤ 보기 ├

ㄱ. '젼·ᄎᆞ'는 원래 까닭이나 이유를 뜻하는 말이었으나 지금은 사라진 단어이다.

ㄴ. '스랑ᄒᆞ다'는 원래 '생각하다'와 '사랑하다'의 의미로 쓰였으나 지금에 와서는 '사랑하다'의 의미로 쓰인다.

ㄷ. '싁싁ᄒᆞ다'는 원래 '엄하다'의 뜻이었으나 지금은 '용감하다'의 의미로 쓰인다.

	ㄱ	ㄴ	ㄷ
①	말쏨	불휘	어리다
②	불휘	어리다	놈
③	하다	놈	어엿브다
④	ᄉᆞᄆᆞᆺ다	하다	어엿브다
⑤	ᄉᆞᄆᆞᆺ다	말쏨	어엿브다

30 ㉠~㉤에 나타난 중세 국어의 문법적 특징을 설명한 것으로 적절하지 <u>않은</u> 것은?

① ㉠ : 무정 명사에 결합되는 관형격 조사 'ㅅ'이 쓰였다.
② ㉡ : 모음으로 끝나는 체언 뒤에 주격 조사가 생략되었다.
③ ㉢ : 명사형 어미 '-움'이 쓰였다.
④ ㉣ : 현재 시제를 나타내는 선어말어미 '-ᄂᆞ-'가 쓰였다.
⑤ ㉤ : 조사와 결합할 때 'ㄱ'이 덧붙는 체언이 쓰였다.

31 〈보기〉의 밑줄 친 부분의 사례로 적절하지 <u>않은</u> 것은?

┤ 보기 ├

　　국어에서 어휘는 시대에 따라 형태 변화를 겪어왔는데 그 원인은 크게 두 가지로 볼 수 있다. 하나는 <u>음운의 변천에 따른 어형 변화</u>로 '·'와 같은 음운의 소멸이나 된소리되기, 구개음화, 단모음화, 원순모음화 등의 음운 현상으로 인해 어형이 바뀌는 것이다. 또 하나는 형태소 자체의 변화에 의한 것이다.

　　중세국어　　　현대국어
① 스믈　　　　　스물
② 니서쓰면　　　이어쓰면
③ 기픈　　　　　깊은
④ ᄇᆞᄅᆞᆷ　　　바람
⑤ 됴코　　　　　좋고

32 방점을 고려하지 않을 때, 〈보기〉의 설명에 따라 ㉮, ㉯에 들어갈 말을 바르게 고른 것은?

┤ 보기 ├

　　모음조화는 양성모음은 양성모음끼리, 음성모음은 음성모음끼리 결합하는 현상을 말한다. 중세국어 시기는 모음조화가 비교적 잘 지켜져 목적격조사는 '을/를/ᄋᆞᆯ/ᄅᆞᆯ', 단독의 보조사에 '은/는/ᄋᆞᆫ/ᄂᆞᆫ'이 있었다. 예를 들어
　　㉮ : 'ᄠᅳᆮ' + '목적격 조사'가 결합한 형태
　　㉯ : 'ᄆᆞᆯ' + '단독의 보조사'가 결합한 상태
에서 중세국어의 모음조화현상을 확인할 수 있다.

　　　㉮　　　　　㉯
① ᄠᅳ들　　　　ᄆᆞᄅᆞᆫ
② ᄠᅳ를　　　　ᄆᆞᆯᄂᆞᆫ
③ ᄠᅳ들　　　　ᄆᆞᆯᄋᆞᆫ
④ ᄠᅳᆯ를　　　ᄆᆞᆯᄂᆞᆫ
⑤ ᄠᅳ들　　　　ᄆᆞᄅᆞᆫ

(가) 世·솅宗종御·엉製·졩訓·훈民민正·졍音흠

(Ⓐ) ·文문字·쫑·와·로 서르 ᄉᆞᄆᆞᆺ·디 아·니홀·ᄊᆡ·이런 젼·ᄎᆞ·로 어·린 百·빅姓·셩·이 니르·고·져 ·호·ᇙ·배 이·셔·도 ᄆᆞ·ᄎᆞᆷ·내 제·ᄠᅳ·들 시·러 펴·디 :몯 홇·노·미 하·니·라 ·내 ·이·ᄅᆞᆯ 爲·윙·ᄒᆞ·야:어엿·비 너·겨·새·로·스·믈여·듧 字·ᄍᆞᆼ·ᄅᆞᆯ 밍·ᄀᆞ노·니 :사ᄅᆞᆷ :마·다 :ᄒᆡ·ᅇᅧ :수·ᄫᅵ 니·겨·날·로 ·ᄡᅮ·메 便뼌安한·킈 ᄒᆞ·고·져 ᄒᆞᇙ ᄯᆞᄅᆞ·미니·라

– 「훈민정음(訓民正音)」 언해본에서 –

[현대어 풀이]

우리나라의 말이 중국과 달라 한자와는 서로 통하지 아니하여서 이런 까닭으로 어리석은 백성이 말하고자 하는 바가 있어도 마침내 제 뜻을 펴지 못하는 사람이 많다. 내가 이것을 가엾게 생각하여 새로 스물여덟 글자를 만드니, 모든 사람으로 하여금 (Ⓑ) 편안하게 하고자 할 따름이다.

(나) 용비어천가(龍飛御天歌)

불·휘 기·픈 남·ᄀᆞᆫ ᄇᆞᄅᆞ·매 아·니 :뮐·ᄊᆡ

곶 :됴·코 여·름 ·하ᄂᆞ·니

:ᄉᆡ·미 기·픈 ·므·른 ·ᄀᆞᄆᆞ·래 아·니 그·츨·ᄊᆡ

:내·히 이러 바·ᄅᆞ·래 ·가ᄂᆞ·니

[현대어 풀이]

뿌리가 깊은 나무는 바람에 흔들리지 아니하므로
꽃이 좋고 열매가 많습니다.
샘이 깊은 물은 가뭄에도 끊이지 아니하므로
내가 이루어져 바다로 흘러갑니다.

(다) 월인석보(月印釋譜)

俱夷(구이) ·ᄯᅩ :묻ᄌᆞ·ᄫᆞ샤·ᄃᆡ

"부텻·긔 받ᄌᆞ·ᄫᅡ 므·슴·호려 ·ᄒᆞ·시ᄂᆞ·니"

善慧(선혜) 對答(대답)·ᄒᆞ샤·ᄃᆡ

"一切(일체) 種種(종종) 智慧(지혜)·를 일·워 衆生(중생)·ᄋᆞᆯ 濟渡(제도)·코져 ·ᄒᆞ노·라"

俱夷(구이) 너·기샤·ᄃᆡ '·이 男子(남자)ㅣ 精誠(정성)·이 至極(지극)홀·ᄊᆡ :보·ᄇᆡ·ᄅᆞᆯ 아·니 앗·기놋·다'·ᄒᆞ·야 니ᄅᆞ·샤·ᄃᆡ

"·내 ·이 고·ᄌᆞᆯ 나·소리·니 願(원)호·ᄃᆞᆫ ·내 生生(생생)·애 그딋 가·시 ᄃᆞ외·아지·라"

[현대어 풀이]

구이가 또 여쭈시길
"부처님께 바쳐 무엇하려 하시는고?"
선혜가 대답하시기를
"모든 갖가지 깨달음을 이루어 중생을 제도하고자 한다."
구이가 생각하되 '이 남자가 정성이 지극해서 보배를 아끼지 않는구나.' 하여 말씀하시기를
"내가 이 꽃을 드리겠으니, 원컨대 나의 모든 생애에 그대의 아내가 되고 싶다."

33 (가)~(다)의 공통점이 <u>아닌</u> 것은?

① 소리 나는 대로 적었다.
② 주격 조사로서 '가'가 없었다.
③ 현재는 사라진 음운들이 있었다.
④ 글자 오른쪽에 방점이 찍혀 있었다.
⑤ 모음조화가 현대국어에 비해 잘 지켜졌다.

34 ⓐ에 쓰인 주격 조사와 가장 가까운 주격조사를 사용한 것은?

① ·빅姓·셩·이   ② ·노·미   ③ :시미
④ 俱夷(구이)   ⑤ 男子(남자) ㅣ

35 ⓑ는 현대 국어와 차이가 있는 표기이다. 이와 가장 유사한 것은?

① :됴·코   ② 그·츨·씨   ③ 너·기샤·딕
④ 니르·샤·딕   ⑤ 드외·아지·라

36 다음 중 이어적기 표기가 <u>아닌</u> 것은?

① 뿌·메   ② 브르·매   ③ ·므른
④ :보·빅·르   ⑤ 고·줄

37 다음 중 Ⓐ에 들어갈 내용으로 적절한 것은?

① 나·랏:믈쏜·미中듕國·귁·에 달·아
② 나·랏:말쏜·미中듕國·귁·에 달·아
③ 나·라:말쏜·미中듕國·귁·에 달·라
④ 나·라:믈쏜·미中듕國·귁·에 달·아
⑤ 나·랏:믈쏜·미中듕國·귁·에 달·라

38 〈보기〉의 ⓐ, ⓑ에 따른 표기의 예로 적절하게 짝지은 것은?

┤ 보기 ├

ⓐ – 초성 글자를 합하여 사용할 때는 나란히 써라.

ⓑ – ㅇ을 순음 아래 이어 쓰면 순경음이 된다.

	ⓐ	ⓑ
①	:수·비	:히·여
②	딩·ㄱ노·니	·훓·배
③	·쁘·들	받ᅑ봐
④	便뼌安한·킈	:보·비·ᄅ
⑤	·빅姓·셩·이	므·른

39 〈보기〉는 중세국어 이후의 근대국어 자료이다. 중세국어와 비교할 때 차이점으로 적절하지 <u>않은</u> 것은?

┤ 보기 ├

신정심상소학(新訂尋常小學)

비둘기가 부엉이의 移居(이거)ᄒ랴는 貌樣(모양)을 보고 어듸 갈 터이뇨 무르니 부엉이 對答(대답)ᄒ야 갈오듸 이 地方(지방) ᄉ름은 내 우름 쇼리를 미워ᄒᄂᆫ 故(고)로 나는 다른 地方(지방)으로 올무랴 ᄒ노라 ᄒ니 비둘기 우서 갈오듸 ᄌ네 우는 쇼리를 곳치지 안코 居處(거처)만 옴기면 如舊(여구)히 쏘 미워홈을 免(면)치 못ᄒ리라 ᄒ얏소 이 이익기는 참 滋味[재미]잇습ᄂ이다

[현대어 풀이]

비둘기가 부엉이가 이사하려는 모습을 보고 "어디 갈 작정이냐?"라고 물으니 부엉이가 대답하여 말하기를 "이 지방 사람은 내 울음소리를 미워하는 까닭에 나는 다른 지방으로 옮기려 한다."라고 하니 비둘기가 웃으며 말하기를 "자네가 우는 소리를 고치지 않고 거처만 옮기면 여전히 미움 받기를 피하지 못할 것이다."라고 하였다. 이 이야기는 참 재미있습니다.

① 끊어적기가 쓰인다.

② 방점을 표시하지 않는다.

③ 주격 조사로서 '가'가 쓰인다.

④ 이어적기가 완전히 사라졌다.

⑤ 구개음화가 일어난 표기가 쓰인다.

[40~44] 다음 글을 읽고, 물음에 답하시오.

(가) 과거에는 '십의 열 배가 되는 수, 또는 그런 수의.'라는 뜻을 '온'이라는 소리로 나타내도록 약속되어 있었으나 후에 그러한 뜻을 '백(百)' 이라는 소리로 나타내도록 약속을 바꾸었기 때문에, 우리는 '백'은 알지만 '온'은 알지 못하는 상황이 된 것이다.

(나) 世솅宗종御ᅌᅥᆼ製졩訓훈民민正졍音ᅙᅳᆷ

나·랏:말ᄊᆞ·미中듕國·귁·에달·아文문字·ᄍᆞᆼ·와로서르ᄉᆞᄆᆞᆺ·디아·니ᄒᆞᆯ·ᄊᆡ·이런젼·ᄎᆞ·로어·린百·ᄇᆡᆨ姓·셩·이니르·고·져·ᄒᆞᇙ·배이·셔·도ᄆᆞ·ᄎᆞᆷ:내제·ᄠᅳ·들시·러펴·디:몯ᄒᆞᇙ·노·미하·니·라·내·이·ᄅᆞᆯ爲·윙·ᄒᆞ·야:어엿·비너·겨·새·로·스·믈여·듧字·ᄍᆞᆼ·ᄅᆞᆯᄆᆡᇰ·ᄀᆞ노·니:사ᄅᆞᆷ:마·다:ᄒᆡᅇᅧ:수·ᄫᅵ니·겨·날·로·ᄡᅮ·메便뼌安한·킈ᄒᆞ·고·져ᄒᆞᇙᄯᆞᄅᆞ·미니·라

– 「훈민정음(訓民正音)」 언해본에서 –

(다) 누구던지상탈수잇습니다

부인네께서만히써보내십시요

재미잇는조선옛날이약이를모집합니다

사람은어렷슬때부터 조흔교훈과조흔가르침중에서 조흔생각을갓게되고 조흔마음을기쁘게되고 ᄯᅩ그런속에서커가야 조흔사람 조흔일군이되는것임으로 세계어느나라에던지 어린사람에게들려주는 조흔이약이가만히잇서서 그나라아이들이 그 조흔이약이를듯고자라서 튼튼하고마음착하고 [하략]

– 1922년 잡지 표기 –

〈현대어 풀이〉

누구든지 상 탈 수 있습니다.

부인네께서 많이 써 보내십시오.

재미있는 조선 옛날이야기를 모집합니다.

사람은 어렸을 때부터 좋은 교훈과 좋은 가르침 중에서 좋은 생각을 갖게 되고 좋은 마음을 기쁘게 되고 또 그런 속에서 커가야 좋은 사람 좋은 일꾼이 되는 것이므로 세계 어느 나라에든지 어린 사람에게 들려주는 좋은 이야기가 많이 있어서 그 나라 아이들이 그 좋은 이야기를 듣고 자라서 튼튼하고 마음 착하고 [하략]

40 (가)에 나타난 언어의 특성을 가장 잘 설명한 것은?

① 언어는 하나의 사회적 약속이지만 시간의 흐름에 따라 신생, 성장, 사멸하는 변화를 겪을 수 있다.

② 언어는 언어의 지식과 규칙을 바탕으로 무한한 수의 새로운 단어와 문장을 만들 수 있다.

③ 언어는 같은 부류의 사물들에서 공통적인 속성을 뽑아내는 추상화의 과정을 통해 개념을 형성한다.

④ 언어는 인간이 의사소통을 하는 데 쓰이는 기호이며, 일정한 말소리와 의미의 자의적 결합으로 이루어진다.

⑤ 언어는 외부 세계를 있는 그대로 반영하는 것이 아니라 연속적으로 이루어져 있는 세계를 불연속적인 것으로 분절하여 표현한다.

41 (나)에 대한 설명으로 적절하지 않은 것은?

① 지금은 사용하지 않는 음운이 사용되었다.
② 글자의 왼쪽에 점을 찍어 성조를 표시하였다.
③ 오늘날에는 사용하지 않는 어휘가 나타나 있다.
④ 오늘날과 같이 구개음화, 두음법칙이 잘 지켜졌다.
⑤ 오늘날과 달리 첫소리에 서로 다른 자음을 나란히 쓰기도 하였다.

42 (나)의 밑줄 친 부분에서 '문법과 문법적 요소'에 대한 설명으로 적절한 것은?

① '나·랏:말ᄊᆞ·미'가 '우리나라의 말이'로 해석되는 것을 보니, '랏'에는 끊어 읽기 부호를 사용한 것이다.
② '中듕國·귁·에'는 '중국과 함께'라는 뜻의 공통 부사격 조사를 사용하였다.
③ '아·니홀·씨'가 '아니하여'로 풀이되는 것으로 보아, '-ㄹ씨'는 오늘날과 달리 감탄형 어미로 쓰였다.
④ '빅姓·셩·이'에서 볼 수 있듯이, 자음으로 끝난 체언 뒤에서 주격조사 '이'가 사용되었음을 알 수 있다.
⑤ '홇·배'가 '하는 바가'로 해석되는 것을 볼 때, 모음으로 끝난 체언 뒤에서 주격 조사가 생략되었음을 알 수 있다.

43 아래 설명을 참고하였을 때, 다음 중 모음 조화가 지켜지지 않은 것은?

> 모음 조화란 한 단어 안에서, 혹은 어간과 어미, 체언과 조사의 연결에서 양성 모음은 양성 모음끼리, 음성 모음은 음성 모음끼리 어울리는 현상이다.

① 말·ᄊᆞᆷ　　② 서르　　③ 모·ᄎᆞ:내　　④ 너·겨　　⑤ ᄒᆞ·고·져

44 (나)와 (다)를 비교한 것으로 적절하지 않은 것은?

① (나)는 방점이 있고 (다)에서는 방점이 사라졌다.
② (나)는 (다)와 같이 각자병서, 합용병서가 쓰였다.
③ (나)는 (다)와 달리 순경음이 사용되지 않았다.
④ (나)는 띄어쓰기를 하지 않았고, (다)는 부분적으로 띄어쓰기를 하였다.
⑤ (나)는 한글과 한자가 섞인 표기를, (다)는 한글 위주의 표기를 사용하였다.

[01~06] 다음 글을 읽고, 물음에 답하시오.

(가) 世솅宗종御엉製젱訓훈民민正졍音흠

나·랏:말쌋·미 中듕國·귁·에 달·아 文문字·쭝·와·로 서르 스뭇·디 아·니홀·씨·이런젼·ᄎ·로 어·린 百·빅姓·셩·이 니르·고·져·홇·배 이·셔·도 ᄆᆞ·ᄎᆞᆷ:내 제·ᄠᅳ·들 시·러 펴·디:몯홇·노·미 하·니·라·내·이·ᄅᆞᆯ 爲·윙·ᄒᆞ·야:어엿·비 너·겨·새·로·스·믈여·듫字·쭝·ᄅᆞᆯ 밍·ᄀᆞ노·니:사ᄅᆞᆷ:마·다:ᄒᆡ·ᅇᅧ:수·ᄫᅵ 니·겨·날·로·ᄡᅮ·메 便뼌安한·킈 ᄒᆞ·고·져 홇 ᄯᆞᄅᆞ·미니·라

— 「훈민정음(訓民正音)」 언해본에서 —

01 〈보기〉는 훈민정음 창제 원리에 대한 설명이다. 이를 바탕으로 ⊙, ⓒ에 해당하는 음운을 각각 쓰시오.

┤ 보기 ├

훈민정음은 상형의 원리에 따라 기본자를 만든 다음 이를 기초하여 나머지 글자를 만들었다. 자음은 ⊙기본자에 가획을 하여 만들었으며, 가획의 원리에서 벗어난 글자인 이체자가 있었다. 모음도 먼저 ⓒ기본자를 만든 후, 이 기본자를 합성시켜 초출자와 재출자를 만들었다.

02 〈보기〉의 단어에 공통적으로 나타난 중세국어 표기법을 쓰시오.

┤ 보기 ├

• 말쌋미   • ᄠᅳ들   • ᄡᅮ메   • ᄯᆞᄅᆞ미니라

03 위에 제시된 '훈민정음'을 읽고, '문법과 문법적 요소'에 관한 중세국어의 특징을 현대국어와 비교하여 서술하시오. (단, 예를 함께 제시하여야 하고, 200자 내외로 서술할 것.)

04 현대의 '한글 맞춤법' 원리에 비추어 볼 때, 다음 중세 국어의 표기가 현대 국어와 다른 점을 서술하시오. (세 가지 단어를 보고, 표기의 공통점을 서술하여야 함. 50자 내외로 빈 칸에 쓸 것.)

중세 국어		현대 국어	표기 방식상 국어의 변화
·노·미	→	놈이	
·뿌·메	→	씀에	
ᄯᆞᄅᆞ·미니·라	→	따름이니라	

05 아래의 글은 '국어의 역사성'과 관련된 글이다. '국어의 역사성'을 '어휘적 측면'에서 서술하되, '훈민정음'에서 예를 찾아 서술하시오. (100자 내외로 서술하되, 꼭 예를 '훈민정음'에서 찾을 것.)

┤ 참고 ├
　　소리와 뜻 사이에 일정한 약속이 형성되어 있다고 해서 그러한 약속이 항상 유지되는 것은 아니다. 시간이 지남에 따라 그러한 약속이 변화될 수도 있는데 이를 언어의 역사성이라고 한다.

06 〈보기〉의 두 사례에서 공통적으로 설명한 문법 원리를 쓰고, 그 내용을 설명하시오.

┤ 보기 ├
• '스믈여듧 字ᄍᆞᆼ를'의 목적격 조사 '를'은 음운 환경에 따라 '올/를'이나 '을/를' 중에서 선택해 썼다.
• '爲윙ᄒᆞ야'의 연결 어미 '-야'는 음운 환경에 따라 '-야/-여' 중에서 선택해 썼다.
　(양성모음, 음성모음, ㅏ ㅓ ㅗ ㅜ · ㅡ를 모두 사용하여 설명할 것)

[07~11] 다음 글을 읽고, 물음에 답하시오.

나랏 말쏘미 中듕國귁에 달아 文문字쫑와로 서르 ㉠스뭇디 아니홀씨 이런 젼ᄎ로 어린 百빅姓셩이 니르고져 홒
배 이셔도 ᄆᆞ춤내 제 ᄠᅳ들 시러 펴디 몯홇 노미 하니라 내 이룰 爲윙ᄒᆞ야 어엿비 너겨 새로 ㉡스믈여듧 字쫑룰 ㉢밍
ᄀᆞ노니 사름마다 히여 수비 니겨 날로 뿌메 便뻔安한킈 ᄒᆞ고져 홒 ᄯᆞᄅᆞ미니라.

– 「훈민정음」 언해 –

---

07 윗글에 나타난 훈민정음 창제정신 4가지를 서술하시오.

┤ 작성요령 ┝

ㄱ. 답안은 '훈민정음에는 ~한/는 ○○정신이 나타난다.'의 문장 형태로 서술함.

08 ㉠에 나타난 표기법을 서술하시오.

┤ 작성요령 ┝

ㄱ. 답안은 '(표기법 명칭)으로 (내용 설명)이다.'의 문장 형태로 서술함.

09 ㉡이 무엇인지 아래 조건에 맞게 서술하시오.

┤ 작성요령 ┝

ㄱ. 답안은 '초/중/종성은 (제자 원리 또는 방법)에 의해 (글자)를 만들었다.'의 형태로 서술함.

10 ⓒ의 형태소를 분석하여 쓰시오.

11 (1) 다음은 중세 국어 표기가 현대 국어와 다른 점을 현대의 '한글 맞춤법'의 원리에 비추어 설명한 것이다. ㉠, ㉡에 들어갈 알맞은 말을 쓰시오.

┌──────────────────────────────────────┐
│ 말쓰·미   → 말씀이   │
│ 匹·들   → 뜻을   │
│ 뿌·메   → 씀에   │
│ 흟쭈릉·미니·라   → 할 따름이니라   │
│ (중세 국어)   (현대 국어)   │
│ → 중세 국어는 이어적기(연철), 즉 (㉠) 표기하였으나, 현대 국어는 끊어적기(분철), 즉 (㉡)표기하 │
│   였다.   │
└──────────────────────────────────────┘

(2) 다음 〈보기〉의 ⓐ, ⓑ에 알맞은 말을 쓰시오.

┌─┨ 보기 ┠──────────────────────────────┐
│   언어는 끊임없는 변화를 겪는다. 단어에 결합된 의미도 마찬가지이다. 어휘의 의미는 의미가 확대되거나, │
│ 축소되거나 아니면 이동하는 등 여러 가지 방식으로 변화한다.   │
│   '중생(衆生)'이라는 단어는 예전에는 모든 생물 전체를 가리키는 불교 용어였지만, 지금은 인간을 제외한 │
│ 동물을 가리키는 말로 변했다. 이는 윗글의 (ⓐ) 어휘들에서도 볼 수 있으며 이들은 모두 어휘의 의미 │
│ 영역이 (ⓑ)된 예라고 할 수 있다.   │
└──────────────────────────────────────┘

┌─┨ 조건 ┠──────────────────────────────┐
│ 1. ⓐ에 해당하는 예를 2개 찾아 쓸 것.   │
│ 2. ⓑ'확대, 축소, 이동' 중에서 알맞은 단어를 골라 쓸 것.   │
└──────────────────────────────────────┘

[12] 다음 글을 읽고, 물음에 답하시오.

> 셰종엉졩 훈민졍흠
> 나랏말ᄊᆞ미 中듕國귁에 달아
> ㉠ ᄆᆞᆺ춤내 제 ᄠᅳ들 시러 펴디 몯ᄒᆞᆯ 노미 하니라
> ㉡ 새로 스믈여듧 字쫑ᄅᆞᆯ 밍ᄀᆞ노니
> ㉢ 文문字쫑와로 서르 ᄉᆞᄆᆞᆺ디 아니ᄒᆞᆯ씨 이런 젼ᄎᆞ로
> ㉣ 어린 百빅姓셩이 니르고져 홇배 이셔도
> ㉤ 사름마다 ᄒᆡᅇᅧ 수비 니겨 날로 ᄡᅮ메
> ㉥ 내 이ᄅᆞᆯ 爲윙ᄒᆞ야 어엿비 너겨
> 便뼌安한킈 ᄒᆞ고져 홇 ᄯᆞᄅᆞ미니라.

— 「훈민정음(訓民正音)」 (언해본) —

12 ㉠~㉥을 문맥에 맞게 순서를 쓰시오.

[13~14] 다음 글을 읽고, 물음에 답하시오.

(가) 世·솅宗종御·엉製·졩訓·훈民민正·졍音흠
　나랏 :말ᄊᆞ·미 中듕國·귁·에 달아 文문字·쫑·와로 서르 ᄉᆞᄆᆞᆺ·디 아니홀·씨 ·이런 젼·ᄎᆞ·로 ·어린 百·빅姓·셩·이 니르·고· 져 ·홇 ·배 이·셔·도 ᄆᆞᆺ·춤:내 제 ·ᄠᅳ·들 시러 펴·디 :몯홇 ·노·미 하니·라 ·내 ·이·ᄅᆞᆯ 爲·윙·ᄒᆞ·야 :어엿·비 너·겨 ·새·로 ·스·믈 여·듧 字·쫑·ᄅᆞᆯ 밍·ᄀᆞ노·니 :사름·마·다 :ᄒᆡ·ᅇᅧ :수·비 니·겨 ·날·로 ·ᄡᅮ·메 便뼌安한·킈 ᄒᆞ·고·져 홇 ᄯᆞᄅᆞ·미니·라

— 「월인석보(月印釋譜)」, 세조(世祖) 5년(1459) —

(나) 孔·콩子·ᄌᆞ·ㅣ 曾증子·ᄌᆞᄃᆞ·려 닐·러 ᄀᆞᆯ ᄋᆞ·샤·ᄃᆡ· 몸·이며 얼굴·이며 머·리털·이·며 ·슬·흔 父·부母:모·ᄭᅴ ㉮받ᄌᆞ·온 거·시·라 敢:감히 헐·워 샹히·오·디 아니 :홈·이 孝·효道·도·ㅣ 비·르소미·오 ·몸·을 셰·워 道:도·를 行ᄒᆡᆼ·ᄒᆞ·야 일:홈·을 後:후世·셰·예 :베·퍼 ·뻐 父·부母:모·를 :현·뎌케 :홈·이 孝·효道·도·ㅣ ᄆᆞᆺ·춤·이니·라

— 「소학언해(小學諺解)」, 권 제2, 선조(宣祖) 20년(1587년) —

13 (가)와 (나)에 나타난 중세 국어의 특징과 변화를 〈보기〉의 표를 통해 정리하였다. ㉠에 들어갈 수 있는 내용을 〈조건〉에 따라 서술하시오.

보기		
	(가) 세종어제훈민정음 (1459년)	(나) 소학언해 (1587년)
음운	1. ㆆ, ㅸ, ㆁ, ㅥ 사용 2. 어두 자음군 사용 3. 모음조화 철저	1. ㆆ, ㅿ, ㅸ 소멸 / ㆁ존속 2. 어두 자음군 간혹 사용 3. 모음조화의 예외가 나타남.
문법	1. '듕귁에'의 '에'가 비교격 조사로 사용됨	1. 높임법(-샤-, -끠) 사용
어휘	㉠	1. '얼굴'(형체→안면)–의미 축소
표기	1. 방점 사용 2. 연철 표기	1. 방점 사용 2. 분철 표기가 나타나 연철 표기와 혼용

| 조건 |
1. (가)에서 역사적으로 어휘의 '의미 변화'가 일어나는 단어를 모두 찾아 쓰고, 그 '의미 변동 양상'을 구체적으로 설명하시오.
2. 답안 작성 예시
　예 '얼굴'은 '형체'에서 '안면'으로 의미가 축소했다.

14 (나)의 ㉮에 나타난 높임 표현을 학습하기 위해 현대 국어의 문장을 만들고자 한다. 〈조건〉에 맞게 적절한 문장을 쓰시오.

| 조건 |
• 다음 말들 중 4개를 선택하여 한 문장으로 쓸 것.
　(선생님께서, 선생님께, 친구에게, 친구가, 선물을, 주다, 드리다)
• ㉮에 나타난 높임 표현과 같은 종류의 높임 표현으로 쓸 것.
• '-다.'로 끝나는 과거 종결형 문장으로 쓸 것.

상황과 대상에 맞는 표현

우리는 일상생활에서 상대방을 높이거나 낮추어 표현해야 할 때가 있고, 어제 있었던 일과 오늘 일어난 일을 구별
〔높임 표현〕   〔시간 표현〕
해서 말해야 할 때가 있다. 또한 뜻하지 않게 당한 일을 이야기하거나, 누군가의 말을 다른 이에게 옮겨 전해야 할 때
                                      〔피동 표현〕   〔인용 표현〕
도 있다.

이처럼 다양한 담화 상황에서 표현을 올바르고 정확하게 하기 위해서는 우리말의 높임 표현, 시간 표현, 피동 표
                                       〔우리말 문법 요소를 이해해야 하는 이유〕
현, 인용 표현 등에 나타난 문법 요소를 잘 이해하고 있어야 한다.

높임 표현

말하는 이가 어떤 대상을 높이거나 낮추는 정도를 언어적으로 구별하여 표현하는 방식을 높임 표현이라고 한다.
                                       〔높임표현의 개념(정의)〕

높임 표현은 높이려는 대상이나 듣는 이가 누구인지에 따라 '주체 높임법', '객체 높임법', '상대 높임법'으로 나뉜다.
                                                                     〔높임표현의 종류〕

㉮에서 말하는 이는 서술어가 표현하는 동작의 주체인 '옆집 아주머니'를 높

이기 위해 조사 '께서'와 선어말 어미 '-(으)시-'를 사용하고 있다. 이처럼 문장
                          〔주체 높임법의 종류 ① – 직접 높임법의 사용 방법〕
의 서술어가 표현하는 동작이나 상태의 주체를 높이는 방식을 주체 높임법이라
                          〔주체 높임법의 개념(정의)〕
고 한다.

주체를 높일 때는 높이려는 대상의 신체 일부분, 소유물, 생각 등과 관련된
                          〔주체 높임법의 종류 ② – 간접 높임의 개념 및 사용 방법〕
서술어에 '-(으)시-'를 사용해 높임을 실현하는 간접 높임의 방법도 있다.

"교장 선생님의 말씀이 있으시겠습니다."와 "할머니의 손이 고우십니다."라는
               〔간접 높임의 예〕
문장을 보면, 표면적으로는 '말씀'과 '손'을 높이고 있는 듯 보인다. 하지만 '말씀'은 교장 선생님과 밀접한 관련이

있고 '손'은 '할머니'의 신체 일부분이어서 높인 것이므로, 결국 주체인 '교장 선생님'과 '할머니'를 높이는 것으로 볼

수 있다.

㉯에서 말하는 이는 서술의 동작이 미치는 대상인 '선생님'을 높이기 위해 조사 '에게' 대신 '께'를 사용하고 있다.

<u>객체 높임법의 사용 방법</u>

이처럼 문장의 목적어나 부사어가 지시하는 대상인 객체를 높이는 것을 객체 높임법이라고 한다.

<u>객체 높임법의 개념(정의)</u>

㉰에서는 말하는 이가 듣는 이인 '선생님'에게는 '-습니다'를, '종현이'에게는 '-아'를 사용해 말을 끝맺었다. 이처럼 말하는 이가 듣는 이를 높이거나 낮추어 표현하는 방식을 상대 높임법이라고 한다. 상대 높임법은 대체로 문장을

<u>상대 높임법의 개념(정의)</u>

끝맺는 종결 어미로 높임을 실현한다. 상대 높임법의 종결 어미는 담화 상황, 말하는 이와 듣는 이의 관계에 따라 격

<u>상대 높임법의 사용 방법</u>   <u>상대 높임법의 종결 어미의 유형</u>

식체와 비격식체로 나누어 쓸 수 있다. 격식체는 공식적인 상황에서 주로 사용하고, 비격식체는 격식을 덜 차려도 되

<u>격식체와 비격식체의 담화 상황에 따른 사용</u>

는 상황에서 주로 사용한다.

시간 표현

어떤 일이 과거에 일어났는지, 현재에 일어나고 있는지, 그리고 미래에 일어날 것인지를 문법적으로 구별하여 보

<u>시제의 개념(정의)</u>

여 주는 시간 표현을 시제라고 한다. 일반적으로 시제는 말하는 이가 말을 하는 때인 발화시와 동작이나 상태가 일어

<u>시제 구분의 기준(발화시와 사건시의 개념)</u>

나는 때인 사건시를 기준으로 나누어진다.

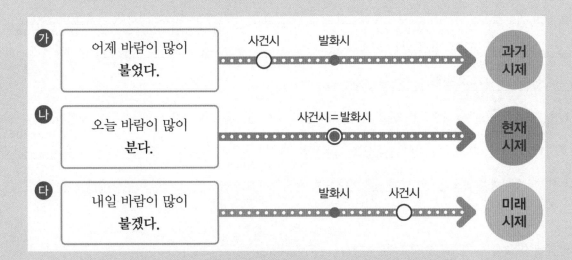

과거 시제를 나타낼 때는 ㉮의 '불었다'처럼 용언의 어간에 '-았-/-었-' 등의 선어말 어미를 넣는다. 특히 과거의

<u>2과거 시제의 사용 방법 ①</u>

경험을 돌이켜 생각할 때는 '-더-'를 사용하고, 먼 과거의 일이거나 현재와 다른 상황인 때는 '-았었-/-었었-'을

<u>과거 시제의 사용 방법 ②</u>   <u>과거 시제의 사용 방법 ③</u>

쓴다.

현재 시제를 나타낼 때는 ㉯의 '분다'와 같이 선어말 어미 '-ㄴ-/-는-'을 넣는다. 미래 시제를 나타낼 때는 ㉰의

<u>현재 시제의 사용 방법 ①</u>   <u>미래 시제의 사용 방법 ①</u>

'불겠다'처럼 선어말 어미 '-겠-'을 넣는다. 이때 어미 '-겠-'은 추측이나 의지 등을 표현하기 위해 사용하기도 한다.

<u>'-겠-'의 의미적 특징</u>

시제는 관형사형 어미로도 표현할 수 있다. 과거를 나타낼 때 동사에는 '바람이 많이 분 하루'처럼 '-(으)ㄴ'을 붙이
_{과거 시제의 사용 방법 ④}
고, 형용사에는 '바람이 불어 시원했던 하루'처럼 '-더-'에 '-(으)ㄴ'이 합쳐진 '-던'을 붙인다. 현재를 나타낼 때 동
사에는 '바람이 부는 도중'처럼 '-는'을, 형용사에는 '시원한 바람'처럼 '-(으)ㄴ'을 붙인다. 미래를 나타낼 때는 '내일
_{현재 시제의 사용 방법 ②} _{미래 시제의 사용 방법 ②}
불어올 바람'처럼 '-(으)ㄹ'을 붙인다.

한편 우리말에는 <u>시간의 흐름 속에서 동작이 끝나지 않고 지속되고 있는지, 아니면 완전히 끝났는지를 보여 주는
_{동작상의 개념}
시간 표현</u>도 있다. 이것을 동작상이라고 하는데, 이는 '진행상'과 '완료상'으로 나뉜다.
_{동작상의 종류}

㉮와 같이 의자에 앉는 동작이 진행되고 있음을 보여 주는 것을 진행상이라 하고, 이것은 '-고 있다', '-아/-어 가
_{진행상의 개념(정의)} _{진행상의 사용 방법}
다' 등으로 표현한다. 그리고 ㉯와 같이 의자에 앉는 동작이 이미 끝났음을 드러내는 것을 완료상이라 하고, 이것은
_{완료상의 개념(정의)}
'-아/-어 있다', '-아/-어 버리다' 등으로 표현한다.
_{완료상의 사용 방법}

그러면 "동생이 새로 산 축구화를 신고 있다."라는 문장에서 동생은 축구화를 이미 다 신은 것일까, 아니면 신고
있는 중일까? <u>'-고 있다'를 사용하여 동작상을 표현하면 동작의 진행과 완료라는 두 가지 의미가 동시에 드러날 수
_{'-고 있다' 사용의 중의성}
있다</u>. 이러한 중의성을 해소하려면 담화 상황이나 맥락을 명확하게 제시하여 그 의미를 분명하게 표현해야 한다.
_{중의성 해소 방법}

피동 표현

<u>행동의 주체가 동작을 자신의 힘으로 하는 것을 능동</u>이라 하고, <u>스스로 행동하지 않고 남에게 어떤 동작을 당하는
_{능동의 개념(정의)} _{피동의 개념(정의)}
것을 피동</u>이라고 한다. 능동과 피동 표현을 써서 다음 그림의 상황을 어떻게 문장으로 표현할 수 있을지 살펴보자.

행동의 주체인 '지혜'를 주어로 문장을 만들면 '능동문'이 되고, 행동의 대상인 '모기'를 주어로 문장을 만들면 '피동
문'이 된다. 그러면 능동문을 어떻게 피동문으로 바꿀 수 있을까?

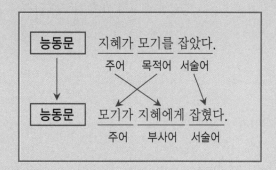

목적어 '모기를'이 주어인 '모기가'로 바뀌었고, 원래의 주어 '지혜가'는 부사어 '지혜에게'로 바뀌었다. 그리고 서술
어 '잡았다'는 '잡혔다'로 바뀌었다. 이처럼 어근에 '-이-, -히-, -리-, -기-'와 같은 접미사를 붙이거나, '-아/-
어지다', '-(게) 되다'를 붙여 피동문을 만들 수 있다.

피동 표현은 주로 말하는 이가 행동을 당하는 대상을 강조하고 싶을 때, 동작의 주체를 모르거나 밝히고 싶지 않을
때, 또는 밝힐 필요가 없을 때 사용한다. 능동 표현을 쓸 수 있는 상황에서는 되도록 능동 표현을 사용하는 것이 좋지
만, 필요한 때에는 피동 표현을 사용할 수 있다. 그러나 "○○ 연구소의 연구 계획이 확정되어졌다."처럼 '-되다'와
'-어지다'를 함께 사용하는 이중 피동 표현은 사용하지 않는 것이 바람직하다. 이는 번역 투의 표현으로, '확정되었
다'로도 충분히 피동의 의미를 드러낼 수 있기 때문이다.

인용 표현

말하는 이가 다른 사람의 말이나 글을 옮겨 전하는 방법을 인용이라고 한다. ㉮처럼 말하는 이가 다른 사람의 말을
그대로 옮겨 전하는 방식을 직접 인용이라 하고, ㉯와 같이 말하는 이가 다른 사람의 말을 자신의 표현으로 바꿔 전
하는 방식을 간접 인용이라 한다.

㉮ 찬영이는 나에게 "네가 꿈을 이룰 것 같아."라고 말했다.

㉯ 찬영이는 나에게 내가 꿈을 이룰 것 같다고 말했다.

'직접 인용'을 할 때는 인용절에 따옴표를 하고, 조사 '라고'를 사용한다. 그리고 '간접 인용'을 할 때는 인용절의 종
결 어미를 바꾸고 조사 '고'를 사용한다. 이때 종결 어미는 '같다'처럼 '해라체'로 바꾸고, 대명사 '네'는 '내'처럼 인용
하는 사람에 맞추어 바꾸어 준다.

이처럼 높임 표현, 시간 표현, 피동 표현, 인용 표현에 나타나는 우리말의 문법 요소는 다양한 담화 상황을 올바르

문법 요소의 역할

고 정확하게 반영해 표현함으로써 말하는 이와 듣는 이의 오해를 줄이고 이해를 높이는 역할을 한다. 따라서 말과 글

로 생각을 표현할 때는 이러한 문법 요소들을 상황과 대상에 맞게 잘 활용하도록 노력해야 한다.

[참고]

어휘를 활용한 높임 표현

• 주체 높임: 계시다, 주무시다, 잡수다, 편찮다 등

• 객체 높임: 드리다, 모시다, 뵙다, 여쭈다 등

상대 높임의 유형

격식체	아주높임	하십시오체
	예사 높임	하오체
	예사 낮춤	하게체
	아주낮춤	해라체
비격식체	두루높임	해요체
	두루낮춤	해체

• **담화** 둘 이상의 문장이 연속되어 이루어지는 말. 대화, 수업, 토론, 편지 등과 같이 일상에서 경험하는 다양한 의사소통 행위.
• **주체** 서술어가 의미하는 동작을 하거나 상태를 나타내는 대상.
• **객체** 서술어의 행위가 미치는 대상.
• **상대** 말하는 이가 마주하고 있는 대상. 듣는 이.

◎ 핵심정리

갈래	설명문	성격	체계적, 예시적
주제	높임 표현, 시간 표현, 피동 표현, 인용 표현의 개념과 종류, 기능과 특성에 대한 올바른 이해		
특징	• 국어 문법 요소의 개념 및 종류, 사용 방법 등을 체계적으로 소개함. • 국어 문법 요소의 기능 및 표현 효과를 다양한 예시를 중심으로 알기 쉽게 설명함. • 국어 문법 요소에 대한 이해를 바탕으로 정확한 의사소통 능력 및 전략적 표현 능력을 기를 수 있도록 안내함.		

역량을 기르는 학습 활동

■ 이해 활동

1. 우리말의 높임 표현을 고려하여 ㉮~㉰의 밑줄 친 부분을 바뀐 담화 상황에 맞게 고쳐 써 보자. 그리고 높임의 대상을 빈칸에 적고 이를 대상의 성격에 맞게 연결해 보자.

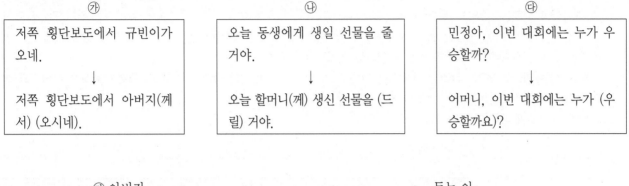

㉮	㉯	㉰
저쪽 횡단보도에서 규빈이가 오네. ↓ 저쪽 횡단보도에서 아버지(께서) (오시네).	오늘 동생에게 생일 선물을 줄 거야. ↓ 오늘 할머니(께) 생신 선물을 (드릴) 거야.	민정아, 이번 대회에는 누가 우승할까? ↓ 어머니, 이번 대회에는 누가 (우승할까요)?

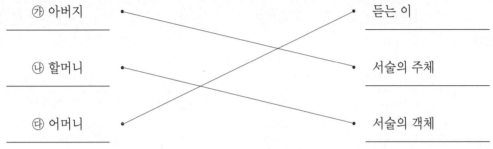

㉮ 아버지 _____

㉯ 할머니 _____

㉰ 어머니 _____

듣는 이

서술의 주체

서술의 객체

[해설] ㉮는 서술의 주체를 높이는 '주체 높임법'을, ㉯는 서술의 동작이 미치는 대상, 즉 객체를 높이는 '객체 높임법'을, ㉰는 듣는 이를 높이는 '상대 높임법'을 사용하고 있다.

2. 다음 문장의 밑줄 친 단어를 조건에 맞게 바꾸어 보자.

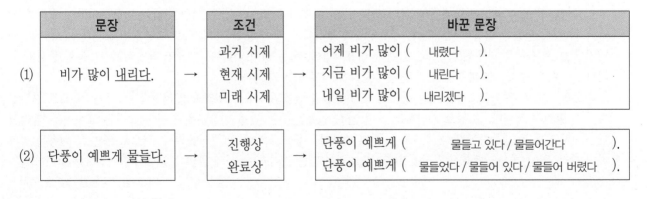

문장	조건	바꾼 문장
(1) 비가 많이 <u>내리다</u>.	과거 시제 현재 시제 미래 시제	어제 비가 많이 (내렸다). 지금 비가 많이 (내린다). 내일 비가 많이 (내리겠다).
(2) 단풍이 예쁘게 <u>물들다</u>.	진행상 완료상	단풍이 예쁘게 (물들고 있다 / 물들어간다). 단풍이 예쁘게 (물들었다 / 물들어 있다 / 물들어 버렸다).

3. 다음 문장을 조건에 맞게 바꾸어 보자.

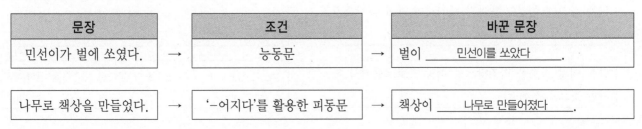

문장	조건	바꾼 문장
민선이가 벌에 쏘였다.	능동문	벌이 ___민선이를 쏘았다___.
나무로 책상을 만들었다.	'-어지다'를 활용한 피동문	책상이 ___나무로 만들어졌다___.

■ **목표 활동**

4. 다음 편지에서 문법 요소를 잘못 사용한 표현을 찾고, 이를 올바르게 고쳐 써 보자.

> 민지에게
> 그동안 잘 지냈니?
> 10월 10일은 우리 학교 예술제가 시작되어지는 날이야. 예술제 준비 위원회에서 알찬 예술제를 위해 여러 행사를 준비하고 있대. 그중에는 '할아버지와 함께하는 퀴즈 대회'도 있었어. 내가 퀴즈풀이 좋아하는 거 알지? 그래서 참가하고 싶지만, 나는 어렸을 때 할아버지께서 돌아가셔서 지금안 계시잖아? 선생님께 참여할 방법이 없는지 여쭈었더니 "이웃의 할아버지와 함께 참여해도 된다."고 말씀해 주셨어.
> 민지야! 네가 그 대회에 참가할 계획이 없다면 내가 너희 할아버지와 함께 나가면 안 될까? 너희 할아버지도 퀴즈 프로그램 좋아하잖아? 너희 할아버지께 한번 말씀드려 줄래?
> 답장 기다릴게. 잘 지내.
>
> 효주가

	잘못 사용한 표현	고쳐 쓴 표현
피동 표현	• 예술제가 시작되어지는 날이야.	• 예술제가 시작되는 날이야. (예술제를 시작하는 날이야.)
시간 표현	• '할아버지와 함께하는 퀴즈 대회'도 있었어.	• '할아버지와 함께하는 퀴즈 대회'도 있어.
인용 표현	• "이웃의 할아버지와 함께 참여해도 된다."고 말씀해 주셨어.	• "이웃의 할아버지와 함께 참여해도 된다."라고 말씀해 주셨어.
높임 표현	• 너희 할아버지도 퀴즈 프로그램 좋아하잖아?	• 너희 할아버지께서도 퀴즈 프로그램 좋아하시잖아?

■ **적용 활동**

5. 다음 글을 읽고 제시된 활동을 해 보자.

> 신문이나 방송은 국민에게 매일의 '국어 교과서'다. 그렇기에 보도 문장은 어법에 맞는 피동형이라도 가능한 삼가야 하는데, 현실은 어법에 맞지 않는 피동형 표현투성이다. '-하다'를 '-되다'로, 피동형인 표현을 다시 '-아/어지다'를 붙여 이중 피동형으로 쓰는 습관이 대표적인데, 모두 영어, 일본어 문장의 직역 투다. 능동형 중심의 우리말을 피동형 중심으로 바꾸는 데에 언론이 앞장을 서고 있는 셈이다.
> 피동형 외에도 객관 보도를 해치는 상습적 표현이 간접 인용문이다. '~이라고 알려졌다.', '~다는 것으로 전해졌다.', '~할지 주목된다.' 따위로 서술하는 것이 간접 인용문이다. 간접 인용문을 받아 서술하는 표현에는 '알려졌다', '전해졌다' 등 피동형이 많다. "…이 '~'라고 말했다." 등으로 써야 할 문장을 이런 식으로 쓰면 그 내용은 정확하지 않다. 문장 내용의 정확성이 떨어진다면 모호성이 많은 것이요, 동시에 글의 책임감도 떨어진다는 뜻이다.
> – 김지영, 『피동형 기자들』에서 –

(1) 이 글을 참고하여 다음 문장을 적절하게 고쳐 보자.

판촉 강화에 힘입어 판매가 증가하여 재고의 감소가 예상되어진다.	→	판촉 강화에 힘입어 판매가 증가하여 재고의 감소가 예상된다(감소를 예상할 수 있다).
그가 이날 방송을 마지막으로 해당 프로그램에서 하차한 것으로 전해졌다.	→	방송 관계자는 그가 이날 방송을 마지막으로 해당 프로그램에서 하차했다고 말했다.

개념정리 ···

① 문법 요소
① 개념: 언어에서 문법적 기능을 담당하는 요소
② 종류: 높임 표현, 시간 표현, 피동·사동 표현, 부정 표현, 인용 표현 등이 문법 요소에 해당함.

② 높임 표현
① 개념: 화자가 어떤 대상에 대해 높이거나 높이지 않는 태도를 나타내는 문법 요소

상대 높임법	• 화자가 상대에 대해 높임이나 낮춤의 태도를 나타내는 표현 • 문장 종결형에 따른 종결 표현을 통해 실현됨.	
	격식체	• 상대적으로 격식을 갖추어야 하거나 심리적인 거리감이 있을 때 사용함. • '하십시오체', '해라체', '하게체', '하오체',
	비격식체	• 상대적으로 격식을 갖출 필요가 없거나 친근한 사이에서 흔히 사용함. • '해요체', '해체'
주체 높임법	• 화자가 문장의 주어가 지시하는 대상, 곧 주체에 대해 높임의 태도를 나타내는 표현 • 선어말 어미 '-(으)시-', 주격 조사 '께서'에 의해 실현됨. • '계시다', '주무시다', '잡수시다' 등의 특수한 어휘를 사용함. 　예 어머니께서 시장에 가십니다.	
객체 높임법	• 화자가 문장의 목적어나 부사어가 지시하는 대상, 곧 객체에 대해 높임의 태도를 나타내는 표현 • '드리다', '모시다', '여쭙다' 등의 특수한 어휘에 의해 실현됨. • 부사격 조사 '께'를 통해 나타냄. 　예 누나는 그 책을 어머니께 드렸다.	

③ 시간 표현
① 개념: 어떤 상황이나 사건의 시간상의 위치에 대한 개념이 문법적 범주로 나타나는 것으로, 말하는 이가 발화시를 기준으로 하여 사건시의 앞뒤를 제한하는 문법 범주

과거 시제	• 사건시가 발화시보다 선행하는 시간 표현 • 주로 선어말 어미 '-았-/-었-', '-았었-/-었었-', '-더-'에 의해 실현됨. 　예 나는 어제 밥을 먹었다. • 관형절로 안길 때 동사에는 관형사형 어미 '-(으)ㄴ', '-던'이, 형용사와 서술격 조사에는 '-던'이 쓰임.
현재 시제	• 사건시와 발화시가 일치하는 시간 표현 • 동사의 경우 선어말어미 '-는-/-ㄴ-'에 의해 실현됨. • 형용사나 서술격 조사는 기본형이 현재 시제를 나타냄. • 관형절로 안길 때에는 동사에는 관형사형 어미 '-는'이, 형용사나 서술격 조사는 '-(으)ㄴ'이 쓰임. 　예 나는 지금 집에 간다.
미래 시제	• 사건시가 발화시 이후인 시간 표현 • 주로 선어말 어미 '-겠-'에 의해 실현되며 '-(으)ㄹ 것이-'에 의해 실현되기도 함. 　예 내일까지는 반드시 돌아올 것이다. • 관형절로 안길 때에는 관형사형 어미 '-(으)ㄹ'이 쓰임.

* 시제는 선어말 어미, 관형사형 어미를 통해 실현하고 시간 부사어를 사용하여 나타낼 수도 있다.

4 피동 표현

① 피동: 주어가 다른 주체에 의해서 동작을 당하게 되는 것, 남의 행동에 의해서 하는 동작

　예 토끼가 호랑이에게 <u>잡혔다</u>. (→ 주어의 피동성 강조)

② 능동: 주어가 동작을 제 힘으로 하는 것, 동작주가 제 힘으로 행하는 동작

　예 호랑이가 토끼를 <u>잡았다</u>. (→ 주어의 능동성 강조)

■ 피동 표현을 만드는 방법

① 능동사에 피동 접미사 '-이-', '-히-', '-리-', '-기-'를 붙여서 만듦.

② '-아/-어지다', '-게 되다'와 같은 표현을 활용하여 만듦.

③ 일부 명사에 접사 '-되다'를 결합하여 만듦.

5 인용 표현

직접 인용	• 다른 사람의 말이나 글을 그대로 옮기는 것 • 인용하는 말에 큰따옴표를 붙이고 조사 '라고'를 덧붙임.
간접 인용	• 다른 사람의 말이나 글을 자신의 언어로 바꾸어 옮기는 것 • 다른 사람의 말이나 글을 적절하게 요약하여 정리한 다음, 조사 '고'를 붙임.

확인학습 ···

01 높임 표현

1) 선어말 어미 -(으)시-는 주체 높임법에서만 사용되는 실현 방법이다.　　　　　○□ ×□

2) 잡수시다, 드시다와 같은 특수어휘에는 계시다, 뵈다, 모시다 등을 들 수 있다.　　○□ ×□

3) 주격 조사 '이/가' 대신 '께서'를 사용하는 것은 객체 높임법의 실현 방법이다.　　○□ ×□

4) 객체 높임법에서의 객체란 목적어나 부사어가 지시하는 대상을 의미한다.　　　　○□ ×□

5) 조사 '에게' 대신 '께'를 사용하는 것은 객체 높임법의 실현 방법이다.　　　　　　○□ ×□

6) '손님, 커피 나오셨습니다.'는 간접 높임법을 올바르게 사용한 예이다.　　　　　　○□ ×□

7) '할머니께서는 귀가 밝으시다'는 간접 높임법을 올바르게 사용한 예이다.　　　　　○□ ×□

8) 간접 높임법에서는 특수어휘를 사용하지 않고 선어말어미 '-(으)시-'를 결합하여 실현한다.　○□ ×□

9) '선생님, 우리 어머니가 도시락을 안챙겨줬어요.'의 문장을 올바르게 높임표현을 하여 고쳐보고 어떠한 높임법이 쓰였는지 적어보자.

02 시간 표현

1) 시제를 표현하는 선어말 어미는 시간을 드러내기 위한 기능만을 한다.　O☐ X☐

2) 과거 시제를 표현하는 '-았-/-었-'은 시제 표현 뿐만 아니라 진행상을 나타내는 기능도 한다.　O☐ X☐

3) 현재 시제를 표현하는 '-ㄴ-'은 시제 표현 뿐만 아니라 가까운 미래, 과거의 사건을 현장감 있게 표현하는 기능도 한다.　O☐ X☐

4) 미래 시제를 표현하는 '-겠-'은 추측이나 의지를 나타내기도 한다.　O☐ X☐

5) 동작상은 어떠한 행위가 진행되는 것인 (　　　　　)과, 완료된 것인 (　　　　　)으로 구분된다.

03 인용 표현

1) 인용하는 문장에 작은따옴표를 붙이고 조사 '라고'를 사용하는 것을 직접 인용이라 한다.　O☐ X☐

2) 직접 인용에 '라고'를 사용하거나 간접 인용에 '고'를 사용하는 경우가 많으므로 주의해야 한다.　O☐ X☐

3) 간접 인용은 직접 인용과 달리 큰 따옴표 대신에 작은 따옴표를 하여 표시한다.　O☐ X☐

4) 간접 인용은 직접 인용과 달리 따옴표를 쓰지 않으며, 해당 인용절 다음에 조사 '고'를 쓴다.　O☐ X☐

5) 인용 표현을 사용할 때 출처를 밝히지 않고 원문을 사용하는 행위는 인용의 윤리에 어긋나지만 저작권을 침해하는 것은 아니다.　O☐ X☐

04 피동 표현

1) 주어가 다른 주체에 의해서 동작을 당하게 되는 것을 나타내는 표현을 사동 표현이라고 한다.　O☐ X☐

2) 피동 표현은 능동사의 어간에 피동 접미사 '-되다', '-어지다', '-게 되다'가 붙어서 만들어진 피동사나, '-이-, -히-, -리-, -기-'같은 표현을 통해 실현된다.　O☐ X☐

3) 능동문이 피동문으로 바뀔 때에는 능동문의 목적어가 피동문의 주어가 되고, 능동문의 주어는 피동문의 부사어가 된다.　O☐ X☐

4) 불필요한 피동 표현이 사용된 경우에는 사동표현으로 바꾸어 써야 한다.　O☐ X☐

5) '벌이 나를 쏘았다.'를 피동문으로 바꾸어 보고 문장 성분을 분석하시오.

객관식 기본문제

01 다음 중 높임법을 잘못 사용한 문장은?

① (동네 할머니에게) 저는 지금 집에 가는 길입니다.
② 부모님께서는 날 아껴주신다.
③ 저희 어머니께서도 어머니 나름의 생각이 계십니다.
④ 어제 누나가 나 몰래 할아버지께 선물을 드렸나봐.
⑤ 모르는 문제가 있으면 선생님께 여쭈어 봐라.

02 〈보기〉의 (가)를 참고했을 때, (나)의 문장에서 실현된 높임 표현으로 알맞은 것은?

┤ 보기 ├

(가) 우리말의 높임 표현은 높임의 대상에 따라 상대 높임법, 주체 높임법, 객체 높임법으로 나뉜다. 그런데 실제 언어생활에서 높임 표현이 실현되는 양상은 복합적이다.
(나) 채영아, 선생님께서 너를 찾으셔.

① 문장의 주체와 객체를 모두 높였다.
② 문장의 주체와 청자를 모두 높였다.
③ 문장의 주체는 높이고, 청자는 낮추었다.
④ 문장의 객체와 청자를 모두 높였다.
⑤ 문장의 객체는 높이고, 청자는 낮추었다.

03 〈보기〉의 ㉠~㉤을 통해 높임표현을 바르게 탐구한 내용을 올바르게 짝지은 것은?

┤ 보기 1 ├

조카 : 이모, 오셨어요.
이모 : 동호야, 오랜만이구나. 오늘 같이 밥을 못 먹어서 아쉽네. ㉠공부 열심히 하렴.
조카 : 네, 이모. 안타깝지만 시험 기간이 얼마 남지 않아서요.
이모 : 그래. ㉡엄마는 어디 가셨니? 외할머니께서도 오고 계시는지 전화 드려볼래?
조카 : 아, ㉢외할머니께서 병환이 있으셔서 종일 누워계셨대요. 그래서 ㉣외할머니께서는 엄마와 함께 병원에 가셨다가 식당으로 가신다고 ㉤이모께 전해 드리래요.
이모 : 그래? 그럼 나도 그리로 가봐야겠네.

A : ㉠은 종결 어미를 사용하여 상대인 조카를 높이고 있다.
B : ㉡은 선어말 어미를 사용하여 객체인 '엄마'를 높이고 있다.
C : ㉢은 선어말어미를 사용하여 주체인 '외할머니'를 간접적으로 높이고 있다.
D : ㉣은 선어말어미를 사용하여 주체인 '외할머니'를 직접적으로 높이고 있다.
E : ㉤은 높임을 표시하는 부사격 조사를 사용하여 이모를 높이고 있다.

① A, E   ② A, B   ③ B, C   ④ C, D   ⑤ C, D, E

04 다음 〈보기〉의 ㉠~㉫에 대한 설명으로 옳은 것은?

┤ 보기 ├

㉠ 아범, 늦기 전에 어서 가게.

㉡ 영희야, 아버지 안 계시니?

㉢ 아버지께 전화 드리고 얼른 나가자.

㉣ 어머니께서 너 데리고 식당으로 오라셨어.

㉤ 이번 달 보름께 할머니를 뵈러 갈 생각이야.

① ㉠은 '격식체'를 사용하여 청자인 아범을 높이고 있어.

② ㉡은 '계시다'를 사용하여 객체인 아버지를 높이고 있어.

③ ㉢은 '께'를 사용하여 주체인 아버지를 높이고 있어.

④ ㉣은 '께서'를 사용하여 주체인 어머니를 높이고 있어.

⑤ ㉤은 '께'와 '뵈다'를 사용하여 객체인 할머니를 높이고 있어.

05 〈보기〉의 높임 표현에 대한 설명으로 적절하지 <u>않은</u> 것은?

┤ 보기 ├

점원 : 손님, 무엇을 ㉠도와드릴까요?

손님 : 어머니 선물을 사러 왔어요. ㉡저희 어머니께서 생신이거든요.

점원 : 이 립스틱은 어떨까요? 선물로 ㉢드리시면 무척 좋아하실 겁니다.

손님 : 저희 어머니께서 ㉣피부가 희셔서 잘 맞을지 모르겠네요. ㉤당신께서 짙은 화장을 싫어하셔서요.

점원 : 그러시면 다른 걸 좀 더 골라 보도록 하죠.

① ㉠ : 보조사 '-요'를 통해 듣는 상대를 높이고 있다.

② ㉡ : '저희'라는 자신을 낮추는 어휘를 사용하여 상대인 점원 높이고 있다.

③ ㉢ : 특수 어휘를 사용해서 선물을 주는 사람을 높이고 있다.

④ ㉣ : '어머니'가 높임의 대상이므로 그 신체의 일부가 주어로 올 때도 간접 높임 표현을 쓰고 있다.

⑤ ㉤ : 3인칭 주어 '어머니'를 다시 대명사로 언급하면서 높이고 있다.

06 〈보기〉의 높임 표현 ㉠~㉣이 <u>모두</u> 사용된 문장은?

┤ 보기 ├

우리말에는 일반적으로 ㉠선어말 어미나 종결 어미, ㉡조사 등을 통해 높임을 표현하지만 어휘를 통해 높임을 표현하는 경우도 있다. 높임 표현에 쓰이는 어휘들은 ㉢주체를 높이는 용언, 객체를 높이는 용언, 높여야 할 인물을 직접 높이는 명사, ㉣높여야 할 인물과 관련된 것을 높이는 명사로 분류할 수 있다.

① 나는 아직 그분의 성함을 기억하고 있다.

② 누나는 여쭐 것이 있다며 할머니 댁에 갔다.

③ 연세가 많으신 할머니께서는 홍시를 잘 잡수신다.

④ 우리는 부모님을 모시고 바닷가로 여행을 떠났다.

⑤ 어머니께서는 몹시 피곤하셨는지 거실에서 주무신다.

07 다음 문장에 사용된 높임 표현에 대한 설명으로 적절하지 <u>않은</u> 것은?

> 어머니께서 할머니를 모시고 병원에 가셨다.

① 높임의 대상은 '어머니'와 '할머니'이다.
② 주격조사를 사용하여 문장의 주체를 높이고 있다.
③ 객체를 높이기 위해 높임을 나타내는 목적격조사를 사용하였다.
④ 문장의 주체를 높이기 위한 선어말어미를 사용하였다.
⑤ 문장의 목적어를 높이기 위해 특수어휘를 사용하였다.

08 〈보기〉의 밑줄 친 부분에 나타나는 높임 표현의 양상을 설명한 것으로 적절한 것은?

> **┤ 보기 ├**
> ㉠ 어머니는 할머니께 과일을 <u>드렸다.</u>
> ㉡ 어머니는 어제 할머니를 <u>뵙고 오셨다.</u>
> ㉢ 어머니는 <u>형을</u> 잠깐 만나러 오셨습니다.
> ㉣ 아버지는 할머니께 커다란 선물을 <u>드리셨다.</u>
> ㉤ 아버지는 <u>할머니를</u> 아침 일찍 <u>모시러 왔습니다.</u>

① ㉠은 주체와 객체를 모두 높이고 있다.
② ㉡은 객체와 청자를 모두 높이고 있다.
③ ㉢은 주체와 청자를 모두 높이고 있다.
④ ㉣은 객체를 높이고, 주체는 낮추고 있다.
⑤ ㉤은 주체, 객체, 청자를 모두 동시에 높이고 있다.

09 담화 상황을 고려했을 때, 〈보기〉에서 높임 표현이 적절한 것을 고른 것은?

> **┤ 보기 ├**
> ㄱ. (손자가 할아버지께) 할아버지, 아버지가 여기에 왔습니다.
> ㄴ. (식당에서 점원이 손님에게) 손님, 주문하신 커피가 나왔습니다.
> ㄷ. (교실에서 친구가 영수에게) 영수야, 선생님께서 너 교무실로 오시래.
> ㄹ. (학교 방송에서 학생들에게) 잠시 후, 교장 선생님 말씀이 계시겠습니다.

① ㄱ, ㄴ 　　② ㄱ, ㄹ 　　③ ㄴ, ㄷ 　　④ ㄴ, ㄹ 　　⑤ ㄷ, ㄹ

10 〈보기〉의 ㉠, ㉡이 모두 사용된 문장은?

> ─┤ 보기 ├─
>
> 우리말에서는 일반적으로 선어말어미나 종결어미, 조사 등을 통해 높임을 표현하지만, 어휘를 통해 높임을 표현하는 경우도 있다. 높임 표현에 쓰이는 어휘들은 다음과 같이 분류할 수 있다.
> - 주체를 높이는 용언
> - ㉠객체를 높이는 용언
> - 높여야 할 인물을 직접 높이는 명사
> - ㉡높여야 할 인물과 관련된 것을 높이는 명사

① 작은아버지는 살림이 넉넉하시다.
② 나는 아직 그 분의 성함을 기억한다.
③ 이번 주말에 할머니를 뵈러 가야한다.
④ 선생님께 따님에 대한 칭찬을 해 드렸다.
⑤ 나는 전화로 할아버지께 안부를 여쭈었다.

11 다음 밑줄 친 시간 표현에 대한 설명으로 <u>잘못된</u> 것은?

① 그렇게 <u>어렵던</u> 수학문제가 이제 술술 풀린다. → 과거 시제
② 그는 언젠가는 <u>떠날</u> 사람이야. → 미래 시제
③ 들에 핀 꽃이 참 <u>곱다</u>. → 현재 시제
④ 그 애가 무거운 짐을 <u>들고서</u> 걸어간다. → 완료상
⑤ 미나가 의자에 <u>앉아 있다</u>. → 진행상

12 다음 〈보기〉의 ㉠~㉤에 대한 설명으로 적절하지 <u>않은</u> 것은?

> ─┤ 보기 ├─
>
> ㉠ 우리의 꿈을 <u>이루겠다</u>.
> ㉡ 공기가 매우 <u>맑다</u>.
> ㉢ 어제 <u>먹은</u> 빵이 매우 맛있었다.
> ㉣ 철수가 양손을 <u>흔들고서</u> 나에게 다가온다.
> ㉤ 그는 은퇴 후에도 여전히 <u>바쁘고 있다</u>.

① ㉠은 사건시가 발화시보다 뒤에 오는 시제이다.
② ㉡의 '맑다'에는 시제 표시가 따로 없다.
③ ㉢의 '먹은'에는 선어말어미 '-(으)ㄴ'을 써서 과거 시제를 나타내었다.
④ ㉣의 밑줄 친 부분은 연결 어미 '-고서'를 써서 어떤 동작이 시간의 흐름 속에서 이미 끝났다는 것을 표현하였다.
⑤ ㉤의 밑줄 친 부분이 어색한 이유는 '바쁘다'가 형용사이기 때문이다.

13 (가)와 (나)를 비교한 내용으로 적절한 것은?

┤ 보기 ├

(가) 고양이가 우유를 먹고 있었다.

(나) 고양이가 우유를 먹어 버렸다.

① (가)는 가능성을, (나)는 추측을 나타낸다.

② (가)는 과거와의 단절을, (나)는 회상을 나타낸다.

③ (가)는 보조 용언으로, (나)는 선어말 어미로 동작상을 나타낸다.

④ (가)는 동작이 시간의 흐름 속에서 이어지고 있음을, (나)는 동작이 이미 끝났음을 나타낸다.

⑤ (가)는 발화시와 사건시가 일치하는 사건을, (나)는 사건시가 발화시보다 앞선 사건을 나타낸다.

14 〈보기〉는 시간을 표현하는 방법에 대해 조사한 것이다. 각 문장에 대한 시간 표현을 잘못 설명한 것은?

┤ 보기 ├

ㄱ. 시제란 사건이 발생한 시점(사건시)이 그 사건을 언어로 표현하는 시점(발화시)보다 이전인지 이후인지 아니면 일치하는지를 나타내는 문법 요소이다.

ㄴ. 동작상은 발화시를 기준으로 동작이 일어나고 있는 모습을 표현한 것인데, 동작이 진행되고 있음을 표현하는 진행상과 동작이 이미 완결되었음을 표현하는 완료상이 있다.

⊙	어제 친구를 만나 영화를 보았다.	부사와 선어말 어미를 써서 발화시보다 사건시가 앞서는 과거시제를 표현한다.
ⓛ	이렇게 비가 오니 농사는 다 지었다.	미래의 일을 확정적으로 받아들임을 나타낸다.
ⓒ	지난 여름에는 정말 덥더라.	과거 어느 때의 일이나 경험을 회상할 때에 사용한다.
ⓔ	나도 그건 할 수 있겠다.	미래 시제를 나타내는 것 이외에 능력을 표현하기도 한다.
ⓜ	그 책은 동생에게 줘 버렸고, 지금은 이 책을 읽고 있어.	발화시를 기준으로 동작이 둘 다 동시에 진행되고 있음을 표현하고 있다.

① ⊙   ② ⓛ   ③ ⓒ   ④ ⓔ   ⑤ ⓜ

15 밑줄 부분의 동작상을 나타낸 것으로 적절하지 <u>않은</u> 것은?

〈문장〉	〈동작상〉
① 철수가 빵을 <u>먹고 있을</u> 것이다.	진행상
② 널어둔 빨래가 <u>말라 버렸다.</u>	완료상
③ 철수가 그림을 거의 <u>그려 간다.</u>	완료상
④ 그녀가 손을 <u>흔들면서</u> 웃었다.	진행상
⑤ 그가 한 번 <u>웃고서</u> 내게 온다.	완료상

16 〈보기〉의 시간 표현에 대한 설명으로 적절한 것만을 고른 것은?

┤ 보기 ├

ⓐ 친구가 지금 읽는 책은 소설이다.

ⓑ 동생은 어제 교실 창문을 닦았다.

ⓒ 발표 준비하려면 오늘도 잠은 다 잤어.

ㄱ. ⓐ는 어미 '-는', '-은'을 사용하여 현재 시제를 표현하고 있다.

ㄴ. ⓑ는 부사와 선어말어미를 활용하여 과거 시제를 표현하고 있다.

ㄷ. ⓒ는 과거 시제 선어말어미 '-았-'을 사용하여 발화시보다 앞선 사건을 서술하고 있다.

① ㄱ   ② ㄴ   ③ ㄷ   ④ ㄴ, ㄷ   ⑤ ㄱ, ㄴ, ㄷ

17 밑줄 친 부분이 〈보기〉의 ⓐ와 가장 유사한 의미로 사용된 것은?

┤ 보기 ├

미래 시제를 나타내는 '-겠-'은 추측이나 ⓐ의지, 가능성 등의 의미도 나타낸다.

① 그 일을 혼자 다 할 수 있겠어?

② 내일은 하루 종일 비가 오겠습니다.

③ 지금쯤이면 그가 서울역에 벌써 도착했겠다.

④ 내년에는 저도 그 학교에 지원해 보겠습니다.

⑤ 잠시 후 대통령 내외분이 식장으로 입장하시겠습니다.

18 다음 문장과 같은 시제가 사용된 문장은?

┤ 보기 ├

이번 여름은 날씨가 정말 더웠다.

① 나는 내일 독도로 떠난다.

② 저는 지금 지하철을 탑니다.

③ 초등학교 때는 공부를 잘했었다.

④ 나 이제 우리 부모님한테 죽었다.

⑤ 해는 동쪽에서 떠서 서쪽으로 진다.

19 〈보기〉를 바탕으로 '동작상'에 대해 탐구한 내용으로 가장 적절한 것은?

┤ 보기 ├

　　시제가 사건시와 발화시의 선후 관계를 표현한다면, 동작상은 사건 또는 동작 자체의 시간적 속성을 표현한다. 예를 들어 '먹다'라는 동작은 과거에서 지금까지 먹고 있는 움직임이 진행 중인 상태와 먹는 움직임이 끝난 상태로 분석할 수 있다. 이와 같이, 동작 내부의 시간적 흐름을 표현하는 문법 요소가 동작상이다. 동작상에는 진행상과 완료상이 있다. 진행상이란 어떤 동작이 시간의 흐름 속에서 계속 이어지고 있을 때 사용하는 문법 요소이고, 완료상이란 어떤 동작이 시간의 흐름 속에서 이미 끝났거나 그 결과가 지속될 때 사용하는 문법 요소이다.

　　ⓐ 그의 감기가 <u>낫고 있다.</u>

　　ⓑ 화단에 꽃이 <u>피어 있다.</u>

① '그는 바람처럼 훌쩍 <u>떠나 버렸다.</u>'는 ⓐ와 같은 동작상의 예에 해당한다.

② '누나는 밥을 <u>먹으면서</u> 신문을 본다.'는 ⓑ와 같은 동작상의 예에 해당한다.

③ ⓐ는 시간이 흐름 속에서 '낫다'라는 동작이 끝난 후 그 결과가 지속되고 있음을 표현하고 있다.

④ ⓐ의 '낫고 있다'를 '-아/-어 가다'의 형태로 바꿔도 같은 의미의 문장이다.

⑤ ⓑ는 시간의 흐름 속에서 '피다'라는 동작이 계속 이어지고 있음을 표현하고 있다.

20 〈보기〉의 ⓐ~ⓒ에 해당하는 예로 적절한 것은?

┤ 보기 ├

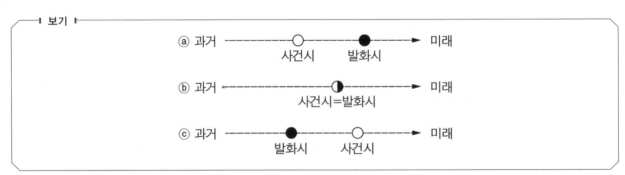

① ⓐ : 오늘 영희는 친구를 만나 영화를 볼 것이다.

② ⓐ : 지금 네가 하는 공부는 무슨 과목이니?

③ ⓑ : 철수는 장차 훌륭한 어른이 되겠다.

④ ⓑ : 조금 전만 해도 창밖에 비바람이 치고 있었다.

⑤ ⓒ : 이 식당은 주말에 개업식을 할 것이다.

21 과거 시제를 표현하는 방법으로 적절하지 <u>않은</u> 것은?

① 선어말 어미 '-았-/-었-'을 사용하여 과거 시제를 표현한다.
② 부사어 '어제', '아까', '이미' 등을 사용하여 과거 시제를 표현한다.
③ 과거 시제를 표현하기 위한 관형사형 어미로 동사의 경우 '-던'을 쓴다.
④ 과거 시제를 표현하기 위한 관형사형 어미로 형용사의 경우 '-(으)ㄴ'을 쓴다.
⑤ 과거의 일이나 경험을 회상하는 의미를 덧붙이기 위해 선어말 어미 '-더-'를 쓴다.

22 〈보기〉의 ⓐ, ⓑ에 대한 설명으로 적절하지 <u>않은</u> 것은?

┌─ 보기 ┐

동작 내부의 시간적 흐름을 표현하는 국어의 문법 요소를 동작상이라고 한다. 동작상에는 ⓐ진행상과 ⓑ완료상이 있다.

└────────┘

① ⓐ는 발화시를 기준으로 동작이 진행되고 있는 상황이다.
② ⓑ는 발화시를 기준으로 동작이 완료된 상황이다.
③ ⓐ의 예로서 '철수는 손을 흔들면서 집에 간다.'를 들 수 있다.
④ ⓑ의 예로서 '철수는 집에 가 버렸다.'를 들 수 있다.
⑤ ⓐ를 표현할 때는 주로 보조 용언 '-아/어 있다'를 쓰고, ⓑ를 표현할 때는 보조 용언 '-고 있다'를 쓴다.

23 다음 중 피동문이 <u>아닌</u> 것은?

① 어제 영어 시험을 망쳐서 스트레스가 쌓였어.
② 어느새 그의 눈가에 눈물이 맺혔다.
③ 제발 날 울리지 말아줘.
④ 아기가 엄마에게 안겼다.
⑤ 곧 놀라운 사실을 알게 될 거야.

24 〈보기〉에서 피동접미사를 사용한 피동 표현이 있는 문장만을 모두 고른 것은?

┤ 보기 ├

㉠ 붕어빵이 백 개나 팔렸다.

㉡ 그의 독점으로 승부가 뒤집어졌다.

㉢ 정보화 사회에는 잊힐 권리가 필요하다.

㉣ 그녀 덕분에 막냇동생이 혼사를 이루게 되었다.

① ㉠, ㉡   ② ㉠, ㉢   ③ ㉡, ㉢   ④ ㉡, ㉣   ⑤ ㉢, ㉣

25 잘못 쓰인 표현을 바르게 고친 것은?

① 내 이름이 <u>불리게 되자</u> 깜짝 놀랐다.

　　→ 내 이름이 <u>불려지자</u> 깜짝 놀랐다.

② 그가 우승을 했더니 <u>믿겨지지</u> 않는다.

　　→ 그가 우승을 했다니 <u>믿어지지</u> 않는다.

③ 나는 책에서 <u>무엇이 배워졌는지 기록하였다.</u>

　　→ 나는 책에서 <u>무엇을 배웠는지 기록되었다.</u>

④ 공사 과정에서 <u>발생된</u> 소음으로 피해가 크다.

　　→ 공사 과정에서 <u>발생되어진</u> 소음으로 피해가 크다.

⑤ 현서는 초등학교 3학년 때 백일장에 <u>참가하게 되었다.</u>

　　→ 현서는 초등학교 3학년 때 백일장에 <u>참가되었다.</u>

26 〈보기〉의 ㉠이 사용되지 <u>않은</u> 것은?

┤ 보기 ├

㉠피동 표현은 주어가 다른 주체에 의해서 어떤 동작을 당하거나 영향을 받는 것을 말하는 국어의 문법 요소이다.

① 친구가 나를 바보라고 놀렸다.

② 종이에 베인 그 상처가 꽤 깊다.

③ 엄마 등에 업힌 아이가 잠을 자고 있다.

④ 그가 내민 쪽지는 아주 작게 접혀 있었다.

⑤ 철수는 닫힌 문을 열지 못해 애를 쓰고 있다.

[27] 다음 글을 읽고 물음에 답하시오.

요즈음 국어에서 피동 표현의 사용이 늘고 있다. 몇몇 사람들은 이러한 현상이 영어 번역 투에서 시작되었다고 본다. 영어를 한국어로 번역할 때 영어의 특성이 그대로 남아 있게 되고, 그 특성이 국어 사용에 영향을 준다는 것이다.

(ㄱ) 기본문장 : 허균이 「홍길동전」을 지었다.
(ㄴ) 한국어 문장 : 「홍길동전」은 허균이 지었다.
(ㄷ) 영어 직역 문장 : 「홍길동전」은 허균에 의해 지어졌다.

위와 같이 한국어 문장은 어순이 비교적 자유로워 문장의 첫머리에 서술의 대상이 와도 능동 표현이 가능하다. 하지만 영어에서는 문장의 첫머리에 오는 성분은 주어여야 하므로 같은 상황에서 서술어를 피동 형태로 바꾸어야 한다. 이처럼 한국어와 영어의 차이점을 고려하지 않고 영어 문장을 직역하면 불필요한 피동 표현을 쓸 수밖에 없다.

27 윗글을 읽은 후 나타난 반응으로 적절하지 <u>않은</u> 것은?

① 우리말은 영어에 비해 어순이 비교적 자유롭구나.
② 우리가 사용하는 말 중 불필요하게 피동 표현을 쓰는 경우가 많은가 봐.
③ (ㄴ)은 능동 표현, (ㄷ)은 피동 표현이겠네.
④ (ㄴ)에서 「홍길동전」은 문장의 첫머리에 왔으니 주어야.
⑤ (ㄷ)은 우리말다운 표현이라고 말하기 어렵겠구나.

28 〈보기〉를 이해한 내용으로 적절하지 <u>않은</u> 것은?

> **보기**
>
> ㄱ. 태풍에 건물이 흔들린다.
> ㄴ. 작은 나룻배가 파도에 뒤집혔다.

① ㄱ을 능동문으로 바꾸려면 '건물이'가 목적어가 되어야 한다.
② ㄱ을 능동문으로 바꾸려면 '태풍에'가 행위의 대상이 되어야 한다.
③ ㄱ의 '흔들리다'는 '흔들다'의 어간에 피동 접미사 '리'가 붙은 경우이다.
④ ㄴ을 능동문으로 바꾸면 행위의 주체가 '파도'가 된다.
⑤ ㄴ의 '뒤집혔다' 대신 '뒤집다'의 어간에 '-어졌다'를 붙여도 피동문이 된다.

29 인용 표현을 올바르게 사용한 문장은?

① 철수는 어머니께 사랑합니다라고 말했다.
② 인태는 "수정이가 방금 운동장에 나갔어."고 말했다.
③ 처음 바다를 본 동생은 바다가 정말 넓구나고 혼잣말을 했다.
④ 어머니께서는 실패란 하나의 사건일 뿐이라고 말씀하셨다.
⑤ 손님이 점원에게 "이 옷이 얼마냐?"고 물었다.

30 직접 인용문을 간접 인용문으로 바꾼 것으로 적절하지 않은 것은?

① 오빠가 "저 집이다."라고 외쳤다.

　　→ 오빠가 저 집이라고 외쳤다.

② 오빠는 "조용히 해라."라고 말했다.

　　→ 오빠는 조용히 하라고 말했다.

③ 오빠가 내게 "많이 아프니?"라고 물었다.

　　→ 오빠가 내게 많이 아프냐고 물었다.

④ 오빠는 "여기가 내가 사는 곳이야."라고 말했다.

　　→ 오빠는 거기가 내가 사는 곳이라고 말했다.

⑤ 오빠는 어제 "선생님이 내일 오신다."라고 말했다.

　　→ 오빠는 어제 선생님이 오늘 오신다고 말했다.

31 〈보기〉의 ⓐ~ⓓ에 들어갈 말을 올바르게 짝지은 것은?

┤ 보기 ├

직접인용 : 실망한 제게 어머니께서는 "실패란 하나의 사건일 뿐이다."라고 말씀해 주셨습니다.
간접인용 : 실망한 제게 어머니께서는 실패란 하나의 사건일 ___ⓐ___ 말씀해 주셨습니다.

직접인용 : 철수는 어머니께 "사랑합니다"라고 말했다.
간접인용 : 철수는 어머니께 ___ⓑ___ 말했다.

간접인용 : 인태는 수정이가 방금 운동장에 나갔다고 말했다.
직접인용 : 인태는 "수정이가 방금 운동장에 ___ⓒ___ 말했다.

간접인용 : 처음 바다를 본 그녀는 바다가 정말 넓다고 혼잣말을 했다.
직접인용 : 처음 바다를 본 그녀는 "바다가 정말 ___ⓓ___ 혼잣말을 했다.

	ⓐ	ⓑ	ⓒ	ⓓ
ㄱ	뿐이라고	사랑한다고	나갔어"고	넓구나"고
ㄴ	뿐이라고	사랑한다고	나갔어"라고	넓구나"라고
ㄷ	뿐이라고	사랑한다라고	나갔어"고	넓구나"고
ㄹ	뿐이라고	사랑한다라고	나갔어"고	넓구나"라고
ㅁ	뿐이라고	사랑한다라고	나갔어"라고	넓구나"고

① ㄱ　　　　　② ㄴ　　　　　③ ㄷ　　　　　④ ㄹ　　　　　⑤ ㅁ

객관식 심화문제

01 〈보기〉의 ⓐ~ⓓ에 들어갈 말을 올바르게 짝지은 것은?

┤ 보기 ├

㉠ 미나 어머니께서는 "너희 어머니는 잘 지내니?"라고 물어 보셨다.

㉡ 미나 어머니께서는 우리 어머니께서 잘 지내시냐고 물어 보셨다.

㉠은 미나 어머니의 발화를 그대로 옮긴 직접 인용이고, ㉡은 미나 어머니의 발화를 풀어 쓴 간접 인용이다. 그런데 직접 인용을 간접 인용으로 바꿀 때나 간접 인용을 직접 인용으로 바꿀 때는 인용절 속의 어미, 인용 조사, 대명사, 지시 표현, 높임 표현 등에 변화가 생길 수 있다.

직접 인용	아들이 어제 저에게 "내일 병원에 모시고 갈게요."라고 말했습니다.

⇩

간접 인용	아들이 어제 저에게 (ⓐ) 병원에 (ⓑ) 말했습니다.

직접 인용	철수는 어머니께 "사랑합니다."라고 말했다.

⇩

간접 인용	철수는 어머니께 (ⓒ) 말했다.

직접 인용	선우가 "교실에서 조용히 합시다."라고 말했다.

⇩

간접 인용	선우가 교실에서 조용히 (ⓓ) 말했다.

	ⓐ	ⓑ	ⓒ	ⓓ
①	어제	모시고 간다고	사랑하냐고	하자고
②	오늘	데려 간다고	사랑한다고	하자고
③	오늘	모시고 간다고	사랑한다라고	하라고
④	오늘	데려 간다고	사랑하냐고	하자고
⑤	어제	데려 간다고	사랑한다고	하라고

02 〈보기〉의 ㉠~㉤을 고친 문장과 오류 내용이 모두 알맞은 것은?

┤ 보기 ├

㉠ 그녀는 아까 도서관에 가고 있어.

㉡ 철수야, 선생님이 너를 모시고 오시래.

㉢ 할아버지는 매일 이 시간이면 낮잠을 자.

㉣ 창문이 닫혀지지 않아 찬바람이 들어온다.

㉤ 사육장 관계자는 시설의 개선이 필요하다라고 말했습니다.

고친 문장	오류 내용
㉠ 그녀는 아까 도서관에 가고 있었어.	시제 오류
㉡ 철수야, 선생님이 너를 데리고 오라고 하셔.	높임 오류
㉢ 할아버지는 매일 이 시간이면 낮잠을 주무셔.	높임 오류
㉣ 창문이 닫히지 않아 찬바람이 들어온다.	사동 오류
㉤ 사육장 관계자는 시설의 개선이 필요하다고 말했습니다.	시제 오류

① ㉠   ② ㉡   ③ ㉢   ④ ㉣   ⑤ ㉤

03 〈보기〉의 ㉠~㉡에 해당하는 사례로 적절하지 <u>않은</u> 것은?

┤ 보기 ├

'피동'이란 주어가 스스로 행동하지 않고 남의 동작을 받는 것을 말한다. 타동사 어근에 피동 접미사 '-이-, -히-, -리-, -기-'가 붙어서 이루어진 ㉠파생적 피동과 용언의 어간에 '-어지다', '-게 되다'가 붙어서 이루어진 ㉡통사적 피동 등이 있다.

① ㉠ : 도둑이 경찰에게 잡혔다.

② ㉠ : 우연히 음악 소리를 들었다.

③ ㉡ : 나에 대한 오해가 풀어졌다.

④ ㉡ : 그는 결국 징역을 살게 되었다.

⑤ ㉡ : 경기의 승부가 그의 득점으로 뒤집어졌다.

04 〈보기〉를 바탕으로 높임 표현에 대해 탐구한 내용으로 적절하지 <u>않은</u> 것은?

┤ 보기 ├

㉠ 아버지께서 저녁을 드시러 나가셨습니다.

㉡ 선생님께 문제의 풀이 과정을 여쭤보았다.

㉢ 어머니께서는 손이 아프셔서 무거운 짐을 드실 수 없어.

㉣ (가게 안을 두리번거리는 손님에게) 손님, 무엇을 찾으십니까?

① ㉠과 ㉡에서 주어가 나타내는 대상을 높일 때 사용하는 조사가 드러난다.

② ㉡은 특수 어휘를 사용하여 부사어가 나타내는 대상을 높이고 있다.

③ ㉢은 '어머니'의 신체 부분을 높여 문장의 주체를 높이고 있다.

④ ㉣은 종결 어미를 통해 듣는 상대를 아주 높여 말하고 있다.

⑤ ㉠과 ㉣은 주어가 나타내는 대상을 높일 때 사용하는 선어말 어미가 드러난다.

05 〈보기〉의 ㉠에 들어갈 문장으로 가장 적절한 것은?

┤ 보기 ├

　우리말의 높임 표현은 높임의 대상이 무엇이냐에 따라 세 종류로 나뉜다. 상대 높임법은 화자가 청자, 즉 상대를 높이거나 낮추는 방법으로 종결 어미에 의해 실현된다. 주체 높임법은 문장에서 서술의 주체를 높이는 방법으로 조사, 선어말 어미, 특수 어휘에 의해 실현된다. 또한, 객체 높임법은 문장에서 목적어와 부사어가 지시하는 대상, 즉 객체를 높이는 방법으로 조사와 특수 어휘에 실현된다.

　그런데 실제 언어생활에서 높임 표현은 위의 높임 표현 두세 가지가 동시에 사용되어 실현 양상이 복합적이다.

　예를 들어 '영수야, 할아버지 오셨어.'와 같은 문장은 상대는 낮추고 주체는 높여서 표현한 것이다. 그리고 _____㉠_____는 상대를 높이고 주체와 객체도 높여서 표현한 것이다.

① 아버지께서는 할아버지를 뵙고 오셨어요.

② 할머니께서는 진지를 드시고 계셨습니다.

③ 철수가 손님들을 모시고 공원으로 갔어요.

④ 어머니께서는 나의 저녁밥을 차려 주었어.

⑤ 요즘 중간고사 시험 준비로 많이 힘드시죠?

06 〈보기1〉을 참고할 때, 〈보기2〉의 '-겠-'과 유사한 의미를 지닌 예로 가장 적절한 것은?

┌─ 보기 1 ┐

　　미래 시제를 나타내는 선어말 어미 '-겠-'은 용언의 어간에 붙어 미래 시제를 나타내는 것 이외에 추측이나 의지, 가능성이나 능력, 완곡하게 말하는 태도 등의 의미로 쓰인다.

┌─ 보기 2 ┐

　　　　　　　영희야, 이 많은 일을 어떻게 혼자 다 하겠니?

① 하늘을 보니 내일은 비가 오겠다.
② 이 정도 수학 문제는 어린 아이도 풀 수 있겠다.
③ 지금쯤 이모네 가족들이 인천 공항에 도착했겠네.
④ 나는 이번 하반기 입사 시험에 합격하고야 말겠다.
⑤ 비가 그칠 때까지 잠시 옆자리에 앉아도 되겠습니까?

07 〈보기〉의 ㉠~㉢에 해당하는 예로 적절하지 <u>않은</u> 것은?

┌─ 보기 ┐

　　높임 표현은 화자가 대상의 높고 낮은 정도에 따라 언어적으로 구별하여 표현하는 국어의 문법 요소이다. 높임 표현은 높임의 대상에 따라 ㉠상대 높임법, ㉡주체 높임법, ㉢객체 높임법으로 나뉜다.

① ㉠ : 철수야, 학교에 잘 다녀오너라.
② ㉠ : 오늘의 영광을 부모님께!
③ ㉡ : 아버지께서는 집에 계신다.
④ ㉡ : 할아버지께서는 이미 진지를 잡수셨다.
⑤ ㉢ : 우리는 할머니를 모시고 여행을 갔다.

08 높임법에 맞게 고쳐 쓴 문장과 그 이유가 적절하지 <u>않은</u> 것은?

① 나는 집에 있어.

→ (부모님께) 저는 집에 있어요.

이유 : 부모님께는 자신을 낮춰야 한다.

② 할아버지께서는 이가 안 좋으시다.

→ 할아버지께서는 치아가 안 좋으시다.

이유 : 높임의 대상과 밀접한 사람이나 사물, 신체의 일부 등을 높임으로써 해당 인물을 높이는 간접높임을 사용하고 있다.

③ 나는 어머니께 꽃다발을 주었다.

→ 나는 어머니께 꽃을 주었다.

이유 : '주었다'에 어울리는 낱말은 '꽃'이므로 '꽃다발'은 어울리지 않다.

④ 안녕하세요, 회장님? 신입사원00라고 합니다.

→ 안녕하십니까, 회장님? 신입사원 00라고 합니다.

이유 : 공적인 자리에서는 격식체를 사용해야만 한다.

⑤ 동생이 할아버지를 보고 말을 했다.

→ 동생이 할아버지를 뵙고 말씀을 드렸다.

이유 : 객체를 높이기 위하여 높임의 의미가 있는 특수한 어휘를 사용하기도 한다.

09 〈보기〉의 밑줄 친 부분에 해당하는 예로 적절한 것은?

┤ 보기 ├

　피동 표현을 쓸 때 피동사에 '-아지다/-어지다'나 '-게 되다'를 또 붙여서 이중 피동을 만드는 경우가 있는데, 이는 잘못된 표현이다. 또 불필요한 피동 표현이 사용된 경우에는 능동 표현으로 바꾸어 써야 한다. 한국어와 영어의 차이점을 고려하지 않고 영어 문장을 직역하면 불필요한 피동 표현을 쓸 수 밖에 없다. 그리고 이러한 문장에 익숙해지면 정작 피동 표현을 써야 할 때에 <u>이중 피동 표현</u>을 쓰게 된다. 그래야만 피동 표현이 강조되는 것처럼 느껴지기 때문이다. 한 예로, 인터넷상의 개인 정보를 삭제할 수 있는 권리는 '잊힐 권리'는 흔히 이중 피동 표현인 '잊혀질 권리'로 잘못 쓰인다.

① 많은 물고기가 국어선생님에게 잡혔다.

② 오래된 그 집이 사람들에게 헐리어졌다.

③ 내 이름이 불리자 깜짝 놀랐다.

④ 고분에서 많은 유물이 발굴되었다.

⑤ 경기의 승부가 그의 마지막 득점으로 뒤집혔다.

[10~11] 다음 글을 읽고 물음에 답하시오.

높임 표현은 화자가 대상의 높고 낮은 정도에 따라 언어적으로 구별하여 표현하는 국어의 문법 요소이다. 높임 표현은 높임의 대상에 따라 상대 높임법, 주체 높임법, 객체 높임법으로 나뉜다.

상대 높임법은 청자를 높이거나 낮추는 방법이다. 높임과 낮춤의 정도에 따라 종결 어미가 달라진다. 화자 자신을 낮추는 것 '저', '제' 등의 어휘를 쓰기도 한다.

주체 높임법은 문장의 주체를 높이는 방법이다. 주격 조사 '이/가' 대신 '께서'를 사용하고, 일반적으로 서술어에 선어말 어미 '-(으)시-'가 붙어 실현된다. ⑦'있다', '먹다' 같은 단어 대신 '계시다', '잡수시다' 같은 특수 어휘를 쓰기도 한다.

[A] 최근 '주문하신 커피 나오셨습니다.' '문의하신 상품은 품절이십니다.'처럼 서비스업이나 판매업 종사자들이 고객을 존대하려는 의도로 불필요한 '-시-'를 넣은 표현을 적지 않게 사용하고 있다. 높여야 할 대상의 신체 부분, 성품, 심리, 소유물과 같이 주어와 밀접한 관계를 맺고 있는 대상을 통하여 주어를 간접적으로 높이는 '간접 존대'에는 '눈이 크시다.', '걱정이 많으시다', '선생님, 넥타이가 멋있으시네요.'처럼 '-시-'를 동반한다. 그러나 '주문하신 커피 나오셨습니다.', '문의하신 상품은 품절이십니다.'처럼 '-시'를 남용하는 것은 바른 경어법이 아니다.

객체 높임법은 문장의 목적어나 부사어가 지시하는 대상, 즉 서술의 객체를 높이는 방법이다. 서술의 객체가 화자보다 나이가 많거나 사회적 지위가 높을 때 사용한다. 부사격 조사 '에게' 대신 '께'를 사용하고, ⑥'만나다', '묻다' 같은 단어 대신 '뵈다', '여쭈다' 같은 특수 어휘를 쓰기도 한다.

10 다음 중 ⑦, ⑥이 모두 사용된 문장은?

① 누나는 여쭈어볼 것이 있다며 선생님 댁에 갔다.
② 연세가 많으신 할머니께서는 아직도 홍시를 잘 잡수신다.
③ 어머니께서는 몹시 피곤하신지 오시자마자 거실에서 주무신다.
④ 할아버지를 모시고 식당으로 가서 무엇을 잡수실 건지 여쭙거라.
⑤ 아버지께서는 할머니를 뵙고 추석 선물을 드리며 반갑게 인사를 하셨다.

11 윗글의 [A]를 제대로 이해하지 못한 사람은?

① (선생님께) '오늘 입으신 옷이 멋지시네요.'는 옷을 통해 선생님을 간접적으로 높이려는 것이군.
② (미용실에서) '손님, 이제 머리 감기실게요.'는 문장의 주어인 손님을 높이려는 의도로 -시-를 썼군.
③ (사장님께) '사장님 따님이 참 착하시네요.'는 화자보다 사장의 딸이 어린 경우에는 사장을 높이기 위한 간접 존대에 해당해야겠군.
④ (상점에서) '손님 성격이 참 좋으시네요.'의 '성격'은 높여야 할 대상과 밀접한 관계를 맺고 있으므로 틀린 표현이 아니겠군.
⑤ (식당에서) '문의하신 날짜는 예약이 꽉차셔서 불가능하십니다.'는 '-시'의 남용에 해당하겠군.

[12] 다음 글을 읽고 물음에 답하시오.

　　높임 표현은 화자가 대상의 높고 낮은 정도에 따라 언어적으로 구별하여 표현하는 국어의 문법 요소이다. 높임 표현은 높임의 대상에 따라 상대 높임법, 주체 높임법, 객체 높임법으로 나뉜다.

　　㉮상대 높임법은 청자를 높이거나 낮추는 방법이다. 높임과 낮춤의 정도에 따라 종결 어미가 달라진다.

　　㉯주체 높임법은 문장의 주체를 높이는 방법이다. 주격 조사 '이/가' 대신 '께서'를 사용하고, 일반적으로 서술어에 선어말 어미 '-(으)시-'가 붙어 실현된다. 특수 어휘를 쓰는 단어도 있다.

　　㉰객체 높임법은 문장의 목적어나 부사어가 지시하는 대상, 즉 서술의 객체를 높이는 방법이다. 서술의 객체가 화자보다 나이가 많거나 사회적 지위가 높을 때 사용한다.

12 위 글의 예시로 적절하지 <u>않은</u> 것은?

① ㉮ : 저는 밥 먹으러 직접 가겠습니다.

② ㉮ : 어머님, 제가 무거운 것을 들고 가겠습니다.

③ ㉯ : 아버지께서는 안방에 계신다.

④ ㉯ : 선생님께서는 아름다운 따님이 두 명이나 계신다.

⑤ ㉰ : 영희가 할머니께 드릴 선물을 구입했어요.

13 다음 발표문에 대한 평가로 적절하지 <u>않은</u> 것은?

> 　　안녕? 나는 뽀로로라고 해.
> 　　문학에 관심이 많은 나는 초등학교 3학년 때 백일장에 참가되었어. 하루 종일 고생해서 시를 써냈지만 수상하지 못했지. 실망할 나에게 어머니께서는 "실패란 하나의 사건일 뿐이다."라고 말해 주었어. 실패는 끝이 아니라 과정이며, 실패를 통해 무엇이 배워졌는지가 더 중요하다는 사실을 깨달았지. 그 후 나는 8년간 계속해서 백일장에 참가하고 있어. 앞으로도 많이 실패하였지만 계속 도전할 거야.

① 부적절한 피동 표현은 능동 표현으로 고쳐쓴다.

② 잘못 쓰인 과거 시제와 미래 시제 표현을 수정한다.

③ 높임의 대상을 표현하기 위해 높임 표현을 사용해야 한다.

④ 직접 인용을 사용해야 하는 부분에 간접 인용을 사용하고 있다.

⑤ 공식적인 자리에서 발표하기 위해 청자를 높이는 표현으로 수정한다.

14 (가)~(마)에 대한 설명으로 옳지 <u>않은</u> 것은?

> ┤ 보기 ├
>
> (가) A는 연세가 많으시다.
> (나) A께서 낮잠을 주무신다.
> (다) A가 B께 용돈을 드렸다.
> (라) 저는 이곳이 처음입니다.
> (마) A께서 B를 모시고 떠나셨습니다.

① (가)에서 화자는 특수 어휘 '연세'와 선어말 어미 '-시-'를 사용하여 주체인 A를 간접적으로 높이고 있다.
② (나)에서 화자는 조사 '께서'와 선어말 어미 '-시-'를 사용하여 주체인 A를 직접 높이고 있다.
③ (다)에서 화자는 조사 '께'와 특수 어휘 '드리다'를 사용하여 객체인 B를 높이고 있다.
④ (라)에서 화자는 특수 어휘 '저'를 사용하여 자신을 낮추고, 종결 어미 '-ㅂ니다'를 사용하여 청자를 높이고 있다.
⑤ (마)에서 화자는 청자, 주체인 A, 객체인 B를 모두 높이고 있다.

15 각 쌍의 밑줄 친 부분에 대한 설명으로 옳지 <u>않은</u> 것은?

> ┤ 보기 ├
>
> (가) ㉠ 친구와 함께 영화를 <u>본다</u>.
> ㉡ 친구와 함께 영화를 <u>보겠다</u>.
> (나) ㉢ 철수는 예전에 이 집에 <u>살았다</u>.
> ㉣ 철수는 예전에 이 집에 <u>살았었다</u>.
> (다) ㉤ 동생이 <u>먹은</u> 빵이다.
> ㉥ 기온이 <u>높은</u> 날씨다.
> (라) ㉦ 언니가 의자에 <u>앉고 있다</u>.
> ㉧ 언니가 의자에 <u>앉아 있다</u>.
> (마) ㉨ 준현이가 손을 <u>흔들면서</u> 내게 다가온다.
> ㉩ 준현이가 손을 <u>흔들고서</u> 내게 다가온다.

① (가) : ㉠은 사건시가 발화시보다 앞서고, ㉡은 발화시가 사건시보다 앞서는 것을 나타낸다.
② (나) : ㉢과는 달리 ㉣은 '과거의 시간이 현재와 다르든가 단절되어 있음'을 나타낸다.
③ (다) : 관형사형 어미 '-(으)ㄴ'은 ㉤에서는 과거 시제를, ㉥에서는 현재 시제를 표현하는 데 사용되었다.
④ (라) : ㉦은 어떤 동작이 '진행되고 있음'을, ㉧은 '이미 끝났거나 그 결과가 지속되고 있음'을 나타낸다.
⑤ (마) : (라)와 (마)를 비교해 보면, ㉨의 시제와 동작상은 (라)의 ㉦과 ㉩은 (라)의 ㉧과 동일하다고 할 수 있다.

16 국어 문법에 어긋나는 어색한 표현을 고쳐 쓴 문장 또는 그 이유가 적절하지 <u>않은</u> 것은?

① 어색한 표현 : 날이 벌써 <u>어두워 있다</u>.

    어색한 이유 : 형용사를 동작상과 함께 사용하였다.

    고쳐 쓴 표현 : 날이 벌써 <u>어둡다</u>.

② 어색한 표현 : 그 말은 정말 <u>믿겨지지</u> 않았다.

    어색한 이유 : 이중 피동 표현을 사용하였다.

    고쳐 쓴 표현 : 그 말은 정말 <u>믿기지</u> 않았다.

③ 어색한 표현 : 고객님, 신분증이 <u>계신가요</u>?

    어색한 이유 : 물건은 높임의 대상이 아니다.

    고쳐 쓴 표현 : 고객님, 신분증이 <u>있어요</u>?

④ 어색한 표현 : 형은 "노래는 내가 잘한다."<u>고</u> 말했다.

    어색한 이유 : 조사를 잘못 사용하였다.

    고쳐 쓴 표현 : 형은 "노래는 내가 잘한다."<u>라고</u> 말했다.

⑤ 어색한 표현 : 혜영아, 아까 어디에 가고 <u>있어</u>?

    어색한 이유 : 부사어와 서술어의 시제가 불일치한다.

    고쳐 쓴 표현 : 혜영아, 아까 어디에 가고 <u>있었어</u>?

17 〈보기1〉을 〈보기2〉로 고쳐 쓴 과정에서 반영되지 <u>않은</u> 조건은?

┤ 보기 1 ├

    초등학교 4학년 때, 나는 백일장에 참가하였지만 입상하지 못했지. 어머니는 실망할 내게 실패는 끝이 아니라 하나의 과정이며, 실패를 통해 무엇이 배워졌는지가 더 중요하다고 말해 주었어. 그 후 나는 8년간 계속해서 백일장에 참가하고 있으면서 많이 실패하겠지만 앞으로 계속 도전할 거야.

┤ 보기 2 ├

    초등학교 학년 때, 저는 백일장에 참가하게 되었지만 입상하지 못했습니다. 어머니께서는 실망한 제게 "실패는 끝이 아니라 하나의 과정이야. 실패에서 무엇이 배워졌는지가 더 중요하지."라고 말씀해 주셨습니다. 그 후 저는 8년간 계속해서 백일장에 참가하면서 많이 실패하였지만 앞으로 계속 도전할 겁니다.

① 청자를 높이는 표현으로 고쳐 쓴다.

② 간접 인용을 직접 인용으로 고쳐 쓴다.

③ 잘못 쓰인 높임 표현을 바르게 고쳐 쓴다.

④ 잘못 쓰인 시간 표현을 바르게 고쳐 쓴다.

⑤ 부적절한 피동 표현을 능동 표현으로 고쳐 쓴다.

18 ㉠~㉢의 잘못된 문장을 수정한 이유로 적절하지 <u>않은</u> 것은?

	잘못된 문장 → 수정한 문장	
㉠	할아버지께서 우리에게 세뱃돈을 줬다.	→ 할아버지께서 우리에게 세뱃돈을 주셨다.
㉡	그의 말이 정말 믿겨지지 않았다.	→ 그의 말이 정말 믿기지 않았다.
㉢	그는 신발을 신고 있다.	→ 그는 신발을 신는 중이다.
㉣	그는 나에게 "밥 언제 먹을 거니?"고 물었다.	→ 그는 나에게 "밥 언제 먹을 거니?"라고 물었다.
㉤	그녀의 머릿결은 언제나 아름답고 있다.	→ 그녀의 머릿결은 언제나 아름답다.

① ㉠ : 서술어 '줬다'의 주체가 높임의 대상이기 때문이다.
② ㉡ : 이중 피동 표현을 사용하였기 때문이다.
③ ㉢ : 중의적 의미로 해석이 가능하기 때문이다.
④ ㉣ : 인용의 조사가 잘못되었기 때문이다.
⑤ ㉤ : 시제를 잘못 사용하였기 때문이다.

19 〈보기〉의 ㉠~㊀에 대해 설명한 것으로 적절하지 <u>않은</u> 것은?

> ┤ 보기 ├
>
>   내가 예전에 여기에 ㉠왔을 때 ㉡본 나무들, 그토록 ㉢예쁘던 그 꽃나무들은 다 어떻게 ㉣돼 버렸을까? 그 나무들을 보면서 큰 기쁨을 ㉤느꼈었는데.
>   아, ㉥초등학생이던 내가 손수 심은 나무들도 다 ㊀사라졌구나.

① ㉠과 ㊀은 선어말어미 '-았/었-'을 사용했으므로 과거시제이다.
② ㉡은 관형사형 어미 '-ㄴ'이 붙어 과거시제가 되었으므로, '보다'의 품사는 동사이다.
③ ㉢과 ㉥에 관형사형 어미 '-던'이 붙어 과거시제가 되었으므로, 이들 품사는 동사이다.
④ ㉣은 '-어 버리다'에 선어말어미 '-었-'이 결합한 것으로, 과거시제 완료상이다.
⑤ ㉤은 선어말어미 '-었었-'을 사용했으므로 현재에는 그렇지 않음을 나타내는 과거시제이다.

20 〈보기〉에 쓰인 높임표현을 탐구한 내용으로 적절하지 <u>않은</u> 것은?

┤ 보기 ├

ㄱ. 그녀가 할머니께 모자를 사 드렸다.

ㄴ. 삼촌께서 밖으로 나가시는 모습이 보인다.

ㄷ. 엄마, 숙부께서 할아버지를 뵙자고 하시네요.

ㄹ. 선생님, 이번에는 제 말씀을 좀 들어 보십시오.

① ㄱ의 '드렸다'는 주체를 높이기 위해 사용된 것이군.

② ㄴ과 ㄷ의 '께서'와 '-시-'는 주체를 높이기 위해 사용된 것이군.

③ ㄷ의 '뵙자고'는 객체를 높이기 위해 사용된 것이군.

④ ㄷ의 '요'는 비격식 상황에서 상대방을 높이기 위해 사용된 것이군.

⑤ ㄹ의 '-십시오'는 격식이 있는 상황에서 상대방을 높이기 위해 사용된 것이군.

21 〈보기〉의 ㉠에 들어갈 말로 가장 적절한 것은?

┤ 보기 ├

선생님 : 우리말의 높임 표현에는 주체 높임법, 객체 높임법, 상대 높임법이 있습니다. 그런데 실제 언어 생활에서 '높임 표현'이 실현되는 양상은 복합적입니다.

　　예문을 볼까요? '철수야, 선생님께서 찾으셔.'는 상대는 낮추고 주체는 높여서 표현한 것입니다. 그리고
（　　　㉠　　　）은(는) 상대를 높이고 객체도 높여서 표현한 것입니다.

① 내일 우리 같이 밥 먹어요.

② 제가 할머니를 모시고 왔습니다.

③ 이 손수건 좀 할아버지께 갖다 드려.

④ 요즘 여러 가지 일로 많이 바쁘시죠?

⑤ 어머니께서 아버지의 손수건을 만드셨어.

22 〈보기〉를 참고하여 '-겠-'의 의미가 나머지와 <u>다른</u> 하나는?

┤ 보기 ├

　　미래 시제를 표현하는 선어말 어미 '-겠-'은 미래 시제를 나타내는 것 이외에 추측이나 의지, 가능성이나 능력, 완곡하게 말하는 태도 등을 표현하기도 한다.

① 제가 마저 써도 되겠습니까?

② 책을 읽어봐도 괜찮겠습니까?

③ 이걸 어떻게 혼자 다 하겠니?

④ 내가 먼저 말해도 되겠니?

⑤ 어제 그만 돌아가 주시겠어요?

23 〈보기〉의 ㉠과 ㉡에 대한 설명으로 적절하지 <u>않은</u> 것은?

> ┤ 보기 ├
>
> ㉠ 깨끗한 경치를 보니 어머니를 모시고 오고 싶어.
>
> ㉡ 저는 따뜻한 차를 마시며 앉아 있으니 기분이 좋습니다.

① ㉠은 사적이고 친근감이 나타나는 표현이고, ㉡은 공적이고 심리적 거리가 느껴지는 표현이다.

② ㉠과 청자를 낮추어 말하는 표현이고, ㉡은 청자를 높여 말하는 표현이다.

③ ㉠은 서술의 객체를 높여 말하는 표현이고, ㉡은 주체를 낮추어 말하는 표현이다.

④ ㉠과 ㉡은 형용사에 관형사형 어미 '-(으)ㄴ'을 써서 현재의 일을 나타내고 있다.

⑤ ㉠과 ㉡은 모두 사건이 발생한 시점과 그 사건을 언어로 표현하는 시점 사이에 시간 차이가 존재한다.

24 다음 중 문법 요소가 올바르게 쓰인 것은?

① 동생에게 사탕을 빼앗겼다.

② 나는 일이 잘 마무리되어지길 바란다.

③ 어제 동생이 "누나, 바다 보고 싶다."고 말했다.

④ 할아버지께서 병원에 혼자 가신다고 말해 주었어.

⑤ 편견 없는 사회가 만들어지려면 나부터 노력해야 해.

25 (가)~(다)에 대하여 시간표현 선어말어미의의미를 중심으로 설명한 것 중 가장 적절한 것은?

> (가) 은경이는 어제 불암도서관에서 책을 빌리더라.
>
> (나) 정일이는 어제 불암도서관에서 책을 빌렸어.
>
> (다) 목감기로 승철이는 목구멍이 아직도 부었어.

① **원균** : (가)와 (나)는 모두 이전에 일어난 사건에 대한 사실을 전달하고 있어.

② **은희** : (가)는 (나)와 달리 이전에 일어난 사건이 지금까지 지속되고 있음을 나타내고 있어.

③ **영재** : (가)와 (다)는 모두 이전에 일어난 사건이 지금까지 지속되고 있음을 나타내고 있어.

④ **영관** : (나)와 (다)는 모두 이전에 일어난 사건의 사실을 화자가 직접 경험하여 알게 되었음을 나타내고 있어.

⑤ **지현** : (다)는 (가)와 달리 이전에 일어난 사건의 사실을 전달하는 동시에 그 사실을 화자가 직접 경험하여 알게 되었음을 나타내고 있어.

'높임 표현'이란 말하는 이가 어떤 대상을 높이거나 낮추는 정도를 구별하여 표현하는 방법을 말한다. 국어에서 높임 표현의 대상에 따라 주체 높임, 상대 높임, 객체 높임으로 나누어진다.

주체 높임은 서술의 주체를 높이는 방법이다. 주체 높임을 실현하기 위해 선어말 어미 '-(으)시-'를 사용하며, 주격 조사 '이/가' 대신에 '께서'를 쓰기도 한다. 그 밖에 '계시다', '주무시다' 등과 같은 특수 어휘를 사용하여 높임을 드러내기도 한다. 그리고 주체 높임에는 직접 높임과 간접 높임이 있다. ㉠직접 높임은 높임의 대상인 주체를 직접 높이는 것이고, ㉡간접 높임은 높임의 대상인 주체의 신체 일부, 소유물, 가족 등을 높임으로써 주체를 간접적으로 높이는 것이다.

상대 높임은 말하는 이가 듣는 이를 높이거나 낮추어 말하는 방법이다. 상대 높임은 주체로 종결 표현을 통해 실현되는데, 아래와 같이 크게 격식체와 비격식체로 나뉜다.

	하십시오체	예 합니다, 합니까? 등
격식체	하오체	예 하오, 하오? 등
	하게체	예 하네, 하는가? 등
	해라체	예 한다, 하냐? 등
비격식체	해요체	예 해요, 해요? 등
	해체	예 해, 해? 등

격식체는 격식을 차리는 자리나 공식적인 상황에서 주로 사용하며, 비격식체는 격식을 덜 차리는 자리나 사적인 상황에서 주로 사용한다. 그렇기 때문에 같은 대상이라도 공식적인 자리인지 사적인 자리인지에 따라 높임 표현이 달리 실현되기도 한다.

㉢객체 높임은 목적어나 부사어가 지시하는 대상, 즉 서술의 객체를 높이는 방법이다. 객체 높임은 '모시다', '여쭈다' 등과 같은 특수 어휘를 통해 실현되며, 부사격 조사 '에게' 대신 '께'를 사용하기도 한다.

26 윗글을 바탕으로 〈보기〉의 ⓐ~ⓔ를 탐구한 내용으로 가장 적절한 것은?

┤ 보기 ├

(복도에서 친구 선희와 만난 상황)

경화 : 선희야, ⓐ선생님께서 너 지금 교무실로 오라셔.

선희 : 응, 알았어.

(선희가 교무실로 선생님을 찾아간 상황)

선희 : 선생님, 부르셨어요?

선생님 : 그래. 방과 후에 있는 '탐구 논문 발표' 때 사용할 발표 자료를 점심시간 전까지 가져올 수 있니?

선희 : 점심시간 전까지 ⓑ선생님께 발표 자료를 드리기 어려운데요.

선생님 : 그러면 종례 끝나고 바로 발표 행사를 시작하니, 6교시 쉬는 시간까지는 제출해야 한다.

선희 : 발표 행사가 시작되면 바로 발표를 시작하나요?

선생님 : 아니. 행사를 시작하면 먼저 ⓒ교장선생님의 말씀이 있으실거야. 그 다음부터 순번대로 발표를 하게 될 거고. 너희가 첫 번째 순서이니까 미리 준비를 해야겠지?

선희 : 네. 그러면 6교시 쉬는 시간에 지현이와 함께 오겠습니다.

(6교시가 끝나고 지현이와 선희가 교무실로 선생님을 찾아간 상황)

지현 : 선생님, 발표 자료 여기 있어요.

선희 : ⓓ저희 열심히 준비했어요.

선생님 : 그래. 준비한 대로 발표 잘 하렴.

(발표 대회에서 발표를 하는 상황)

선희 : ⓔ이상으로 발표를 마칠게요.

미령 : 궁금한 점이 있는데, 질문해도 될까?

① 근화 : ⓐ는 서술의 주체인 선생님을 높이기 위하여 조사 '께서'와 오는 동작의 주체를 높이는 선어말어미 '-시-'를 사용하였어.

② 원균 : ⓑ는 서술의 주체인 선생님을 높이기 위하여 조사 '께'와 높임의 특수한 어휘인 '드리다'를 사용하였어.

③ 은희 : ⓒ는 높임의 대상인 주체와 관련된 사물을 높이기 위하여 '말씀'이라는 높임 어휘와 높임의 특수 어휘인 '있으시다'를 사용하였어.

④ 영재 : ⓓ는 듣는 사람인 선생님을 높이기 위하여 자신을 낮추는 표현을 사용하였어.

⑤ 영관 : ⓔ는 탐구 논문 발표라는 공식적인 자리에 맞게 높임을 나타내는 격식체의 종결 표현을 사용하였어.

27 윗글을 바탕으로 <보기>를 밑줄 친 ㉠, ㉡, ㉢에 해당하는 것으로 구분하여 묶은 것으로 가장 적절한 것은?

┤ 보기 ├

㉮ 교수님께서는 책이 많으시다.

㉯ 나는 할머니를 모시고 병원에 갔다.

㉰ 교장선생님의 말씀이 있으시겠습니다.

㉱ 아무래도 네가 선생님을 직접 뵈어야겠다.

㉲ 아버지께서 지병 때문에 매일 한약을 드신다.

	㉠직접 높임	㉡간접 높임	㉢객체 높임
Ⓐ	㉮, ㉲	㉰, ㉱	㉯
Ⓑ	㉯	㉮, ㉰	㉱, ㉲
Ⓒ	㉰	㉮, ㉲	㉯, ㉱
Ⓓ	㉱	㉮, ㉰	㉯, ㉲
Ⓔ	㉲	㉮, ㉰	㉯, ㉱

① Ⓐ   ② Ⓑ   ③ Ⓒ   ④ Ⓓ   ⑤ Ⓔ

(가) 높임 표현은 화자가 대상의 높고 낮은 정도에 따라 언어적으로 구별하여 표현하는 국어의 문법 요소이다. 높임 표현은 높임의 대상에 따라 상대높임법, 주체높임법, 객체높임법으로 나뉜다.

상대높임법은 청자를 높이거나 낮추는 방법이다. 높임과 낮춤의 정도에 따라 종결 어미가 달라진다. 화자 자신을 낮추는 '저', '제' 등의 어휘를 쓰기도 한다.

주체 높임법은 문장의 주체를 높이는 방법이다. 주격조사 '이/가' 대산 '께서'를 사용하고, 일반적으로 서술어에 선어말 어미 '-(으)시-'가 붙어 실현된다. '있다', '먹다' 같은 단어 대신 '계시다', '잡수시다' 같은 특수 어휘를 쓰기도 한다.

객체 높임법은 문장의 목적어나 부사어가 지시하는 대상, 즉 서술의 주체를 높이는 방법이다. 서술의 객체가 화자보다 나이가 많거나 사회적 지위가 높을 때 사용한다. 부사격 조사 '에게' 대신 '께'를 사용하고, '만나다', '묻다' 같은 단어 대신 '뵈다', '여쭈다' 같은 특수 어휘를 쓰기도 한다.

(나) 시간 표현은 시간을 언어적으로 표현한 것으로, 시간 표현에는 시제와 동장상이 있다. 시제는 사건이 발생한 시점 (사건시)이 그 사건을 언어로 표현하는 시점(발화시)보다 이전인지 이후인지, 아니면 일치하는지를 나타내는 국어의 문법 요소이다. 시제에는 과거 시제, 현재 시제, 미래 시제가 있다.

과거 시제는 사건시가 발화시보다 앞서는 시제이다. 과거 시제를 표현할 때에는 선어말 어미 '-았-/-었-'을 쓰며, 과거의 일이나 경험을 회상하는 의미를 덧붙이고 싶을 때에는 선어말 어미 '-더-'를 쓴다. 관형사형 어미는 동사의 경우 '-(으)ㄴ'과 '-던'을, 형용사와 서술격 조사의 경우 '-던'을 쓴다. '어제', '아까', '이미' 등과 같은 부사어를 쓰기도 한다.

현재 시제는 사건시와 발화시가 일치하는 시제이다. 현재 시제를 표현할 때에는 동사의 경우 선어말 어미 '-ㄴ-/-는-'을 쓰는데, 형용사와 서술격 조사의 경우에는 현재 시제 표시가 따로 없다. 관형사형 어미는 동사의 경우 '-는-'을, 형용사와 서술격 조사의 경우 '-(으)ㄴ'을 쓴다. '오늘', '지금', '현재' 등과 같은 부사어를 쓰기도 한다.

미래 시제는 사건시가 발화시보다 뒤에오는 시제이다. 미래 시제를 표현할 때에는 선어말 어미 '-겠-', 관형사형 어미 '-(으)ㄹ 것'을 쓰기도 한다. 예스럽게 표현할 때에는 선어말 어미 '-(으)리'를 쓴다. '내일', '장차' 등과 같은 부사어를 쓰기도 한다.

한편, 선어말어미 '-겠-'은 미래시제를 나타내는 것 이외에 추측이나 의지, 가능성이나 능력, 완곡하게 말하는 태도 등을 표현하기도 한다.

---

28 (가)를 읽고 〈보기〉를 설명한 것으로 적절하지 않은 것은?

┤ 보기 ├

동생이 할아버지를 모시고 병원에 간다. ··· ㉠
언니가 할머니께 선물을 드린다. ··· ㉡
아주머니, 저는 이곳이 처음입니다. ··· ㉢
김과장이 맡았던 업무는 사장님께 여쭈어 보게 ·· ㉣
용준아, 선생님께서 너를 데리고 오라셔 ·· ㉤

① ㉠에서 높임의 대상은 '할아버지'이고 문장의 객체여서 특수어휘 '모시다'를 통해 실현하였다.

② ㉡에서 높임의 대상은 '할머니'이고 문장의 객체여서 부사격조사 '께'와 특수어휘 '드린다'를 통해 실현하였다.

③ ㉢에서 높임의 대상은 '아주머니'이고 듣는 이여서 '저'와 상대 높임의 종결어미 '-ㅂ니다'를 통해 높임을 실현하였다.

④ ㉣에서 높임의 대상은 '사장님'이고 문장의 주체여서 부사격조사 '께'를 사용하였고 특수어휘 '여쭈다'를 이용하여 높임을 실현하였다.

⑤ ㉤에서 높임의 대상은 '선생님'이고 문장의 주체에서 주격조사 '께서'와 선어말어미 '-시-'를 사용하여 높임을 실현하고 있다.

29 (나)의 내용과 일치하지 <u>않는</u> 것은?

① 시간 표현은 시제와 동작상이 있는데, 시간을 추상적으로 표현한 것이다.

② 시제는 사건시와 발화시의 선후 및 일치관계를 나타내는 국어의 문법요소이다.

③ 과거 시제는 사건시가 발화시보다 앞서는 시제로, 표현할 때에는 선어말 어미 '-았-/-었'을 쓴다.

④ 현재 시제는 사건시와 발화시가 일치하는 시제로 형용사와 서술격 조사의 경우에는 현재 시제 표시가 따로 없다.

⑤ 미래 시제는 사건시가 발화시보다 뒤에 오는 시제로, 미래이긴 하나 예스럽게 표현할 때에는 선어말 어미 '-(으)리'를 쓴다.

30 윗글을 읽고 〈보기〉의 ㉠~㉤에 대해 탐구한 결과로 적절하지 <u>않은</u> 것은?

┌─┤ 보기 ├─────────────────────────────
│ ㉠ 막차를 놓쳤으니 나는 집에 다 갔다.
│ ㉡ 내가 떠날 때 비가 왔다.
│ ㉢ 거기에는 눈이 왔겠다.
│ ㉣ 그는 내년에 진학한다고 한다.
│ ㉤ 오늘 보니 그는 키가 작다.
└─────────────────────────────────────

① ㉠을 보니, 선어말 어미 '-았-'이 과거 시제를 나타내지 않는 경우도 있군.

② ㉡을 보니, 관형사형 어미 '-ㄹ-'이 붙을 때 미래의 사건을 나타내지 않는 경우도 있군.

③ ㉢을 보니, 선어말 어미 '-겠-'이 미래에 일어날 말을 완곡하게 표현하는 데 쓰이고 있군.

④ ㉣을 보니, 현재 시제 선어말 어미 '-ㄴ-'이 미래에 일어날 사건을 나타낼 때도 쓰이고 있군.

⑤ ㉤을 보니, 형용사에서 현재 시제를 나타낼 때 현재 시제 선어말 어미를 사용하고 있지 않고 있군.

[31] 다음 글을 읽고 물음에 답하시오.

　시제가 사건시와 발화시의 선후 관계를 표현한다면, 동작상은 사건 또는 동작 자체의 시간적 속성을 표현한다. 예를 들어 '먹다'라는 동작은 과거에서부터 지금까지 먹고 있는 움직임이 진행 중인 상태와 먹는 움직임이 이미 끝난 상태로 분석할 수 있다. 이와 같이 동작 내부의 시간적 흐름을 표현하는 국어의 문법 요소를 동작상이라고 한다. 동작상에는 진행상과 완료상이 있다.

　㉠진행상이란 어떤 동작이 시간의 흐름 속에서 계속 이어지고 있을 때 사용하는 문법 요소이다. 진행상을 표현할 때에는 주로 보조 용언 '-고 있다' 또는 '-아 가다/-어 가다'를 쓴다. 문장이 이어질 때에는 연결어미 '-(으)면서'를 쓴다.

　㉡완료상이란 어떤 동작이 시간의 흐름 속에서 이미 끝났거나 그 결과가 지속될 때 사용하는 문법요소이다. 완료상을 표현할 때에는 주로 보조 용언 '-아 있다/-어 있다' 또는 '-아 버리다/-어 버리다'를 쓴다. 문장이 이어질 때에는 연결어미 '-고서'를 쓴다.

31 ㉠과 ㉡의 예로 적절하지 <u>않은</u> 것은?

① ㉠ : 은서가 그림을 <u>그려 버렸다</u>.
② ㉠ : 아까 널어 둔 빨래가 벌써 <u>마르고 있다</u>.
③ ㉡ : 준현이가 반갑게 양손을 <u>흔들고서</u> 내게 다가온다.
④ ㉡ : 토론대회 준비를 위해 나는 내일 학교에 <u>남아 있겠다</u>.
⑤ ㉡ : 국어시간에 너무 잠이 온 민호가 책상에 <u>엎드려 버렸다</u>.

32 〈보기〉를 참고할 때, '피동문'으로 바꿀 수 <u>없는</u> 것은?

┤ 보기 ├

　피동사는 주어가 제 힘으로 행하는 동작을 나타내는 능동사 어간에 피동 접미사 '-이-, -히-, -리-, -기-' 등이 결합되어 만들어진 것이다.
　이와 같은 피동문은 다음과 같은 과정을 통해 만들어진다.
　A. 능동사가 서술어로 쓰인 문장 :
　　<u>사냥꾼이</u> <u>호랑이를</u> <u>잡았다</u>.
　　　주어　　 목적어　 서술어
　B. 피동사가 서술어로 쓰인 문장 :
　　<u>호랑이가</u> <u>사냥꾼에게</u> <u>잡히었다</u>.
　　　주어　　 목적어　　 서술어
　A의 목적어가 B의 주어가 되고 A의 주어가 B의 부사어가 된다. 그리고 A의 능동사 '잡았다'의 어간에 '-히-'가 결합된 피동사 '잡히었다'가 B의 서술어가 된다. 그렇지만 모든 능동사 어간에 피동 접미사가 결합될 수 있는 것은 아니다.

① 아빠가 아기를 안았다.
② 뱀이 개구리를 먹었다.
③ 바람이 나뭇가지를 꺾었다.
④ 비바람이 사과를 세차게 흔들었다.
⑤ 영희가 귀갓길에 소나기를 만났다.

33 〈보기〉의 ⊙과 ⓒ에 대한 설명으로 가장 적절한 것은?

┌─ 보기 ├─

⊙ 너는 어디로 가니?

ⓒ 저는 집에 갑니다.

① ⊙은 청자를 낮추어 말하는 표현이고, ⓒ은 청자를 높여 말하는 표현이다.

② ⊙은 상대를 직접적으로 낮추는 표현이고, ⓒ은 상대를 간접적으로 높이는 표현이다.

③ ⊙은 사적인 경우와 공적인 경우에 쓰는 표현이고, ⓒ은 공적인 경우에 쓰는 표현이다.

④ ⊙은 문장의 주체를 낮추어 말하는 표현이고, ⓒ은 문장의 주체를 높여 말하는 표현이다.

⑤ ⊙은 서술의 객체를 낮추어 말하는 표현이고, ⓒ은 서술의 객체를 높여 말하는 표현이다.

34 과거 시제를 표현하는 방법으로 적절하지 <u>않은</u> 것은?

① 선어말 어미 '-았-/-었-'을 사용하여 과거 시제를 표현한다.

② 부사어 '어제', '아까', '이미' 등을 사용하여 과거 시제를 표현한다.

③ 과거 시제를 표현하기 위한 관형사형 어미로 동사의 경우 '-던'을 쓴다.

④ 과거 시제를 표현하기 위한 관형사형 어미로 형용사의 경우 '-(으)ㄴ'을 쓴다.

⑤ 과거의 일이나 경험을 회상하는 의미를 덧붙이기 위해 선어말 어미 '-더-'를 쓴다.

35 인용 표현을 할 때 유의점으로 적절하지 <u>않은</u> 것은?

① 직접인용은 다른 데에서 들은 말이나 읽은 글을 인용할 때 원래의 내용과 형식을 그대로 유지한 채 인용하는 방식이다.

② 간접인용은 다른 데에서 들은 말이나 읽은 글을 인용할 때 원래의 내용과 형식을 변형할 수 있다.

③ 직접 인용 표현을 할 때에는 인용절에 큰따옴표를 하여 표시하고, 큰따옴표 뒤에 조사 '-라고'를 쓴다.

④ 간접 인용 표현을 할 때에는 따옴표 없이 인용절 다음에 조사 '고'를 쓴다.

⑤ 간접 인용 표현을 할 때에는 인용절의 시간 표현, 높임 표현 등을 문장에 맞도록 적절히 바꾸어야 한다.

36 〈보기〉의 ㉠~㉤에 해당하는 문장으로 적절하지 <u>않은</u> 것은?

┤ 보기 ├

미래 시제를 표현할 때에는 선어말 어미 '-겠-', 관형사형 어미 '-(으)ㄹ'을 쓰거나 '-(으)ㄹ'에 의존 명사 '것'이 결합된 '-(으)ㄹ 것'을 쓰기도 한다. 선어말 어미 '-겠-'은 미래 시제를 나타내는 것 이외에 ㉠<u>추측</u>이나 ㉡<u>의지</u>, ㉢<u>가능성</u>이나 ㉣<u>능력</u>, ㉤<u>완곡하게 말하는 태도</u> 등을 표현하기도 한다.

① ㉠ : 지금 떠나면 저녁에 도착하겠구나.
② ㉡ : 다음에는 꼭 찾아뵙도록 하겠습니다.
③ ㉢ : 늦어도 어제는 고향에 소포가 도착했겠다.
④ ㉣ : 나도 그 정도의 문제는 풀 수 있겠다.
⑤ ㉤ : 선생님, 제가 잠시 들어가도 되겠습니까?

37 〈보기〉의 내용에 따를 때, 성격이 <u>다른</u> 하나는?

┤ 보기 ├

시제가 사건시와 발화시의 선후 관계를 표현한다면, 동작상은 사건 또는 동작 자체의 시간적 속성을 표현한다. 예를 들어 '먹다'라는 동작은 과거에서부터 지금까지 먹고 있는 움직임이 진행 중인 상태와 먹는 움직임이 이미 끝난 상태로 분석할 수 있다. 이와 같이 동작 내부의 시간적 흐름을 표현하는 국어의 문법 요소를 동작상이라고 한다. 동작상에는 진행상과 완료상이 있다.

① 홍구는 학교에 가고 있다.
② 은서가 그림을 그리고 있다.
③ 민호가 책상에 엎드려 버렸다.
④ 아까 널어 둔 빨래가 벌써 마르고 있다.
⑤ 준현이가 반갑게 양손을 흔들면서 내게 다가온다.

38 〈보기〉의 ㉠, ㉡이 모두 사용된 문장은?

┤ 보기 ├

　우리말에서는 일반적으로 선어말 어미나 종결 어미, 조사 등을 통해 높임 표현을 하지만, 다음과 같이 특수한 어휘를 통해 높임을 표현하는 경우도 있다.
- 주체를 높이는 동사나 형용사
- 객체를 높이는 동사나 형용사 ･･･ ㉠
- 높여야 할 인물을 직접 높이는 명사
- 높여야 할 인물과 관련된 것을 높이는 명사 ･････････････････････････････ ㉡

① 교장 선생님께서 훈화 말씀을 하셨다.
② 아버지께서 할머니를 뵈러 큰댁에 가셨다.
③ 생신을 맞으신 할머니께서 홍시를 드신다.
④ 영희는 아직 선생님의 성함을 기억하고 있다.
⑤ 우리 가족은 할머니를 모시고 제주도로 여행을 갔다.

39 높임법에 맞게 고쳐 쓴 문장이 적절하지 않은 것은?

① 나는 이곳이 처음이다.
　→ (청자를 높일 때) 저는 이곳이 처음입니다.
② 이 구두는 최신 유행 상품이다.
　→ (청자를 높일 때) 이 구두는 최신 유행 상품입니다.
③ 민서는 할머니에게 사과를 주었다.
　→ (객체를 높일 때) 민서는 할머니께 사과를 드렸다.
④ 어려운 문제를 선생님에게 물어 보았다.
　→ (객체를 높일 때) 어려운 문제를 선생님께 물어 보았다.
⑤ 동생이 할아버지를 데리고 병원에 갔다.
　→ (객체를 높일 때) 동생이 할아버지를 모시고 병원에 갔다.

40 〈보기〉에서 피동 표현이 바르게 사용된 문장만을 있는 대로 고른 것은?

┤ 보기 ├

ㄱ. 밧줄을 세차게 당겼다.
ㄴ. 컴퓨터 파일이 복구되었다.
ㄷ. 새로운 사실이 그에 의해 밝혀졌다.
ㄹ. 성금은 불우 이웃에게 쓰여질 것이다.

① ㄱ, ㄴ　　　② ㄱ, ㄷ　　　③ ㄴ, ㄷ　　　④ ㄱ, ㄴ, ㄷ　　　⑤ ㄴ, ㄷ, ㄹ

41 〈보기〉의 ㉠~㉫에 대한 설명으로 적절하지 <u>않은</u> 것은?

┤ 보기 ├

㉠ 친구가 읽는 책은 소설이다.

㉡ 고향에서는 벌써 추수를 끝냈겠다.

㉢ 학생들이 운동장에서 축구를 한다.

㉣ 언니는 입시 준비를 하느라 항상 바쁘다.

㉤ 오늘까지 발표 준비를 하려면 잠은 다 잤다.

① ㉠ : 관형사형 어미 '-는'으로 현재 시제를 나타내는군.

② ㉡ : 선어말 어미 '-겠-'으로 '추측'의 의미를 드러내고 있다.

③ ㉢ : 선어말 어미 '-ㄴ-'은 동사에 붙어 시제를 나타내는군.

④ ㉣ : 형용사는 선어말 어미가 없이 기본형으로 현재 시제를 나타내는군.

⑤ ㉤ : 선어말 어미 '-았-'으로 과거 시제를 나타내는군.

42 〈보기〉의 ㉠, ㉡의 예로 적절한 것끼리 묶은 것은?

┤ 보기 ├

시제는 문장 내에서 가리키는 사건이 일어난 시점인 '사건시'와 그 문장을 말하는 시점인 '발화시'의 관계로 나타낼 수 있는데, ㉠<u>사건시가 발화시보다 먼저인 경우</u>, 사건시와 발화시가 일치하는 경우, ㉡<u>사건시보다 발화시가 먼저인 경우</u>가 있다.

① ㉠ : 예쁜 꽃이 마당에 피어 있다.

  ㉡ : 그 일은 혼자서도 할 수 있겠다.

② ㉠ : 그는 예전에 만나던 사람이다.

  ㉡ : 동생이 밥을 먹는 모습이 보기 좋다.

③ ㉠ : 나는 다급하게 초인종을 눌렀다.

  ㉡ : 네가 떠날 곳으로 곧 따라갈게.

④ ㉠ : 오늘 밤에도 별이 바람에 스친다.

  ㉡ : 하늘을 보니 비가 오겠다.

⑤ ㉠ : 성규는 준호에게 생일 선물을 주었다.

  ㉡ : 수지는 어제 서점에서 책을 보더라.

43 〈보기〉의 ㉠~㉤을 고친 문장과 그 이유가 모두 알맞은 것은?

┤ 보기 ├

㉠ 용욱아, 선생님이 너 교실로 오시래.

㉡ 수호는 자기가 먼저 간다라고 말했다.

㉢ 할아버지는 매일 이 시간이면 낮잠을 잔다.

㉣ 이 책은 사람들의 기억에서 잊혀진 책입니다.

㉤ 나는 서로 돕는 것이 옳은 일이라고 생각되어진다.

	고친 문장	고친 이유
ⓐ	㉠ 용욱아, 선생님께서 너 교실로 오시래.	높임 오류
ⓑ	㉡ 수호는 자기가 먼저 간다고 말했다.	시제 오류
ⓒ	㉢ 할아버지는 매일 이 시간이면 낮잠을 주무신다.	높임 오류
ⓓ	㉣ 이 책은 사람들의 기억에서 잊힌 책입니다.	피동 오류
ⓔ	㉤ 나는 서로 돕는 것이 옳은 일이라고 생각된다.	피동 오류

① ⓐ   ② ⓑ   ③ ⓒ   ④ ⓓ   ⑤ ⓔ

44 〈보기〉에서 ㉠~㉤의 높임법에 대한 설명으로 적절한 것은?

┤ 보기 ├

점원 : 손님, 어떤 옷을 ㉠찾으십니까?

손님 : 바지 좀 보려고요. ㉡아버지께 선물할 거거든요.

점원 : 이 바지는 어떠세요? 선물로 ㉢드리시면 무척 좋아하실 겁니다.

손님 : 저희 아버지는 키가 크신데 잘 맞을지 ㉣모르겠네요.

점원 : 아버님 ㉤모시고 한번 들러 주세요.

① ㉠은 특수 어휘를 사용하여 상대 높임을 나타내고 있다.

② ㉡은 조사 '께'를 사용하여 주체인 '아버지'를 높이고 있다.

③ ㉢은 특수어휘와 선어말 어미를 사용하여 객체와 주체를 높이고 있다.

④ ㉣은 선어말 어미를 사용하여 주체를 높이고 있다.

⑤ ㉤은 선어말 어미를 사용하여 객체인 '아버님'을 높이고 있다.

45 〈보기〉의 ㉠에 해당하는 문장으로 적절하지 않은 것은?

> ┤ 보기 ├
>
> 제 힘으로 움직이는 행위의 주체가 주어인 문장을 능동문이라 한다. 이와 달리 ㉠피동문은 행위의 주체가 아닌 행위의 대상이 주어가 된다.

① 아이가 모기에 물렸다.
② 오늘은 붓글씨가 잘 써진다.
③ 그 집이 사람들에게 헐렸다.
④ 그는 친구들을 감쪽같이 속였다.
⑤ 그의 그림이 비싼 가격에 팔렸다.

[46] 다음 글을 읽고 물음에 답하시오.

높임 표현은 화자가 대상의 높고 낮은 정도에 따라 언어적으로 구별하여 표현하는 국어의 문법 요소이다. 높임 표현은 높임의 대상에 따라 상대 높임법, 주체 높임법, 객체 높임법으로 나뉜다.

상대 높임법은 청자를 높이거나 낮추는 방법이다. 높임과 낮춤의 정도에 따라 종결 어미가 달라진다. 화자 자신을 낮추는 '저', '제' 등의 어휘를 쓰기도 한다.

㉠주체 높임법은 문장의 주체를 높이는 방법이다. 주격 조사 '이/가' 대신 '께서'를 사용하고, 일반적으로 서술어에 선어말 어미 '-(으)시-'가 붙어 실현된다. '있다', '먹다' 같은 단어 대신 '계시다', '잡수시다' 같은 특수 어휘를 쓰기도 한다.

㉡객체 높임법은 문장의 목적어나 부사어가 지시하는 대상, 즉 서술의 객체를 높이는 방법이다. 서술의 객체가 화자보다 나이가 많거나 사회적 지위가 높을 때 사용한다. 부사격 조사 '에게' 대신 '께'를 사용하고, '만나다', '묻다' 같은 단어 대신 '뵈다', '여쭈다' 같은 특수 어휘를 쓰기도 한다.

46 다음 중 윗글의 밑줄 친 ㉠, ㉡이 모두 나타난 문장은?

① 아버지께서는 집에 들어 가셨다.
② 멀리서 오셨는데 물이나 한 잔 드시지요.
③ 선생님, 시험 끝나면 친구들과 뵈러 갈게요.
④ 어머니께서 할머니를 모시고 식당에 가셨어.
⑤ 아버지는 아직 할아버지 사진을 간직하고 계신다.

서술형 심화문제

01 다음 문장에서 잘못 쓰인 표현을 찾아 바르게 고치시오. (단, 문장 부호는 고치지 않는다.) 그리고 고친 이유를 <u>각각</u> 한 문장으로 서술하시오.

> **┤ 보기 ├**
> 1) 국어책은 다른 책보다 잘 읽혀진다.
> 2) 누군가 어둠 속에서 "철수가 바로 범인이다."고 소리쳤어.

02 다음 문장에서 잘못된 표현을 바르게 고치고, 이유를 서술하시오.

> **┤ 조건 ├**
> • 완성된 문장 형태로 고쳐 쓰고, 잘못된 이유를 정확하게 서술할 것

(1) 그는 은퇴 후에도 여전히 바쁘고 있다.

(2) 이 제품이 요즘 제일 잘 나가는 색상이세요.

03 〈보기〉의 문장을 〈조건〉에 따라 고쳐 쓰시오.

> **┤ 보기 ├**
> 철수는 선생님에게 영희가 아프다고 말씀드렸습니다.

> **┤ 조건 ├**
> • 직접 인용으로 바꾸어 쓸 것
> • 인용문의 종결 어미는 '-ㅂ니다'를 사용할 것
> • 조사를 사용하여 객체높임법을 실현할 것

04 〈보기〉에서 상황에 따른 문법 요소의 활용이 적절하지 <u>않은</u> 곳을 <u>있는 대로</u> 찾아 〈조건〉에 따라 각각 올바른 형태로 고치시오.

┤ 보기 ├

　저는 그것이 옳지 않다라고 생각했기 때문에 선생님의 제안을 반대했다. 선생님께서는 그 프로그램이 우리 이웃들에게 유용하게 쓰여질 것이라고 확신하고 계셨기 때문에 반대 의견에 당황하셨다. 그때 충격을 받을 선생님의 표정이 지금까지도 잊혀지지 않는다.

┤ 조건 ├

• 잘못된 부분과 고친 내용을 어절 단위로 제시할 것.
• '먹었다 → 먹는다'의 형식으로 서술할 것.

05 〈보기〉의 글에서 밑줄 친 부분의 <u>잘못된</u> 표현을 바른 문장으로 고쳐 쓰고 그 이유를 서술하시오.

┤ 보기 ├

　안녕하세요? 저는 "이현서"라고 합니다.
　문학에 관심이 많은 저는 초등학교 3학년 때 백일장에 (1)<u>참가되었습니다</u>. 하루 종일 고생해서 시를 써냈지만 수상하지 못했습니다. 실망한 제게 (2)<u>어머니는</u> 실패란 하나의 사건일 뿐이라고 말씀해 주셨습니다. 실패는 끝이 아니라 과정이며, 실패를 통해 무엇을 배웠는가가 더 중요하다는 사실을 깨달았습니다. 그 후 저는 8년간 계속해서 백일장에 참가하고 있습니다. 앞으로도 많이 (3)<u>실패하였지만</u> 계속 도전할 것입니다.

06 〈보기1〉을 참고하여 〈보기2〉에서 영희의 말을 〈작성 요령 및 채점 기준〉에 맞게 쓰시오.

┤ 보기 1 ├

(아버지와 영희에게)
아버지 : ㉠할머니한테 밥 먹었느냐고 물어볼래?
영희 : 예.

┤ 보기 2 ├

(영희가 할머니에게)
영희 : ＿＿＿＿＿＿＿＿＿＿＿＿＿＿＿＿＿＿＿
할머니 : 그래? 밥은 아까 먹었지.

┤ 작성 요령 및 채점 기준 ├

가. 〈보기1〉의 ㉠은 직접 인용으로 표현할 것
나. '할머니', '아버지'를 각각 한 번씩만 사용하되, 모두 높임의 대상으로 표현할 것.
　　(*압존법으로 표현하지 않음)
다. 높임 표현, 시간 표현, 인용 표현 및 문장 부호 사용 등에 유의할 것

07 〈보기〉는 영어 문장을 상대높임법에 맞게 해석한 것이다. 예를 참고하여 ㉠~㉤을 적절하게 해석하시오.

┤ 보기 ├

Happy birthday to you.	
하십시오체	생일을 축하합니다.
해라체	㉠
해요체	㉡
해체	㉢
Are you with somebody?	
하십시오체	㉣
해라체	㉤
해요체	지금 사귀는 사람 있어요?
해체	지금 사귀는 사람 있어?

08 〈보기〉의 문장에 나타난 시제와 동작상에 대해 서술하시오.

┤ 보기 ├

(1) 정미는 어제 2교시도 시작하기 전에 간식을 먹어 버렸다.
(2) 민호는 지금 빨래를 하면서 노래도 부르고 있다.

┤ 조건 ├

시제와 동작상을 표현하기 위해 사용한 방법을 각각 서술하시오.

09 〈보기〉의 글에서 잘못된 표현을 〈조건〉에 따라 <u>모두</u> 찾아 쓰고 바른 문장으로 고쳐 쓰시오.

---| 보기 |---

　안녕? 나는 ○○고등학교 1학년 학생이야. 2학기가 시작한 지 한 달이 지나는데도 아침에 일찍 일어나는 것이 정말 힘들어. 아침마다 지각을 피하려고 뛰어다녀서 앞으로도 따로 운동을 할 필요가 없는 정도야. 특히 영어듣기를 하는 시간에는 너무 졸려서 정신이 없게 돼. 그런 나에게 선생님께서는 항상 피곤해서 어떡하느냐라고 걱정을 하지. 매일 노력하는데도 생활습관을 바꾸기가 힘들어. 잘못된 습관을 바로 잡기는 정말 힘들 것 같아.

---| 조건 |---

1. 잘못 쓰인 높임 · 시간 · 인용 표현을 바르게 고쳐 쓴다. (단, 상대 높임법은 고치지말 것)
2. 부적절하게 사용한 피동 표현을 능동 표현으로 고쳐 쓴다.

10 〈보기1〉과 〈보기2〉를 읽고, 〈조건〉에 따라 서술하시오.

---| 보기 1 |---

1. 비로 인해 패인 땅을 복구한다.
2. 나는 아직도 그녀가 잊혀지지 않는다.

---| 보기 2 |---

〈보기1〉에서 1, 2에 제시된 문장이 잘못된 이유는 (　　　　　　　　) 때문이다.

---| 조건 |---

1. 〈보기2〉에 빈칸을 채워 전체 문장을 쓰시오.
2. 〈보기1〉에서 1, 2를 올바른 표현으로 고쳐 전체 문장을 쓰시오.

11 〈보기〉의 문장을 아래의 〈조건〉을 <u>모두</u> 적용하여 <u>한 문장</u>으로 적절하게 고치시오.

┤ 보기 ├

해리포터가 나에게 "나와 함께 해서 정말 기쁘지 않니?"라고 묻는다.

┤ 조건 ├

1. 주어인 '해리포터'를 '선생님'으로 고쳐서 높임법에 맞게 고치되, 높임을 제외하고는 시제를 포함하여 어떠한 의미도 달라지지 않도록 표현할 것.
2. 인용절 속의 인칭대명사는 반드시 높임의 의미를 지니는 인칭대명사로 고칠 것.
3. 직접인용문을 간접인용문으로 고치되 어법에 맞게 표현할 것.

12 다음 제시된 〈보기〉의 문장을 문법 요소의 특성에 맞게 고쳐 쓰시오.

┤ 보기 ├

㉠ 주문하신 음료 나오셨습니다.

㉡ 손님, 가격께서는 모두 만 이천 원 되시겠습니다.

㉢ 그녀의 눈은 언제나 초롱초롱하고 아름답고 있다.

13 〈보기〉의 잘못된 높임 표현을 올바른 표현으로 고쳐 쓰시오.

┤ 보기 ├

ㄱ. 할아버지는 일찍 자고 일찍 일어난다.

ㄴ. 만수는 할머니를 산본역까지 데려다 드리셨다.

ㄷ. 나는 선생님에게 모르는 문제를 물어 보러갔다.

┤ 조건 ├

• 답안 작성 시에 주어와 서술어를 갖춘 완결된 문장으로 쓸 것.

14 다음 글을 읽고 〈조건〉에 맞게 수정하여 표를 완성하시오.

> 안녕하세요? 저는 이○○이라고 합니다. 문학에 관심이 많은 나는 초등학교 3학년 때 백일장에 참가하였습니다. 수상을 하지 않아 실망한 나에게 어머니께서는 "실패란 하나의 사건일 뿐이다."라고 말씀해 주었습니다. 많은 것을 깨달은 저는 앞으로도 많이 실패하였지만 계속 도전할 것입니다.

┤ 조건 ├
- 반복되는 건 쓰지 않는다.
- 직접 인용을 간접 인용으로 고쳐 쓴다.
- 문법 요소가 부적절하게 실현된 부분은 고쳐 쓴다.

수정 전	수정 후
㉠	㉡
㉢	㉣
㉤	㉥
㉦	㉧
㉨	㉩

15 다음 문장을 〈조건〉에 맞게 고쳐 쓰시오.

> 나는 "너가 빌려 준 물건은 돌려 주겠다."라고 말했다.

┤ 조건 ├
- 직접인용을 간접인용으로 바꿀 것.
- 대화 상황을 고려하여 바른 높임 표현으로 고칠 것.
  (상황 : 젊은 연기자가 중년의 관객에게 빌렸던 물건을 돌려주며 말하는 극중 대사)
- '하십시오체'로 종결할 것.

16 아래의 조건을 고려하여 ㉠, ㉡의 잘못된 표현을 바르게 고치시오.

㉠ 용준아, 선생님께서 너를 모시고 오시래.
㉡ 창문이 닫혀지지 않아 찬바람이 들어온다.

─┤ 조건 ├─
1. 잘못된 표현을 고쳐 완성된 문장으로 작성할 것.
2. 우리 국어의 어법에 맞게 작성할 것.

17 다음 (1), (2)의 높임법을 설명하고, 제시된 높임법에 맞게 문장을 바꾸어 쓰시오.

(1) 할머니가 책을 읽고 있다.
　　주체 높임이란?
(2) 나는 아버지에게 추석 선물을 주었다.
　　객체 높임이란?

18 다음에 제시된 문장이 잘못된 이유를 쓰고, 올바르게 고치시오.

(1) 이 제품의 95 사이즈는 하나 남으셨습니다.
(2) 세계 각국이 '잊혀질 권리'를 법적으로 보장하려고 한다.

19 다음 물음에 답하시오.

(1) 〈보기〉의 (가)부분 (㉠, ㉡이 '아버지'를 높이는 방법이 다른 이유)에 들어갈 내용을 서술하시오.

> ㉠ <u>아버지께</u> 전화 드리고 밖으로 나가자.
> ㉡ <u>아버지께서는</u> 귀가 밝으시다.
>
> ㉠에서는 조사 '께'와 특수어휘 '드리고'를 사용하여 높임 표현을 나타내고 있고, ㉡에서는 조사 '께서'와 선어말어미 '시'를 사용하여 높임 표현을 나타내고 있다. 이렇듯 두 문장이 화자보다 높은 '아버지'를 높이기 위해 다른 방법을 사용하게 된 것은 (가)_____ 때문이다.

(2) 다음 문장(㉠~㉣)들을 높임의 정도가 낮은 것부터 순서대로 배열하고, 각각의 상대 높임 표현의 체계를 함께 서술하시오. (단, 상대 높임 표현 체계는 '격식/비격식 + ~체'로 쓸 것)

> ㉠ "여러분, 여기를 좀 보시겠습니까?"
> ㉡ "자네, 이번 운전은 신중히 하게."
> ㉢ "재석아, 그렇게 서 있지 말고 좀 앉아라."
> ㉣ "오랜만에 보니 조금 살이 빠진 것 같소."

문장 기호 (낮은 것부터)	(< < <)			
상대높임 체계	+ 체	+ 체	+ 체	+ 체

20 다음을 읽고 물음에 답하시오.

> ㉠ 연우가 어제 책상을 닦<u>았</u>어.
> ㉡ 연우가 어제 책상을 닦<u>더</u>라.
> ㉢ 네가 먹은 과자 맛있었어?

(1) 윗글 ㉠, ㉡의 밑줄 친 말에 따라 두 문장의 의미가 어떻게 <u>달라지는지</u> 한 문장으로 서술하시오.

(2) 윗글 ㉢에 시제를 나타내는 어미를 <u>모두</u> 찾아 〈조건〉에 맞게 서술하시오.

┤ 조건 ├
• 어미의 구체적인 종류와 함께 완결된 문장으로 쓸 것.

21 다음 글을 읽고, 주어진 형식에 맞추어 글의 중심 내용을 완성한 후에 그대로 옮겨 쓰시오.

언어 예절이란 대화를 할 때 지켜야 할 예절로서, 상대방을 존중하는 마음을 언어로 표현하는 사회적 관습이다. 대화 내용 자체는 타당하더라도, 대화 상황이나 대화 상대에 맞게 적절하지 않으면 언어 예절에 어긋날 수 있다. 언어 예절을 지키지 않으면 다른 사람들과의 의사소통이 원활하게 이루어지기 어렵고, 원만한 인간관계를 유지하기 어려울 수도 있다. 따라서 대화할 때에는 대화 상황과 대화 상대에 맞게 언어 예절을 갖추어 말하도록 노력해야 한다.

"언어 예절을 지키며 대화하기 위해서는 대화 상황과 대화를 고려해야 하며, 언어 예절을 잘 지켜야 하는 이유는 _____ 때문이다."

22 다음 글의 내용을 참고하여, 괄호 안에서 요구한 대로 표현을 바꾸어 쓰시오.

문장에서 어떤 동작이나 행위를 표현할 때, 주어가 자기 의지대로 한 것인지 다른 대상에 의해 당하는 것인지에 따라 표현이 달라진다. 전자를 능동 표현, 후자를 피동 표현이라 한다.

능동 표현을 피동 표현으로 바꿀 때 능동문의 주어는 피동문의 부사어가 되고, 능동문의 목적어는 피동문의 주어가 된다. 그리고 능동을 나타내는 동사의 어간에 피동 접사 '-이-, -히-, -리-, -기-'나 '-아지다/-어지다', '-게 되다'를 붙인다. 또한 일부 체언 뒤에 '-되다'를 붙여 만들기도 한다.

(1) 눈이 세상을 덮었다. (능동 표현을 피동 표현으로 바꾸기)

(2) 나는 이웃이 어려울 때 서로 돕는 것이 옳은 일이라고 생각되어진다. (잘못된 피동 표현을 바르게 고치기)

23 다음은 직접 인용 표현을 간접 인용 표현으로 바꾸는 방법을 탐구한 것이다. 이를 바탕으로 물음에 답하시오.

탐구 목표 : 직접 인용 표현을 간접 인용 표현으로 바꿀 때의 변화 양상을 이해할 수 있다.

탐구 자료

㉮ 수호는 "내가 먼저 갈게."라고 말했다.

　　→ 수호는 자기가 먼저 간다고 말했다.

㉯ 그는 아버지께 "저도 가야 합니까?"라고 물었다.

　　→ 그는 아버지께 자기도 가야 하냐고 물었다.

㉰ 간호사는 나에게 "거기 앉으세요."라고 말했다.

　　→ 간호사는 나에게 여기 앉으라고 말했다.

탐구 결과 : 직접 인용 표현을 간접 인용 표현으로 바꿀 때,

① 큰따옴표가 사라지고, 조사 '라고'가 조사 '고'로 바뀐다.

② 문장 종결 어미는 평서문(㉮)은 '-다'로, 의문문(㉯)은 '-냐'로, 명령문(㉰)은 '-(으)라'로 바뀐다.

③ 상대 높임 표현과 인칭 대명사, 지시 대명사 등이 달라진다.

---

(1) 다음 문장의 직접 인용 표현을 간접 인용 표현으로 바꾸시오.

그는 나에게 "너는 참 착해."라고 말했다.

---

(2) 위에서 탐구한 내용과 같이 직접 인용 표현을 간접 인용 표현으로 바꿀 경우, 표현 효과가 어떻게 달라지는지를 문맥을 고려하여 〈보기〉의 밑줄 친 부분에 써 넣으시오.

　직접 인용 표현은 대화를 직접 전하는 듯한 현장감과 생동감이 느껴진다. 이를 간접 인용 표현으로 바꿀 경우 현장감과 생동감을 덜하지만, 직접 인용 표현을 사용할 때보다 ＿＿＿＿＿＿＿＿＿＿＿＿.

---

24 〈보기〉의 문장을 〈조건〉에 따라 알맞게 고쳐 쓰시오.

┤ 보기 ├

아버지는 책을 읽고 나는 그 옆에서 일기를 썼어.

┤ 조건 ├

• 상대 높임법과 주체 높임법을 사용하여 문장을 바르게 고쳐 쓸 것

• 어머니를 청자로 하고, 비격식체의 높임법을 사용할 것

25 다음 설명의 @~@ 중 〈보기〉에 나타난 시간 표현을 모두 찾고, 그렇게 파악한 이유를 구체적으로 서술하시오.

> 시간 표현은 시간을 언어적으로 표현한 것으로, 시간 표현에는 시제와 동작상이 있다. 시제는 사건이 발생한 시점(사건시)이 그 사건을 언어로 표현하는 시점(발화시)보다 이전인지 이후인지, 아니면 일치하는지를 나타내는 국어의 문법 요소이다. 시제에는 과거 시제, 현재 시제, 미래 시제가 있다.
>
> @과거 시제는 사건시가 발화시보다 앞서는 시제이다. 과거 시제를 표현할 때에는 선어말 어미 '-았-/-었-'을 쓰며, 과거의 일이나 경험을 회상하는 의미를 덧붙이고 싶을 때에는 선어말 어미 '-더-'를 쓴다. 관형사형 어미는 동사의 경우 '-(으)ㄴ'과 '-던'을, 형용사와 서술격 조사의 경우 '-던'을 쓴다. '어제', '아까', '이미' 등과 같은 부사어를 쓰기도 한다.
>
> ⓑ현재 시제는 사건시와 발화시가 일치하는 시제이다. 현재 시제를 표현할 때에는 동사의 경우 선어말 어미 '-ㄴ-/-는-'을 쓰는데, 형용사와 서술격 조사의 경우에는 현재 시제 표기가 따로 없다. 관형사형 어미는 동사의 경우 '-는'을, 형용사와 서술격 조사의 경우 '-(으)ㄴ'을 쓴다. '오늘', '지금', '현재' 등과 같은 부사어를 쓰기도 한다.
>
> ⓒ미래 시제는 사건시가 발화시보다 뒤에 오는 시제이다. 미래 시제를 표현할 때에는 선어말 어미 '-겠-', 관형사형 어미 '-(으)ㄹ'을 쓰거나 '-(으)ㄹ'에 의존 명사 '것'이 결합된 '-(으)ㄹ 것'을 쓰기도 한다. 예스럽게 표현할 때에는 선어말 어미 '-(으)리-'를 쓴다. '내일', '장차' 등과 같은 부사어를 쓰기도 한다.
>
> 시제가 사건시와 발화시의 선후 관계를 표현한다면, 동작상은 사건 또는 동작 자체의 시간적 속성을 표현한다. 예를 들어 '먹다'라는 동작은 과거에서부터 지금까지 먹고 있는 움직임이 진행 중인 상태와 먹는 움직임이 이미 끝난 상태로 분석할 수 있다. 이와 같이 동작 내부의 시간적 흐름을 표현하는 국어의 문법 요소를 동작상이라고 한다. 동작상에는 진행상과 완료상이 있다.
>
> ⓓ진행상이란 어떤 동작이 시간의 흐름 속에서 계속 이어지고 있을 때 사용하는 문법 요소이다. 진행상을 표현할 때에는 주로 보조 용언 '-고 있다' 또는 '-아 가다/-어 가다'를 쓴다. 문장이 이어질 때에는 연결 어미 '-(으)면서'를 쓴다.
>
> ⓔ완료상이란 어떤 동작이 시간의 흐름 속에서 이미 끝났거나 그 결과가 지속될 때 사용하는 문법 요소이다. 완료상을 표현할 때에는 주로 보조 용언 '-아 있다/-어 있다' 또는 '-아 버리다/-어 버리다'를 쓴다. 문장이 이어질 때에는 연결 어미 '-고서'를 쓴다.

┤ 보기 ├
> ㉠ 나는 내일 의자에 앉아 있겠다.
> ㉡ 이것은 내가 읽은 책이고, 저것은 철수가 읽던 책이다.

(1) @~@ 중 ㉠과 ㉡에 나타난 시간 표현을 모두 찾아 기호로 쓰시오.

(2) (1)과 같이 파악한 이유를 위의 설명을 참고하여 구체적으로 서술하시오.

26 다음 설명을 참고하여 〈보기〉를 바른 문장으로 고치고, 그렇게 고친 이유를 구체적으로 서술하시오.

> 상대를 높이는 방법은 종결 어미를 통해 청자를 높이거나 낮추는 방법, 화자 자신을 낮추는 어휘를 쓰는 방법이 있다. 그리고 주체를 높이는 방법은 주격 조사 '께서'를 붙이는 방법, 주체를 높이는 선어말 어미 '-(으)시-'를 어간에 붙이는 방법, 주체 높임의 특수한 용언을 쓰는 방법이 있다. 또한 객체를 높이는 방법은 부사어를 높이는 조사 '께'를 체언에 붙이는 방법, 객체 높임의 특수한 용언을 쓰는 방법이 있다. 그 외 특수한 어휘를 써서 어떤 대상을 높이는 방법도 있다.

> ┤ 보기 ├
> ㉠ 할아버지는 매일 이 시간이면 낮잠을 잔다.
> ㉡ 나는 어머니에게 아버지가 안방에 있는지 물어 보았다.

(1) ㉠과 ㉡을 바른 문장으로 고치시오.

(2) ㉡을 (1)의 답과 같이 고친 이유를 위의 설명을 참고하여 구체적으로 서술하시오.

27 〈보기〉의 직접 인용문 (1)과 (2)를 간접 인용문으로 <u>각각</u> 바꾸어 쓰시오.

> ┤ 보기 ├
> (1) 아들이 어제 저에게 "내일 집에 계십시오."라고 말했습니다.
> (2) 오빠는 어제 "나의 휴대 전화에 메시지를 꼭 보내라."라고 나에게 말했다.

28 다음은 어법을 잘못 사용하고 있는 글이다. 부적절하게 사용한 피동 표현이 있는 문장을 모두 찾아 피동 표현을 어법에 맞게 고치고, 고친 문장을 쓰시오. (피동 표현과 관련된 것만 고칠 것.)

> 안녕? 나는 이현서라고 해.
> 문학에 관심이 많은 나는 초등학교 3학년 때 백일장에 참가되었어. 하루 종일 고생해서 시를 써냈지만 수상하지 못했지. 실망할 나에게 어머니께서는 "실패란 하나의 사건일 뿐이다."라고 말해 주었어. 실패를 통해 무엇이 배워졌는지가 더 중요하다는 사실을 깨달았지. 그 후 나는 8년간 계속해서 백일장에 참가하고 있어. 앞으로도 많이 실패하였지만 계속 도전할 거야.

29 (1)~(4)를 바르게 고치고, 고친 문장을 쓰시오. 고친 이유를 구체적으로 서술하시오. (어떤 문법 요소의 오류로 인한 것인지 언급할 것.)

> (1) 혜영이는 아까 도서관에 가고 있어.
> (2) 할아버지는 매일 이 시간이면 낮잠을 자.
> (3) 창문이 닫혀지지 않아 찬바람이 들어온다.
> (4) 사육장 관계자는 시설의 개선이 필요하다라고 말했습니다.

30 다음 문장을 〈조건〉에 따라 바르게 고치시오.

> 친구가 동생에게 선물을 주었다.

┤ 조건 ├
• 주어를 '선생님'으로 바꾸고 조사와 서술어도 적절한 높임 표현으로 바꿀 것
• '관형사형 어미+의존명사'의 형태를 사용하여 발화시가 사건시보다 앞선 시제로 바꿀 것
• 주어진 조건 외 다른 표현은 바꾸지 말 것

31 〈보기〉를 바탕으로 물음에 답하시오.

┤ 보기 1 ├
선생님 : 인용표현은 다른 데서 들은 말이나 글을 문장 속에 넣어 전달하는 것을 말해요. 인용표현에는 직접 인용이나 간접 인용이 있습니다. 직접 인용은 남의 말이나 글을 그대로 문장 속에 가져오는 것을 말해요. 그렇다면 간접 인용은 무엇일까요?
학생 : 간접 인용은 (㉠   )을(를) 말합니다.
선생님 : 잘했어요. 간접 인용에서는 시간표현, 높임표현 지시어, 종결어미 등을 조심해야 해요.

┤ 보기 2 ├
㉡ 어제 할아버지께서 "내일 밥을 사서 나에게 와라"라고 말씀하셨다.

(1) ㉠에 들어갈 말을 서술하시오.

(2) ㉡문장을 '간접 인용문'으로 바꿔서 서술하시오.

32 〈보기〉 ⓐ~ⓓ를 〈조건〉에 주어진 문장의 상대 높임 등급과 동일하게 고치시오. (단, 문장 종결 형식(평서형, 의문형, 명령형, 청유형, 감탄형 등) 및 의미는 바꾸지 말 것.)

┤ 보기 ├
ⓐ 시간이 너무 촉박합니다.
ⓑ 이 구간은 그냥 빨리 넘어가세.
ⓒ 이곳은 위험하니 저쪽으로 비키시오.
ⓓ 그토록 찾던 물건을 드디어 구했구려.

┤ 조건 ├
• 오늘 영업하는 약국은 어디니?

33 〈보기〉의 밑줄 친 문장이 잘못된 부분을 모두 찾아 잘못된 이유를 서술하고, 바르게 고쳐 쓰시오.

높임법은 화자가 높이려는 대상이 누구인지에 따라 주체 높임법, 상대 높임법, 객체 높임법으로 구분된다. 주체 높임법은 주어가 나타내는 대상인 주체를 높이는 것이며, 상대 높임법은 대화의 상대인 청자를 높이거나 낮추는 것이고, 객체 높임법은 문장의 목적어나 부사어가 나타내는 대상인 객체를 높이는 것이다.

예 (남동생이 누나에게)
<u>어머니가 할머니를 데리고 병원에 가나요?</u>

34 ㉠에 대해 〈보기〉와 같이 인용하여 글을 썼다고 할 때, 〈보기〉를 쓴 사람이 지켜야 할 윤리를 서술하시오.

┤ 보기 ├
글쓴이는 "영어 문장을 직역하면 불필요한 피동 표현을 쓸 수밖에 없다"라는 말을 하였으므로, 영어 문장을 직역하면 항상 우리말에 부정적인 영향을 줄 것이라는 생각을 하고 있음을 알 수 있다.

┤ 조건 ├
• '원작가'라는 단어를 반드시 사용할 것
• '~다.'로 끝나는 완결된 문장으로 서술할 것

---

[35] 다음 글을 읽고 물음에 답하시오.

제힘으로 움직이는 행위의 주체가 주어인 문장을 능동문이라 한다. 이와 달리 피동문은 행위의 주체가 아닌 행위의 대상이 주어가 된다. 따라서 능동문을 피동문으로 바꿀 때에는 능동문의 주어와 목적어를 각각 피동문의 부사어와 주어로 바꾸고, 능동문의 서술어에 알맞은 피동 접미사 '-이-, -히-, -리-, -기-' 혹은 '-되다', '-아지다/-어지다'혹은 '-게 되다'를 붙여 피동문의 서술어로 만든다.

피동문을 쓸 때에는 지나친 피동 표현(ⓐ이중 피동)이 되지 않도록 유의해야 한다.

---

35 〈보기〉에서 ⓐ에 해당되는 사례를 <u>모두</u> 찾아 조건에 맞게 적절한 피동 표현으로 바꾸어 쓰시오.

┤ 보기 ├

홍수 피해 주민들에 대한 구체적인 생계 지원 방안은 오늘 공개된 정부의 발표 자료에는 담겨져 있지 않았다. 또한 피해 대칙이 수도권 피해 복구 위주로 짜여지면서 지방 민심의 반발이 우려되는 상황이다. 이 같은 실수를 되풀이하지 않기 위해 좀 더 신속하고 정확한 피해 상황 집계 시스템 구축을 서둘러야 할 것으로 생각되어진다.

┤ 조건 ├

• 아래와 같이 한 개의 어절 단위로 찾아 쓸 것

　예 믿겨진다 → 믿긴다

---

36 〈보기〉는 직접 인용 표현이다. 이를 간접인용 표현으로 바꾸고 변화 양상을 <u>4가지</u> 쓰시오.

┤ 보기 ├

그가 나에게 "그쪽에서 무대가 보입니까?"라고 물었다.

---

37 다음 문장을 높임법에 맞게 고쳐 쓰고, 높임의 대상과 높임법의 실현 방법을 구체적으로 쓰시오. 〈문제〉에 높임법이 어떻게 실현되었는지 본문에 나타난 문법 용어를 사용하여 설명할 것.

┤ 예시 ├

나는 어머니를 데리고 시골집에 다녀왔다.

→ 나는 어머니를 모시고 시골집에 다녀왔다.

특수어휘 '모시고'를 사용하여 객체 '어머니'를 높였다.

┤ 문제 ├

할아버지는 걱정거리가 있다.

---

38 〈보기〉의 예문 ㉠∼㉣ 중 밑줄 친 진행상과 완료상에 해당하는 예를 골라 쓰시오.

> ┤ 보기 ├
>
> 　시간 영역 안에서 파악되는 동작의 모습들을 일정한 언어 형식으로 표현하는 것을 동작상이라고 한다. 동작상에는 진행상과 완료상이 있는데 진행상은 어떤 동작이 시간의 흐름 속에서 계속 이어지고 있을 때 사용하고, 완료상은 어떤 동작이 시간의 흐름 속에서 이미 끝났거나 그 결과가 지속될 때 사용하는 문법 요소이다.
>
> 　㉠ 현수가 국어 공부는 하고 잤다.
> 　㉡ 어제 널어둔 빨래가 다 말라 간다.
> 　㉢ 아기가 미소를 지으면서 자고 있다.
> 　㉣ 다른 학교 친구에게 내 책을 다 줘버렸다.

39 다음 문장의 동작상을 쓰고, 그 동작상을 나타내기 위해 어떤 표현을 사용하였는지 서술하시오.

> 민호가 책상에 엎드려 있다.

> 서술의 예 (만약 '-니'를 사용하였다면) :
> 종결 어미 '-니'를 사용하였다.

바람직한 국어 생활

오랜 시간에 걸쳐 언어 공동체 구성원의 명시적이거나 암묵적인 동의하에 형성된 규칙이나 질서를 담화 관습이라
_{담화 관습의 개념}
고 한다. 담화 관습은 직업이나 세대, 성별, 그리고 사회·문화적 상황과 맥락 등에 따라 다양한 형식과 내용, 의사소
_{담화 관습의 형성 요인}   _{담화 관습의 양상}
통 방식으로 드러난다. 그중에서 속담과 같은 관용 표현, 외래어와 외국어, 통신 언어 등은 우리가 일상생활에서 관
_{담화 관습을 보여 주는 대표적인 언어 표현의 유형}
습적으로 사용하는 언어 표현이다.

관용 표현은 언어 공동체가 오랫동안 사용해 온 말로, 둘 이상의 단어가 하나로 합쳐져 원래의 뜻과 전혀 다른 새
_{관용 표현의 개념(정의)}
로운 뜻으로 굳어진 것이다. 관용 표현에는 그 사회의 풍속, 사상 등의 문화가 담겨 있어 그것들을 알고 배울 수 있으
_{관용 표현의 장점 ①}
며, 관용 표현을 사용하여 말하려는 내용을 함축적이고 인상 깊게 전할 수 있다. 그러나 시대나 사회·문화 환경이
_{관용 표현의 장점 ②}
변화하면서 듣는 사람이 부정적으로 받아들여 불쾌함을 느낄 수도 있고, 상황에 맞지 않게 사용하면 의사소통에 문
_{관용 표현의 문제점 ①}   _{관용 표현의 문제점 ②}
제가 생길 수도 있다. 따라서 상황과 맥락에 따라 관용 표현을 적절하게 사용하여 표현의 효과를 높이되, 상황에 맞
_{바람직한 관용 표현의 사용 방안}
는다 하더라도 상대방의 기분을 상하게 할 만한 관용 표현은 사용하지 않는 것이 바람직하다.

아래 만화의 상황에서 학급 문제를 친구들과 함께 이야기하자는 남학생의 말에 여학생은 '사공이 많으면 배가 산으로
_{관용 표현의 예 ①}
간다.'라는 관용 표현을 쓰며 우려의 뜻을 나타내고 있다. 이 표현대로 여러 사람이 자기주장만 내세우면 일이 제대로
                                                           _{의미}
되기 어려울 수도 있으나, 그렇다고 각자 다른 생각들을 인정하지 않고 의견을 모으지 않은 채 특정 개인의 주장에만 따
른다면 또 다른 문제가 생길 소지가 있다. 한편 남학생은 '두 사람의 머리가 한 사람의 머리보다 낫다.'라는 관용 표현을
                                                                 _{관용 표현의 예②}
사용하여 시간이 좀 더 걸리더라도 함께 의논하면 더 좋은 결론을 이끌어 낼 수 있다는 뜻을 함축적으로 나타내었다.
_{의미}

외래어와 외국어의 사용은 모두 다른 국가와 왕래하고 소통하면서 형성된 담화 관습이다. 외래어는 외국에서 들어
_{외래어와 외국어의 형성 배경}
왔지만 대체할 고유어가 없거나 이제는 널리 사용되어 우리말처럼 쓰이는 말을 뜻하고, 외국어는 고유어로 대체하여
_{외래어의 개념(정의)}
쓸 수 있는 다른 나라의 언어를 뜻한다. 외래어와 외국어를 사용하면 고유어로는 표현하기 힘든 내용을 간편하게 표
_{외국어의 개념(정의)}   _{외래어와 외국어 사용의 장점 ①}
현할 수 있고, 특정 분야의 전문성을 잘 드러낼 수도 있다. 하지만 외래어와 외국어를 무분별하게 사용하다 보면 의
_{외래어와 외국어 사용의 장점 ②}   _{외래어와 외국어 사용의 문제점 ①}
사소통에 어려움이 생기거나 구성원들 사이에 위화감이 조성될 수 있다. 또 고유어의 범주가 위축되어 고유어가 사
_{외래어와 외국어 사용의 문제점 ②}   _{외래어와 외국어 사용의 문제점 ③}
라지는 위기에 처할 수도 있다.

위의 만화는 커피 전문점과 음식점 등에서 자주 접할 수 있는 장면이다. '테이크아웃'은 일상생활에 급속도로 스며들어
＿'테이크 아웃'의 우리말 표현＿　＿＿＿＿＿＿＿＿외국어 사용 사례 ①＿＿＿＿＿＿＿＿
자주 쓰이지만 '포장구매' 등의 우리말로 바꿔 쓸 수 있는 말이다. '웨이팅 타임'이나 '셰프' 역시 굳이 외국어로 쓰지 않아
　＿'셰프'의 우리말 표현＿　　　　　　　　　　　　　　외국어 사용 사례 ②　　　외국어 사용 사례 ③
도 '대기 시간', '요리사'라는 우리말로 자연스럽게 바꾸어 말할 수 있다. '네티즌'과 '메뉴'는 외래어로 인정받은 단어이지
'웨이팅 타임'의 우리말 표현　　　　　외국어의 바람직한 사용 방안　　　외래어 사용 사례 ①　　↳외래어 사용 사례 ②
만, '누리꾼', '차림표'라는 우리말로도 표현할 수 있으므로 가능하면 우리말로 순화하여 사용하는 것이 바람직하다.
'네티즌'의 순화어↳　　↳'메뉴'의 순화어　　　　　　　　　　　외래어의 바람직한 사용 방안

인터넷 등의 가상 공간에서 통신 언어를 사용하는 것은 컴퓨터와 정보 통신 기술의 발달로 생긴 새로운 담화 관습
　　　　　　　　　　　　　　　　통신언어 사용의 배경
이다. 스마트폰이 보급되면서 통신 언어는 우리의 언어생활에서 점점 더 큰 비중을 차지하고 있다. 특히 인터넷 문화
에 익숙한 젊은 세대는 가상 공간에서 쓰는 언어들을 일상생활에서도 많이 사용하고 있다. 최근에는 방송 매체에서
도 이런 용어들을 유행어처럼 무분별하게 사용하면서 통신 언어가 우리의 일상생활에 급속하게 퍼지고 있다.

휴대 전화나 컴퓨터로 문자를 입력할 때 준말을 사용하거나 발음하는 대로 쓰면 입력 시간을 단축하고, 의사소통
　　　　　　　　　　　　　　　　　　　통신언어 사용의 장점 ①
을 빠르게 할 수 있다. 또한 가상 공간에서 비슷한 말을 사용하는 사람들과 어울려 재미있는 어휘를 구사하며 친밀감
　　　　　　　　　　　통신언어 사용의 장점 ②
을 높이고 언어를 창의적으로 사용하는 즐거움을 느낄 수 있다.

하지만 사전에 없는 말이나 지나치게 줄여 쓴 말, 맞춤법을 무시한 표현은 세대 간 의사소통에 어려움을 주기도 한
　　　　　　　　통신언어 사용의 문제점 ①
다. 이러한 요소들은 우리말을 올바르게 익히는 데에 부정적인 영향을 끼칠 수 있다.
　　　　　　　통신언어 사용의 문제점 ②

위의 만화에서 학생은 자리를 비우며 남긴 쪽지에 '버카충', '혼밥' 등의, 긴 말을 줄인 신조어를 사용하였다. 또래
　　　　　　　　　　　　　　　　　　통신 언어 사용의 예 - 준말 신조어
의 학생이 이 쪽지를 보았다면 그 뜻을 쉽게 이해하고 다른 자리를 찾았을 가능성이 높다. 하지만 인터넷, 텔레비전
등의 매체를 자주 사용하지 않는 사람이나 나이가 많은 사람은 그 의미를 파악하기가 쉽지 않을 것이다. 그렇기에 통
　　　　　통신 언어 사용의 문제 양상 - 세대 간 의사소통 장애
신 언어를 쓸 때에는 상대방과 의사소통이 잘될지를 먼저 생각하는 것이 바람직하다. 그리고 상대방이 그 뜻을 이해
　　　통신언어의 바람직한 사용 방안 ①　　　　　　　　　　　　　　　　통신언어의 바람직한 사용 방안 ②
하지 못한다면 설명을 해 주는 것도 의사소통에 도움이 될 것이다.

이처럼 우리는 일상에서 국어의 소중함을 잘 느끼지 못하고 별생각 없이 말을 하는 경우가 많다. 상황과 맥락에 맞지 않는 관용 표현이나 우리말로 순화하거나 대체할 수 있는 외래어와 외국어, 부적절한 통신 언어를 습관적으로 사용하지 않았는지 평소 자신의 언어생활을 되돌아볼 필요가 있다.

최근 들어 세계 속 한국어의 위상은 점점 높아지고 있다. 국립 국어원이 2014년에 발표한 자료에 따르면 <u>한국어는 전 세계에서 열세 번째로 사용자 수가 많다.</u> <u>표기 수단인 한글 역시 그 과학성과 우수성을 널리 인정받고 있다.</u> 또한
한국어의 위상이 높아졌음을 보여 주는 근거 ①　　　　　　　　　　　　　　　한국어의 위상이 높아졌음을 보여 주는 근거 ②
<u>한류 열풍을 타고 '한국어 능력 시험(TOPIK)'에 지원하는 사람 수가 해마다 늘어나, 1997년 처음 시험을 실시한 이</u>
　　　　　　　　　　　　　　한국어의 위상이 높아졌음을 보여 주는 근거 ③
<u>래 20년 만에 응시 인원이 70배 이상 증가했다.</u>

우리는 이러한 국어를 더욱 발전시키고 올바른 국어 문화를 형성하기 위해 노력해야 할 것이다. 이를 위해서는 <u>우리 언어 공동체가 관습적으로 사용하는 표현들을 비판적으로 성찰하여 바람직한 국어 생활을 하려는 태도를 지니는</u>
　　　　　　　　　　　　　국어의 발전과 올바른 국어 문화 형성을 위한 노력의 실천
<u>것이 중요하다.</u>

- **명시적** 내용이나 뜻을 분명하게 드러내 보이는. 또는 그런 것.
- **한류** 우리나라의 대중문화 요소가 외국에서 유행하는 현상. 1990년대 말에 중국, 일본, 동남아시아에서부터 시작되었다.

⊙ 핵심정리

갈래	논설문	성격	비판적, 성찰적
주제	바람직한 국어 생활을 위한 노력		
특징	• 언어 공동체가 관습적으로 사용하는 표현에 대하여 비판적으로 성찰하고 있음. • 담화 관습의 개념을 정리하고 유형별로 분류하여 성찰의 필요성을 제시하고 있음. • 일상생활에서 실제로 주고받을 만한 대화 상황을 사례로 제시하고 있음.		

확인학습 ··

01 관용 표현은 언어 공동체가 오래 사용해 온 말로 말하려는 내용을 함축적이고 인상 깊게 나타낼 수 있다.　〇☐ ✕☐

02 시대나 사회 환경이 변화하더라도 언어 공동체가 오랫동안 사용해 왔기 때문에 관용적 표현을 유지해야 한다.
　〇☐ ✕☐

03 관용 표현은 시대가 변하면 듣는 이가 부정적으로 받아들여 불쾌감을 느낄 수도 있다.　〇☐ ✕☐

04 관용 표현은 상황과 맥락에 따라 적절하게 사용하면 항상 표현의 효과를 높일 수 있다.　〇☐ ✕☐

05 이 글은 외래어와 외국어의 형성 원인과 사용시의 장점 및 단점을 이야기하고 있다.　〇☐ ✕☐

06 이 글의 글쓴이는 외래어와 외국어를 무분별하게 사용할 때 발생할 수 있는 문제점을 지적하고 있다.　〇☐ ✕☐

07 통신 언어는 컴퓨터와 정보 통신 기술이 발달할수록 더 많아질 수 있다.　〇☐ ✕☐

08 스마트폰 보급으로 인터넷 문화를 쉽게 접할 수 있게 되어 통신 언어 사용이 확대되었다.　〇☐ ✕☐

학습활동

1. 다음 활동을 하며 우리의 담화 관습을 성찰해 보자.

(1) 오른쪽 학생의 "모로 가도 서울만 가면 되니?"라는 말이 왼쪽 학생의 어떤 점을 문제 삼고 있는 것인지 말해 보자.

[예시답안]
왼쪽 학생은 친환경 요리 대회에서 화학 조미료를 사용하여 우승을 하려는 오른쪽 학생의 모습을 보고, 수단이나 방법은 어찌되었든 간에 목적만 이루면 된다는 식의 태도를 비판하고 있다.

(2) 외래어, 외국어를 잘 모르는 사람이 이 방송을 보면 어떤 느낌을 받을지 말해 보자.

[예시답안]
• 자신이 모르는 말을 많이 사용하는 상황에 위화감을 느껴 상품을 구매하고 싶은 마음이 줄어들 것 같다.
• 과한 외래어와 외국어 사용이 오히려 상품을 고급스러워 보이게 하기 위한 상술이라고 느껴져 오히려 상품에 대한 신뢰성이 떨어질 것 같다.

(3) 언론 매체에서 통신 언어를 많이 쓰면 어떤 문제가 있을지 떠올려 보자.

[예시답안]
• 공공성을 띠어야 할 언론이 통신 언어를 과도하게 사용할 경우 통신 언어에 익숙하지 않은 사람들은 그 의미를 제대로 이해하기 어려워 소외감을 느끼고 소통에 문제를 겪을 수 있다.
• 대중에게 미치는 영향력이 큰 언론 매체에서 통신 언어를 많이 사용하면 대중 역시 그런 언어를 사용해도 좋다고 생각하게 되어 사람들의 언어 생활에 좋지 않은 영향을 끼칠 수 있다.

객관식 기본문제

[01~02] 다음 글을 읽고 물음에 답하시오.

(가) 오랜 시간에 걸쳐 언어 공동체 구성원의 명시적이거나 암묵적인 동의하에 형성된 규칙이나 질서를 담화 관습이라고 한다. 담화 관습은 ㉠직업이나 세대, 성별, 그리고 사회·문화적 상황과 맥락 등에 따라 다양한 형식과 내용, 의사소통 방식으로 드러난다. 그중에서 속담과 같은 관용 표현, 외래어와 외국어, 통신 언어 등은 우리가 일상생활에서 관습적으로 사용하는 언어 표현이다.

(나) ㉡관용 표현은 언어 공동체가 오랫동안 사용해 온 말로, 둘 이상의 단어가 하나로 합쳐져 원래의 뜻과 전혀 다른 새로운 뜻으로 굳어진 것이다. 관용 표현에는 그 사회의 풍속, 사상 등의 문화가 담겨 있어 그것들을 알고 배울 수 있으며, 관용 표현을 사용하여 말하려는 내용을 함축적이고 인상 깊게 전할 수 있다. 그러나 시대나 사회·문화 환경이 변화하면서 듣는 사람이 부정적으로 받아들여 불쾌함을 느낄 수도 있고, 상황에 맞지 않게 사용하면 의사소통에 문제가 생길 수도 있다. 따라서 상황과 맥락에 따라 관용 표현을 적절하게 사용하여 표현의 효과를 높이되, 상황에 맞는다 하더라도 상대방의 기분을 상하게 할 만한 관용 표현은 사용하지 않는 것이 바람직하다.

(다) 학급 문제를 친구들과 함께 이야기하는 남학생의 말에 여학생이 '㉢사공이 많으면 배가 산으로 간다.'라는 관용 표현을 쓰며 우려의 뜻을 나타낸다고 하자. 이 표현대로 여러 사람이 자기 주장만 내세우면 일이 제대로 되기 어려울 수도 있으나, 그렇다고 각자 다른 생각들은 인정하지 않고 의견을 모으지 않은 채 특정 개인의 주장에만 따른다면 또 다른 문제가 생길 소지가 있다.

(라) 외래어와 외국어의 사용은 모두 다른 국가와 왕래하고 소통하면서 형성된 담화 관습이다. 외래어는 외국에서 들어왔지만 대체할 고유어가 없거나 이제는 널리 사용되어 우리말처럼 쓰이는 말을 뜻하고, 외국어는 고유어로 대체하여 쓸 수 있는 다른 나라의 언어를 뜻한다. 외래어와 외국어를 사용하면 고유어로는 표현하기 힘든 내용을 간편하게 표현할 수 있고, 특정 분야의 전문성을 잘 드러낼 수도 있다. 하지만 외래어와 외국어를 무분별하게 사용하다 보면 의사소통에 어려움이 생기거나 구성원들 사이에 위화감이 조성될 수 있다. 또 고유어의 범주가 위축되어 고유어가 사라지는 위기에 처할 수도 있다.

(마) 커피 전문점과 음식점 등에서 자주 접할 수 있는 '테이크아웃'은 일상생활에 급속도로 스며들어 자주 쓰이지만 '㉣포장구매' 등의 우리말로 바꿔 쓸 수 있는 말이다. '웨이팅 타임'이나 '㉤셰프' 역시 굳이 외국어로 쓰지 않아도 '대기 시간', '요리사'라는 우리말로 자연스럽게 바꾸어 말할 수 있다. '네티즌'과 '메뉴'는 외래어로 인정받은 단어이지만, '㉥누리꾼', '차림표'라는 우리말로도 표현할 수 있으므로 가능하면 우리말로 순화하여 사용하는 것이 바람직하다.

(바) 인터넷 등의 가상 공간에서 통신 언어를 사용하는 것은 컴퓨터와 정보 통신 기술의 발달로 생긴 새로운 담화 관습이다. 스마트폰이 보급되면서 통신 언어는 우리의 언어생활에서 점점 더 큰 비중을 차지하고 있다. 특히 인터넷 문화에 익숙한 젊은 세대는 가상 공간에서 쓰는 언어들을 일상생활에서도 많이 사용하고 있다. 최근에는 방송 매체에서도 이런 용어들을 유행어처럼 무분별하게 사용하면서 통신 언어가 우리의 일상생활에 급속하게 퍼지고 있다.

(사) 휴대 전화나 컴퓨터로 문자를 입력할 때 준말을 사용하거나 발음하는 대로 쓰면 입력 시간을 단축하고, 의사소통을 빠르게 할 수 있다. 또한 가상 공간에서 비슷한 말을 사용하는 사람들과 어울려 재미있는 어휘를 구사하며 친밀감을 높이고 언어를 창의적으로 사용하는 즐거움을 느낄 수 있다.

하지만 사전에 없는 말이나 지나치게 줄여 쓴 말, 맞춤법을 무시한 표현은 세대 간 의사소통에 어려움을 주기도 한다. 이러한 요소들은 우리말을 올바르게 익히는 데에 부정적인 영향을 끼칠 수 있다.

(아) 학생이 자리를 비우며 남긴 쪽지에 '⊙버카충', '⊙혼밥' 등의, 긴 말을 줄인 신조어를 사용하였다. 또래의 학생이 이 쪽지를 보았다면 그 뜻을 쉽게 이해하고 다른 자리를 찾았을 가능성이 높다. 하지만 인터넷, 텔레비전 등의 매체를 자주 사용하지 않는 사람이나 나이가 많은 사람은 그 의미를 파악하기가 쉽지 않을 것이다. 그렇기에 통신 언어를 쓸 때에는 상대방과 의사소통이 잘될지를 먼저 생각하는 것이 바람직하다. 그리고 상대방이 그 뜻을 이해하지 못한다면 설명을 해 주는 것도 의사소통에 도움이 될 것이다.

(자) 이처럼 우리는 일상에서 국어의 소중함을 잘 느끼지 못하고 별생각 없이 말을 하는 경우가 많다. 상황과 맥락에 맞지 않는 관용 표현이나 우리말로 순화하거나 대체할 수 있는 외래어와 외국어, 부적절한 통신 언어를 습관적으로 사용하지 않았는지 평소 자신의 언어생활을 되돌아볼 필요가 있다.

(차) 최근 들어 세계 속 한국어의 위상은 점점 높아지고 있다. 국립 국어원이 2014년에 발표한 자료에 따르면 한국어는 전 세계에서 열세 번째로 사용자 수가 많다. 표기 수단인 한글 역시 그 과학성과 우수성을 널리 인정받고 있다. 또한 한류 열풍을 타고 '한국어 능력 시험(TOPIK)'에 지원하는 사람 수가 해마다 늘어나, 1997년 처음 시험을 실시한 이래 20년 만에 응시 인원이 70배 이상 증가했다.

(카) 우리는 이러한 국어를 더욱 발전시키고 올바른 국어 문화를 형성하기 위해 노력해야 할 것이다. 이를 위해서는 우리 언어 공동체가 관습적으로 사용하는 표현들을 비판적으로 성찰하여 바람직한 국어 생활을 하려는 태도를 지니는 것이 중요하다.

---

0 1 윗글에 대한 설명으로 적절한 것만을 〈보기〉에서 있는 대로 고른 것은?

┤ 보기 ├

ㄱ. 현상의 문제점과 해결 방안을 주장하고 있다.
ㄴ. 대상에 대한 상반된 시각을 균형 있게 제시하고 있다.
ㄷ. (가), (나), (라)는 모두 개념 정리를 통해 이해를 돕고 있다.
ㄹ. (차)의 중심 내용은 '한국어 능력 시험 지원자의 증가'이다.
ㅁ. 대상을 유형별로 분류하여 성찰의 필요성을 제시하고 있다.

① ㄱ, ㄷ   ② ㄴ, ㅁ   ③ ㄷ, ㄹ   ④ ㄱ, ㄷ, ㅁ   ⑤ ㄱ, ㄷ, ㄹ, ㅁ

02 ㉠~⑧애 대한 설명으로 적절하지 <u>않은</u> 것은?

① ㉠은 담화 관습이 형성되는 요인들이다.

② ㉡은 상황에 맞지 않을 경우 의사소통에 문제가 생길 수도 있다.

③ ㉢과 ㉣은 모두 말하려는 내용을 함축적이고 인상 깊게 전할 수 있다.

④ ㉤은 ㉥과 달리 지속적으로 사용할 경우 우리말의 위축을 가져올 수 있다.

⑤ ㉦과 ㉧은 모두 문자 입력 시간을 단축할 수 있는 장점이 있다.

03 국어 수업의 일부이다. 통신 언어에 대한 탐구 내용으로 적절하지 <u>않은</u> 것은?

> **선생님** 인터넷 등의 가상 공간에서 통신 언어를 사용하는 것은 컴퓨터와 정보 통신 기술의 발달로 생긴 새로운 담화 관습입니다. 스마트폰이 보급되면서 통신 언어는 우리의 언어생활에서 점점 더 큰 비중을 차지하고 있지요. 특히 인터넷 문화에 익숙한 젊은 세대는 가상 공간에서 쓰는 언어들을 일상생활에서도 많이 사용하고 있습니다. 최근에는 방송 매체에서도 이런 용어들을 유행어처럼 무분별하게 사용하면서 통신 언어가 우리의 일상생활에 급속하게 퍼지고 있습니다.
>
> 그럼 여기서 여러분들이 수집해 온 통신언어 사례를 함께 살펴볼까요?
>
> | ㉠ 룸곡옾높 : 폭풍눈물 | ㉡ ㅇㄱㄹㅇ : 이거레알 |
> | --- | --- |
> | ㉢ 티엠아이 : 너무 과한 정보 | ㉣ 워라밸 : 일과 삶의 균형 |
> | ㉤ 지옥고 : 지하방, 옥탑방, 고시원 | ㉥ 이생망 : 이번 생은 망했다 |
> | ㉦ 존맛탱 : 아주 맛있음 | ㉧ 버카충 : 버스 카드 충전 |

① ㉠, ㉡을 사용할 때 창의적으로 언어를 사용하는 즐거움을 느낄 수 있지만 국어의 규범을 파괴할 수 있으므로 주의해야겠어.

② ㉢, ㉣은 세대 간 의사소통의 문제뿐 아니라 불필요한 외국어를 남용하는 셈이니 적절하지 않다고 생각해.

③ ㉤, ㉥은 취업난, 소득 격차 등으로 좌절하고 마는 오늘날 젊은 세대의 부정적 현실인식이 드러나는군.

④ ㉦, ㉧ 같은 표현은 비속어를 함께 사용하였으므로 가급적 쓰지 않는 것이 바람직하다고 봐.

⑤ 요즘은 텔레비전 방송에서도 흔히 사용하던데 한국어의 위상이 높아진 오늘날 그런 매체에서만큼은 올바른 우리말을 지킬 수 있도록 노력해야 할 것 같아.

[04~05] 다음 글을 읽고 물음에 답하시오.

(가) 관용 표현은 언어 공동체가 오랫동안 사용해 온 말로, 둘 이상의 단어가 하나로 합쳐져 원래의 뜻과 전혀 다른 새로운 뜻으로 굳어진 것이다. 관용 표현에는 그 사회의 풍속, 사상 등의 문화가 담겨 있어 그것들을 알고 배울 수 있으며, 관용 표현을 사용하여 말하려는 내용을 함축적이고 인상 깊게 전할 수 있다. 그러나 시대나 사회·문화 환경이 변화하면서 듣는 사람이 부정적으로 받아들여 불쾌함을 느낄 수도 있고, 상황에 맞지 않게 사용하면 의사소통에 문제가 생길 수도 있다. 따라서 상황과 맥락에 따라 관용 표현을 적절하게 사용하여 표현의 효과를 높이되, 상황에 맞는다 하더라도 상대방의 기분을 상하게 할 만한 관용 표현은 사용하지 않는 것이 바람직하다.

(나) 외래어와 외국어의 사용은 모두 다른 국가와 왕래하고 소통하면서 형성된 담화 관습이다. 외래어는 외국에서 들어왔지만 대체할 고유어가 없거나 이제는 널리 사용되어 우리말처럼 쓰이는 말을 뜻하고, 외국어는 고유어로 대체하여 쓸 수 있는 다른 나라의 언어를 뜻한다. 외래어와 외국어를 사용하면 고유어로는 표현하기 힘든 내용을 간편하게 표현할 수 있고, 특정 분야의 전문성을 잘 드러낼 수도 있다. 하지만 외래어와 외국어를 무분별하게 사용하다 보면 의사소통에 어려움이 생기거나 구성원들 사이에 위화감이 조성될 수 있다. 또 고유어의 범주가 위축되어 고유어가 사라지는 위기에 처할 수도 있다.

(다) 인터넷 등의 가상 공간에서 통신 언어를 사용하는 것은 컴퓨터와 정보 통신 기술의 발달로 생긴 새로운 담화 관습이다. 스마트폰이 보급되면서 통신 언어는 우리의 언어생활에서 점점 더 큰 비중을 차지하고 있다. 특히 인터넷 문화에 익숙한 젊은 세대는 가상 공간에서 쓰는 언어들을 일상생활에서도 많이 사용하고 있다. 최근에는 방송 매체에서도 이런 용어들을 유행어처럼 무분별하게 사용하면서 통신 언어가 우리의 일상생활에 급속하게 퍼지고 있다.

04 (나)를 토대로 〈보기〉에서 사용하고 있는 언어에 대한 설명으로 적절하지 **않은** 것은?

┤ 보기 ├

종업원 : 어서 오세요, 테이크아웃하실 건가요?
손님 : 아뇨, 먹고 갈 거예요.
종업원 : 웨이팅 타임은 30분 정도인데 괜찮으세요?
손님 : 요즘 네티즌 사이에서 소문난 셰프이니 기다리자.
종업원 : 메뉴 여기 있습니다.

① 주로 외래어 문제를 다루고 있다.
② 의사소통에 어려움이 생길 수 있다.
③ '테이크아웃'은 '포장 구매'로 바꾸어 써야 한다.
④ '웨이팅 타임'은 '대기 시간'으로 바꾸어 써야 한다.
⑤ 특정 분야의 전문성을 잘 드러낼 수 있다는 장점이 있다.

05 〈보기〉에서 다루고 있는 언어에 대한 설명으로 적절하지 않은 것은?

> ┤ 보기 ├
>
> **[도서관 쪽지 내용]** 편의점에서 버카충하고 혼밥하고 옵니다.
>
> **할아버지** : 이게 도대체 무슨 말이지? 학생, 이거 해석 좀 해 줘.
>
> **학생** : 편의점에서 버스 카드 충전하고 혼자 밥 먹고 옵니다.
>
> **할아버지** : 이제야 속이 시원하네!
>
> **학생** : 학생들의 말, 알아듣기 힘드시죠?

① 방송 매체의 발달로 발생하는 현상이다.

② 세대간의 의사소통의 원활함을 방해한다.

③ 또래 학생들은 쪽지의 줄임말을 빠르게 이해한다.

④ 가상공간과 일상생활을 구분하지 않아 불편을 끼친다.

⑤ 상호 간에 의사소통 시간을 줄이기 위해 사용하곤 한다.

06 다음 대화의 ㉠, ㉡에 대해 탐구한 내용으로 적절하지 <u>않은</u> 것은?

> A : 반장, 우리 반 봉사활동 누가 어디로 갈지 나눠야 해.
>
> B : 아, 그러네. 우리끼리 후딱 결정해 버릴까?
>
> A : 애들이랑 같이 이야기하는 것이 좋지 않을까?
>
> B : ㉠<u>사공이 많으면 배가 산으로 간다고</u>, 그러면 결정하기 힘들어.
>
> A : 하지만 ㉡<u>두 사람의 머리가 한 사람의 머리보다 낫다</u>고 하잖아.

① ㉠은 여러 사람이 자기주장만 내세우는 상황의 폐해를 드러내는 표현으로, 다른 급우가 듣는다면 불쾌함을 느낄 소지가 있군.

② ㉡은 한 사람보다는 여러 사람의 의견을 모을 때 더 나은 결과를 얻을 수 있다는 의미로, '백지장도 맞들면 낫다'로 대체해도 되겠군.

③ ㉡을 통해 자신의 의견을 함축적으로 전달함으로써 상대방을 효과적으로 설득하고자 하는 A의 의도를 알 수 있군.

④ ㉠, ㉡ 모두 둘 이상의 단어가 하나로 합쳐져 원래의 뜻과 유사한 의미를 더하는 관용 표현을 사용했군.

⑤ ㉠, ㉡과 같은 상황에 맞게 사용한다면 의사소통의 효율성을 높이고, 훨씬 인상 깊은 표현이 가능하겠군.

[01~04] 다음 글을 읽고 물음에 답하시오.

(가) 오랜 시간에 걸쳐 언어 공동체 구성원의 명시적이거나 암묵적인 동의하에 형성된 규칙이나 질서를 담화 관습이라고 한다. 담화 관습은 직업이나 세대, 성별, 그리고 사회·문화적 상황과 맥락 등에 따라 다양한 형식과 내용, 의사소통 방식으로 드러난다. 그중에서 속담과 같은 관용 표현, 외래어와 외국어, 통신 언어 등은 우리가 일상생활에서 관습적으로 사용하는 언어 표현이다.

(나) 관용 표현은 언어 공동체가 오랫동안 사용해 온 말로, 둘 이상의 단어가 하나로 합쳐져 원래의 뜻과 전혀 다른 새로운 뜻으로 굳어진 것이다. 관용 표현에는 그 사회의 풍속, 사상 등의 문화가 담겨 있어 그것들을 알고 배울 수 있으며, 관용 표현을 사용하여 말하려는 내용을 함축적이고 인상 깊게 전할 수 있다. 그러나 시대나 사회·문화 환경이 변화하면서 듣는 사람이 부정적으로 받아들여 불쾌함을 느낄 수도 있고, 상황에 맞지 않게 사용하면 의사소통에 문제가 생길 수도 있다. 따라서 상황과 맥락에 따라 관용 표현을 적절하게 사용하여 표현의 효과를 높이되, 상황에 맞는다 하더라도 상대방의 기분을 상하게 할 만한 관용 표현은 사용하지 않는 것이 바람직하다.

(다) 외래어와 외국어의 사용은 모두 다른 국가와 왕래하고 소통하면서 형성된 담화 관습이다. 외래어는 외국에서 들어왔지만 대체할 고유어가 없거나 이제는 널리 사용되어 우리말처럼 쓰이는 말을 뜻하고, 외국어는 고유어로 대체하여 쓸 수 있는 다른 나라의 언어를 뜻한다. 외래어와 외국어를 사용하면 고유어로는 표현하기 힘든 내용을 간편하게 표현할 수 있고, 특정 분야의 전문성을 잘 드러낼 수도 있다. [A]하지만 외래어와 외국어를 무분별하게 사용하다 보면 의사소통에 어려움이 생기거나 구성원들 사이에 위화감이 조성될 수 있다. 또 고유어의 범주가 위축되어 고유어가 사라지는 위기에 처할 수도 있다.

(라) 인터넷 등의 가상 공간에서 통신 언어를 사용하는 것은 컴퓨터와 정보 통신 기술의 발달로 생긴 새로운 담화 관습이다. 스마트폰이 보급되면서 통신 언어는 우리의 언어생활에서 점점 더 큰 비중을 차지하고 있다. 특히 인터넷 문화에 익숙한 젊은 세대는 가상 공간에서 쓰는 언어들을 일상생활에서도 많이 사용하고 있다. 최근에는 방송 매체에서도 이런 용어들을 유행어처럼 무분별하게 사용하면서 통신 언어가 우리의 일상생활에 급속하게 퍼지고 있다.

(마) 휴대 전화나 컴퓨터로 문자를 입력할 때 준말을 사용하거나 발음하는 대로 쓰면 입력 시간을 단축하고, 의사소통을 빠르게 할 수 있다. 또한 가상 공간에서 비슷한 말을 사용하는 사람들과 어울려 재미있는 어휘를 구사하며 친밀감을 높이고 언어를 창의적으로 사용하는 즐거움을 느낄 수 있다.

01 윗글을 읽은 독자의 반응으로 적절하지 **않은** 것은?

① 언어 공동체가 오랫동안 사용해 온 관용적 표현이라 하더라도 사회 환경이 변화에 따라 변화할 수 있군.

② 특정 분야에서 전문성을 높이기 위해 외래어나 외국어를 사용하기도 하는군.

③ 통신 언어가 급속도로 퍼진 것은 스마트폰의 보급과 관련이 깊군.

④ 통신 언어를 가상공간에서만 사용해야지 일상 공간에서 사용하면 세대 간의 갈등 등 많은 문제가 발생할 수 있군.

⑤ 통신 언어는 빠르게 의사소통이 가능하며, 재미있는 어휘를 구사하여 사용자 간의 친밀감을 높일 수 있군.

02 윗글을 참고하여 〈보기〉에 나타난 담화 관습에 대한 설명으로 적절하지 <u>않은</u> 것은?

┤ 보기 ├

ㄱ **요리 경연 참가자** : (친환경 요리대회에서 라면 스프를 요리에 넣으며) 꼭 우승을 차지하고 말겠어!

친구 : 모로 가도 서울만 가면 되겠니?

ㄴ **의상 디자이너** : (만든 옷을 가리키며) 시크하고 모던한 디자인, 최고 '핫'한 벨벳 베스트입니다!

ㄷ **맛집을 추천하는 친구** : 요즘은 맛집 정보가 TMI(지나치게 많은 정보)하지. 그래도 이 집은 JMT(너무 맛있다).

ㄹ **독서실학생** : 편의점에서 버카충(버스 카드 충전)하고 혼밥하고(혼자 밥 먹고) 옵니다.

ㅁ **인터넷 게시판** : ㅇㄱㄹㅇ(이거 레알), ㄱㅅ(감사)

① ㄱ의 관용표현은 수단이나 방법은 어찌 되었든 간에 목적만 이루면 된다는 태도를 비판하고 있다.

② ㄴ은 구매자에게 상품을 고급스럽게 보이기 위한 상술로 인식되어 신뢰를 주지 못한다.

③ ㄷ은 젊은 세대들이 주로 사용하는 외국어이므로 고유어로 순화하도록 노력해야 한다.

④ ㄹ은 단어의 첫 음절의 소리를 딴 준말을 사용한 통신 언어로 빠르게 의사소통이 가능하게 한다.

⑤ ㅁ은 단어의 초성을 결합하여 만든 통신 언어로 입력시간을 줄여준다.

03 [A]의 '외래어와 외국어'와 '고유어'의 관계를 가장 잘 보여주고 있는 진술은?

① 가는 말이 고와야 오는 말이 곱다.

② 닭 쫓던 개 지붕만 쳐다보듯 한다.

③ 서당개 삼 년이면 풍월한다.

④ 굴러 들어온 돌이 박힌 돌을 밀어 낸다.

⑤ 때리는 시어머니보다 말리는 시누이가 더 밉다.

04 관용 표현 중 ㉠과 ㉡의 의미 관계가 <u>다른</u> 하나는?

㉠	㉡
① 가마를 태우다	비행기를 태우다
② 바가지를 차다	깡통을 차다
③ 꼬리를 물리다	꼬리를 잡히다
④ 가랑이가 찢어지다	목구멍에 거미줄 치다
⑤ 코가 꿰이다	발목을 잡히다

05 〈보기1〉의 '주원'이 한 말을 〈보기2〉와 같이 바꾸었을 때, 고려한 조언으로 볼 수 없는 것은?

───┤ 보기 1 ├───

주원이가 대표로 활동하는 연극 동아리는 달마다 연극을 단체로 관람한다. 이번에 관람할 연극을 정하려고 할 때, 주원이 손을 번쩍 들고 선생님께 말한다.

주원 : 선생님, 이제부터는 관람한 연극을 선생님께서 알아서 정해 주세요. (인상을 찌푸리며) 저희 너무 힘들어요.

선생님 : 왜 힘들지?

주원 : 서로 취존이 잘 안 되거든요. 네가 고른 거 노잼일 것 같다느니, 취향이 안습이라느니, 그런 말이 오가서 기분도 안 좋고요.

선생님 : (어리둥절하여) 응? 무슨 말이니?

───┤ 보기 2 ├───

• 선생님, 많이 바쁘시겠지만 앞으로 관람할 연극을 선생님께서 정해 주시는 건 어떨까요? 저희끼리 서로 의견을 조정하는 것이 좀 힘들어서요.

• 친구들끼리 서로의 취향을 존중해 주는 것이 잘 안 되는 경우가 많습니다. 네가 고른 것은 재미가 없을 것 같다느니 너는 취향에 형편없다느니, 그런 말들이 오가서 서로 기분이 상하기도 합니다.

① 상대방의 상황을 살펴야 해요.
② 부탁하는 까닭을 말해야 해요.
③ 자신의 잘못을 구체적으로 밝혀야 해요.
④ 상대방이 알아들을 수 있도록 배려해야 해요.
⑤ 상대방이 부담을 덜 느끼도록 공손하게 말해야 해요.

06 다음 두 사람의 대화를 분석한 내용으로 가장 적절한 것은?

올해로 99세이신 영미의 할아버지는 경상도 토박이로서 서울에 사는 영미와 집에 잠시 머물고 있다. 영미는 올해 고등학생이 되었다.

영미 : 할아버지, 아버지한테 저 용돈 좀 올려주라고 말씀해주시면 안 돼요?

할아버지 : 뭐할라꼬? 하매 마카 쓰나?

영미 : (잠시 어리둥절한 표정을 지은 후) … 어제는 버카충을 못해서 학교도 걸어갔고, 오늘은 컴싸를 사야하는데 돈이 없어요.

할아버지 : 버카충? 컴싸는 또 뭐꼬. 말을 똑띠 해라.

영미 : (못 알아들어 당황하며) 말을 똑같이 다시 해보라고요?

할아버지 : (답답한 표정으로) 어데. 말을 똑띠 하라꼬. 똑. 띠.

① 상대방의 말 속에 숨은 의미를 이해하지 못하고 있다.
② 상대방의 감정을 깊이 있게 들어주지 않아 문제가 생겼다.
③ 상대방의 화법의 특성을 고려한 말하기가 이뤄지지 못했다.
④ 세대와 성별간의 언어 차이로 인해 의사소통에 문제를 겪고 있다.
⑤ 공적인 말하기 상황임에도 표준어와 존댓말 사용이 적절하지 않았다.

[07~08] 다음 글을 읽고 물음에 답하시오.

(가) 교실에서

윤시 : 강산아, 뭐 해?

강산 : 어, 수학 문풀 좀 보느라. 왜?

윤서 : 왜긴, 너 생일이잖아. 생축!

강산 : 하하. 고마워.

윤서 : 내가 생선도 준비했음. 자, 여기.

강산 : 헉! 문상!

윤서 : 네가 읽고 싶은 책이 있다며.

강산 : 역시 내 절친.

윤서 : 이따 애들이랑 생파 어때?

강산 : 좋지.

(나) 교무실에서

강산 : 선생님, 수행 평가 과제 걷어 왔어요.

교사 : 그래, 고맙다.

강산 : 네, 참, 오늘 제 생일이에요.

교사 : 오늘이 생일이니? 축하한다. 친구들한테 축하 많이 받았니?

강산 : 그럼요. 윤서가 생선도 줬어요.

교사 : 윤서가 생선을 줬어? 강산이가 생선을 좋아하나 보구나! 선생님도 갈치 좋아하는데, 너는 무슨 생선을 제일 좋아하니?

강산 : 갈치요? 갑자기 웬 갈치요?

교사 : 생선을 받았다면서?

강산 : 아 그건, 생일 선물 줄여서 말한 건데요.

교사 : 그래? 너희는 생일 선물을 생선이라고 하니? 선생님은 먹는 생선인 줄 알았구나!

강산 : 아, 죄송합니다. 생일 선물을 받았다는 뜻이었어요.

교감 선생님 : (강산이가 교무실에서 나가는 모습을 보며) 요즘 애들은 웬만한 말은 다 줄여 쓰니 알아들을 수가 없네요.

교사 : 네, 그러네요.

(다) (나정이의 가족은 경상도에서 서울로 올라와 하숙집을 운영하고 있다. 서울 출신이며 야구부 투수인 칠봉이는 나정이 있는 신촌 하숙집에 자주 놀러 온다.)

나정 : (집 안에서 나오는 칠봉을 보며) 와, 갈라꼬?

칠봉 : 응.

나정 : 점심 먹고 가지.

칠봉 : 그럴까?

나정 : 라면 물 올리라. 퍼뜩. (집 안으로 들어간다.)

칠봉 : 어? 내…… 내가? (뒤따라 들어간다.)

부엌에서 나정과 칠봉이 마주 앉아 라면을 먹는다.

나정 : (라면 먹으며) 음, 니 제법 끓잇다이.

칠봉 : 잘 끓였다는 거지?

나정 : 응. 내 근래 먹어 본 라면 중에 제일 잘 끓였다.

칠봉 : 그래? 내가 라면만 십 년째 끓였거든.

나정 : (라면 먹으며) 맞나.

칠봉 : 응. 훈련할 때는 선배들한테, 합숙 가서는 후배들한테. 야, 국민학교 3학년 때부터 끓였다.

나정 : 맞나.

칠봉 : (웃다가) 근데 오늘 저녁도 네가 하는 거야? 보니깐 종일 일만 하는 거 같던데?

나정 : (라면 먹으며) 맞나.

칠봉 : 흐흐. 야 뭘 자꾸 맞나야, 말끝마다. 뭐 맞는 것도 있고 안 맞는 것도 있는 거지. 아무튼, 다 맞지는 않아! 야, 뭐 맨날 맞나야.

나정 : (가만히 보며) 맞나.

칠봉 : 하하. (웃음)

(라) 우리는 남성이나 여성의 구별 없이 모두 같은 한국어를 사용하고 있다. 따라서 남성과 여성의 언어에서 두드러진 차이를 찾아내는 것은 어렵다. 그러나 어떤 범주나 형식을 더 많이 사용하는 선호의 차이는 발견할 수 있다.

예를 들어 남성은 평서문을 더 선호한다. 이것은 남성이 단정이나 선언과 같이 자기주장이 강한 대화를 더 많이 사용하기 때문이다. 여성은 주장할 때에도 직접적인 단정보다는 간접적으로 대화하는 것을 선호하기 때문에 의문문을 더 많이 사용한다. 청자에 대한 요구를 나타낼 때도 남성은 직접적인 명령문을 더 많이 사용하고, 여성들은 청유문이나 의문문으로 표현하는 경우가 많다.

---

07 (가)에 나타난 '강산'의 말하기 방식의 특징으로 옳은 것만을 〈보기〉에서 있는 대로 고른 것은?

┌─── ┤ 보기 ├────────────────────────────────┐
│   │
│ ㄱ. 감탄사를 사용한다.   │
│ ㄴ. 명사형으로 끝맺은 문장을 사용한다.   │
│ ㄷ. 사전에 나와 있는 표준어만 사용한다.   │
│ ㄹ. 사회적 위치에 따른 전문 용어를 사용한다. │
│ ㅁ. 압축적인 줄임말, 신조어 등을 많이 사용한다.│
│   │
└──┘

① ㄱ, ㄹ   ② ㄴ, ㄷ   ③ ㄱ, ㄴ, ㅁ   ④ ㄴ, ㄹ, ㅁ   ⑤ ㄱ, ㄷ, ㄹ, ㅁ

---

08 (가)~(라)에 대한 설명으로 적절하지 <u>않은</u> 것은?

① (가)의 대화에서는 청소년층의 사회 방언이 드러난다.

② (나)의 대화에서는 서로의 예의를 지키기 위해 교사, 학생 모두 격식체만을 사용하고 있다.

③ (다)에서 철봉이와 나정이는 서로 다른 지역의 언어를 사용하고 있다.

④ (라)에서 남성과 여성 언어의 범주나 형식에서 선호의 차이가 있음을 알 수 있다.

⑤ (가)~(라)를 통해 개인 및 집단 간의 다양한 듣기 · 말하기 방식을 이해하고 존중하는 언어생활 태도가 필요함을 유추할 수 있다.

09 (가)~(다)의 대화 상황에 대한 설명으로 적절한 것은?

> (가) **할머니** : 우리 똥강아지 학교 가니?
>
> **손녀** : 할머니, 왜 그렇게 더러운 이름으로 저를 부르시는 거예요?
>
> **할머니** : 에비, 옛날에는 아이를 예뻐하면 귀신들이 해코지할까 봐 일부러 하찮은 이름으로 불렀단다. 할머니는 네가 귀한 손녀라서 그렇게 부른 거야.
>
> **손녀** : 아, 그렇군요.
>
> (나) (경기도 안산에서)
>
> **동생** : 오라베 왔어?
>
> **오빠** : 뭐라고? 누가 왔다고?
>
> (다) (TV 시청 중)
>
> **요리사** : 지방이 적은 고기의 경우 *라딩을 하여 지방을 넣어서 **브레이징하면 됩니다.
>
> **시청자** : 무슨 말을 하고 있는 거지?
>
> *라딩 : 고기 속에 인위적으로 지방을 삽입하는 조리 방법.
> **브레이징 : 채소, 고기를 볶은 다음 물을 조금 넣고 천천히 익히는 것.

① (가)의 '할머니'와 같은 언어를 사용할 경우 지역의 고유한 문화나 정서를 계승할 수 있다.
② (가)의 '할머니'가 사용하는 말을 손녀가 이해하지 못한 이유는 두 사람의 세대가 다르기 때문이다.
③ (나)의 '동생'이 사용한 언어는 동일한 직업 내에서 의사소통의 효율성을 높여준다.
④ (나)에서 '오빠'는 동생이 사용한 전문어의 뜻을 잘 모르기 때문에 동생의 말을 이해할 수 없었다.
⑤ (다)에서 사용한 말의 다른 예시로는 '열공(열심히 공부)', '버정(버스정류장)' 등이 있다.

[10~12] 다음 글을 읽고 물음에 답하시오.

(가) 저는 할머니나 할아버지와 같이 연세가 많으신 분과 대화할 때에 소통이 잘 안 됩니다. 어제도 급히 집을 나가는 길에 옆집 할아버지와 마주쳤는데요, 어디 가느냐고 물으셔서 친구 생파에 간다고 했더니 "친구가 생파를 가져다 달래?"라고 하셔서 어리둥절했어요. 어떻게 해야 대화가 잘 이루어질 수 있을까요?

(나) 다음 달에 아버지께서 서울로 전근을 가셔는 바람에 저도 서울로 전학을 가게 되었습니다. 그래서 고민이 생겼어요. 저는 고향 사투리가 편한데, 전학을 가면 서울말만 써야 하는 것은 아닌지 걱정이에요. 지금까지 쓰던 사투리를 그대로 쓰면 안 되나요?

(다) 최근에 친구에게 서운한 일이 있었습니다. 얼마 전 새로 생긴 떡볶이 가게를 지나가면서 친구에게 "배고프지 않아? 여기 떡볶이 엄청 맛있대."라고 했어요. 친구는 "그렇구나."하고 말더군요. 저는 같이 떡볶이를 먹자는 뜻으로 말을 꺼낸 건데 친구가 그렇게 반응하니까 서운했어요. 이런 일이 전에도 몇 번 있었습니다. 제가 서운해하는 게 이상한가요?

(라) 지금까지 다양한 듣기 · 말하기 방법과 관련한 사연을 들어 보았습니다.

개인이나 집단에 따라 듣기 · 말하기 방법이 다양함을 이해하고 존중하는 자세가 중요해요.

첫째, 사회 · 문화적 특성에 따른 다양성을 이해하고 존중해야 해요.

듣기 · 말하기 방법은 세대나 지역 등의 사회 · 문화적 특성에 따라 다를 수 있으므로, 그 차이를 이해하고 존중해야 합니다.

㉠우선 청소년 세대는 신어, 준말 등을 자주 쓰고, 노년 세대는 예스러운 표현을 많이 씁니다. 이러한 말들은 그 세대의 문화가 반영된 것이므로 서로의 표현을 이해하고 존중하는 태도가 필요합니다. 그리고 다른 세대에 속한 사람과 대화할 때에는 상대방이 이해할 수 있도록 배려하여 말해야 합니다.

지역에 따른 말하기 방법의 차이는 지역 방언을 보면 알 수 있습니다. 지역 방언에는 그 지역 사람들의 삶의 방식과 정서가 녹아 있습니다. 그래서 ㉡지역 방언은 그 자체로 가치가 있으므로, 지역 방언의 특성을 인정하고 존중하는 태도를 지녀야 합니다. ㉢다만 공적인 대화를 할 때에는 의사소통을 원활하게 하기 위해 표준어를 쓰는 것이 좋습니다.

둘째, ㉣개인적 성향에 따른 차이를 이해하고 존중해야 해요.

듣기 · 말하기 방법은 사회 · 문화적 특성 외에 개인적 성향에 따라서도 다양하게 나타납니다. 예를 들면, ㉤자기 생각을 말할 대 직접적으로 말하는 사람도 있고 우회적으로 말하는 사람도 있습니다. 이는 개인별 특성일 뿐, 어느 것이 더 낫다고 말할 수는 없습니다. 하지만 상대방이 대화하면 갈등이 생길 수 있지요. 그러므로 상대방의 듣기 · 말하기 방법을 이해하고 서로 배려하는 자세를 지니는 것이 좋습니다.

청취자 여러분, 앞의 사연을 보내온 사람들에게 어떤 조언을 해 주고 싶나요?

지금까지 "대화를 잘하려면 어떻게 해야 할까?"라는 주제로 이야기해 보았습니다. 대화는 말로써 상대방과 마음을 나누는 일입니다. 대화를 원활하게 하려면 상대방이 어떤 사람이고 어떠한 상황에 놓여 있는지를 먼저 살펴야 하며, 상대방을 배려하고 존중하는 듣기 · 말하기 태도를 지녀야 합니다.

---

10 윗글의 특징으로 적절하지 <u>않은</u> 것은?

① 질문을 통해 청취자들의 적극적인 생각을 유도하고 있다.
② 주로 구어체를 사용하여 친근하게 이야기하듯 내용을 전달하고 있다.
③ 라디오 방송 형식으로 다양한 듣기 · 말하기 방법에 대해서 이야기하고 있다.
④ 학생들이 일상생활에서 경험할 법한 구체적인 대화 사례를 제시하고 있다.
⑤ 진행자는 사연을 보낸 사람들의 말하기 방법이 잘못되었음을 구체적으로 지적하여 바로 잡아주고 있다.

11 (가)~(다)의 사연에 맞는 근거를 (라)에서 바르게 찾은 것은?

① (가) - ㉠   ② (가) - ㉡   ③ (나) - ㉣   ④ (나) - ㉤   ⑤ (다) - ㉢

12 (라)의 내용과 일치하지 <u>않는</u> 것은?

① 세대에 따른 언어 차지는 그 세대의 문화가 반영된 것이다.

② 집단뿐만 아니라 개인에 따라서도 말하기 방식에 차이가 있다.

③ 지역 방언은 그 자체로 가치가 있지만 사적인 대화에서는 삼가야 한다.

④ 듣기 · 말하기 방법은 사회 · 문화적 특성 외에 개인적 성향에 따라서도 다양하게 나타난다.

⑤ 상대방의 듣기 · 말하기 방법을 이해하고 서로 배려하면 성공적으로 대화할 수 있다.

[13] 다음 글을 읽고 물음에 답하시오.

일상생활에서 이루어지는 대화는 우리의 인간관계를 형성하는 데 매우 중요한 역할을 한다. 잘못된 대화로 말미암은 오해를 예방하기 위해서는 대화의 상황과 대상 등을 미리 점검하고 상대방을 존중하는 마음으로 소통해야 한다.

듣기와 말하기의 방법은 개인뿐 아니라 집단에 따라서도 달라지는데, 한 공동체 안에서도 지역, 나이, 성별, 계층 등에 따라 다양한 언어의 모습이 나타날 수 있다. 이는 다양한 삶의 방식이 언어에 반영된 것으로, 유사한 언어를 사용하는 사람들끼리는 구성원 간의 친밀감을 형성할 수 있고 의사소통의 효율성을 높일 수 있다. 다만 이러한 언어 현상이 다양성으로 존중받지 못하고 차별과 편견의 대상이 되기도 한다. 지역 방언을 희화화하거나, 특정 성(性)을 비하하는 표현 등이 그 예이다.

이러한 차별과 편견이 들어 있는 표현을 고치는 것에서부터 언어의 다양성을 존중하는 태도를 기를 수 있다. 다양한 사람이 존재하는 만큼 언어도 다양하다는 것을 이해하고, 누군가를 차별하거나 다른 사람에게 상처를 줄 수 있는 말을 쓰지 않도록 노력해야 한다.

13 윗글을 이해한 내용으로 적절하지 <u>않은</u> 것은?

① 지역의 특성이 반영된 '오라베' 등의 말은 같은 방언 사용자끼리의 친밀감을 높인다.

② 세대의 특성이 반영된 '벗, 아우' 등의 말은 직업군 내에서 의사소통의 효율성을 높인다.

③ 지역을 차별하는 '서울로 올라가다'라는 표현 대신 '서울로 가다'라는 표현을 사용해야 한다.

④ 특정 성(性)을 차별하는 '여의사, 여류 작가'라는 표현 대신 '의사, 작가'라는 표현을 사용해야 한다.

⑤ 장애인을 차별하는 '장님, 벙어리'라는 표현 대신 '시각 장애인, 언어 장애인'이라는 표현을 사용해야 한다.

서술형 심화문제

01 다음의 ⓐ, ⓑ에 들어갈 알맞은 단어를 각각 쓰시오. (답안지에 하위 문항의 기호(ⓐ, ⓑ)를 쓰고 답안을 작성하시오.)

(ⓐ)은/는 외국에서 들어왔지만 대체할 고유어가 없거나 이제는 널리 사용되어 우리말처럼 쓰이는 말을 뜻하고, (ⓑ)은/는 고유어로 대체하여 쓸 수 있는 다른 나라의 언어를 뜻한다. (ⓐ)와/과 (ⓑ)을/를 사용하면 고유어로는 표현하기 힘든 내용을 간편하게 표현할 수 있고, 특정 분야의 전문성을 잘 드러낼 수도 있다. 하지만 (ⓐ)와/과 (ⓑ)을/를 무분별하게 사용하다 보면 의사소통에 어려움이 생기거나 구성원들 사이에 위화감이 조성될 수 있다.

ⓐ : _____ ⓑ : _____

02 〈보기1〉을 바탕으로 〈보기2〉의 밑줄 친 단어들(5개)을 2가지로 분류하고 그 개념을 밝히시오.

┤ 보기 1 ├

외래어와 외국어의 사용은 모두 다른 국가와 왕래하고 소통하면서 형성된 담화 관습이다. 외래어는 외국에서 들어왔지만 대체할 고유어가 없거나 이제는 널리 사용되어 우리말처럼 쓰이는 말을 뜻하고, 외국어는 고유어로 대체하여 쓸 수 있는 다른 나라의 언어를 뜻한다. 외래어와 외국어를 사용하면 고유어로는 표현하기 힘든 내용을 간편하게 표현할 수 있고, 특정 분야의 전문성을 잘 드러낼 수도 있다. 하지만 외래어와 외국어를 무분별하게 사용하다 보면 의사소통에 어려움이 생기거나 구성원들 사이에 위화감이 조성될 수 있다. 또 고유어의 범주가 위축되어 고유어가 사라지는 위기에 처할 수도 있다.

┤ 보기 2 ├

점원 : 어서 오세요. <u>테이크아웃</u> 하실 건가요?
손님 : 아니요. 먹고 갈 겁니다.
점원 : 레스토랑의 <u>셰프</u>가 <u>네티즌</u> 사이에 워낙 유명해서 <u>웨이팅 타임</u>이 30분이에요.
손님 : 네, <u>메뉴</u> 좀 보여 주세요.

03 밑줄 친 부분에 사용된 관용표현의 의미를 각각 설명하고 이러한 관용표현을 썼을 때의 장점 2가지를 서술하시오.

┤ 보기 ├

수진 : 반장, 우리 반 봉사 활동 누가 어디로 갈지 나눠야 해.
희원 : 아, 그러네. 우리끼리 후딱 결정해 버릴까?
수진 : 애들이랑 같이 이야기하는 것이 좋지 않을까?
희원 : <u>사공이 많으면 배가 산으로 간다고.</u> 그러면 결정하기 힘들어.
수진 : 결정하는 데 힘들 수는 있겠지. 하지만 <u>두 사람의 머리가 한 사람의 머리보다 낫다고</u> 하잖아.

[01~04] 다음 글을 읽고, 물음에 답하시오.

(가)

世·솅宗종御엉製졩訓·훈民민正졍音흠

나·랏:말ᄊᆞ미㉠中듕國·귁·에㉡달·아文문字·ᄍᆞ·와·로서르㉢ᄉᆞᄆᆞᆺ·디아·니ᄒᆞᆯ
·ᄊᆡ·이런젼·ᄎᆞ·로어·린百·ᄇᆡᆨ姓·셩·이니르·고·져·ᄒᆞᇙ·배이·셔·도ᄆᆞᄎᆞᆷ:내제
·ᄠᅳ·들시·러펴·디:몯ᄒᆞᇙ·노·미㉣하·니·라·내·이·ᄅᆞᆯ爲·윙·ᄒᆞ·야:어엿·비너·겨
·새·로·스·믈여·듧字·ᄍᆞᆼ·ᄅᆞᆯ밍·ᄀᆞ노·니㉤:사ᄅᆞᆷ:마·다:ᄒᆡ·ᅇᅧ:수·ᄫᅵ니·겨·날·로
·ᄡᅮ·메便뼌安한·킈ᄒᆞ·고·져ᄒᆞᇙᄯᆞᄅᆞ·미니·라

– 『월인석보』(1459) –

(나)

孔·공子·ᄌᆞ曾증子·ᄌᆞ@ᄃᆞ·려닐·러골ᄋᆞ·샤·ᄃᆡⓑ몸·이며얼굴·이며머·리털·이
·며·ᄉᆞᆯ·흔父·부母:모·ᄭᅴ받ᄌᆞ·온거·시·라敢:감·히헐·워샹히·오·디아
·니:홈·이효·도·ᅵ©비·르·소미·오·몸·을셰·워道:도·를行ᄒᆡᆼ·ᄒᆞ·야일·홈·을後
:후世·셰·예·베퍼·ᄡᅥ父·부母:모·ᄅᆞᆯ:현·뎌케:홈·이효·도·ᅵᄆᆞ·ᄎᆞᆷ·이니·라

– 『소학언해』(1587) –

01 윗글을 활용하여 중세 국어 음운의 특징을 탐구한 것으로 옳은 것을 〈보기〉에서 고른 것은?

> **보기**
> ㄱ. 단어의 첫머리에 여러 개의 자음이 올 수 있었다.
> ㄴ. 현대 국어에는 사용되지 않는 자음과 모음이 쓰였다.
> ㄷ. 된소리가 발달하기 시작했으며, 모두 각자병서의 방식으로 이를 표현하였다.
> ㄹ. 현대 국어와 달리 글자의 오른쪽에 성조를 표시하여 음의 높낮이를 나타냈다.

① ㄱ, ㄴ   ② ㄱ, ㄷ   ③ ㄴ, ㄷ   ④ ㄴ, ㄹ   ⑤ ㄷ, ㄹ

02 중세국어의 특징을 고려하여 ㉠~㉤을 이해한 것으로 가장 적절한 것은?

① ㉠은 음가 없는 종성을 사용하여 중국의 원음에 가깝게 표기한 것이다.
② ㉡은 표음주의 원칙에 따라 이어적기로 표기한 것이다.
③ ㉢을 통해 음절의 끝에서 'ㅅ'이 발음되었음을 알 수 있다.
④ ㉣은 '많다'는 뜻으로 현대에 와서 의미의 이동이 일어난 단어이다.
⑤ ㉤의 뒤에 목적격 조사가 결합한다면 모음조화를 고려하여 ':사ᄅᆞ·믈'로 표기해야 한다.

03 다음의 Ⓐ~Ⓔ를 뒷받침할 수 있는 근거를 윗글에서 찾은 것으로 적절하지 않은 것은?

중세 국어에서는 Ⓐ주격 조사로 '이'가 사용되었다. '이'는 Ⓑ경우에 따라 'ㅅ'로 실현되기도 했고 아예 나타나지 않기도 했다. 그리고 Ⓒ관형격 조사로 '의' 외에 모음 조화에 따른 '익'가 있었고, 무엇보다 Ⓓ'ㅅ'이 관형격 조사로 쓰였다는 사실이 현대 국어와 뚜렷하게 다른 점이다. 한편 현대 국어에서 '먹음'의 '-음'과 같은 명사형 어미가 중세 국어에서는 Ⓔ모음 조화에 따라 '-움'이나 '-옴'으로 실현되었다.

① Ⓐ – 노미   ② Ⓑ – 홇배   ③ Ⓒ – 부모씌
④ Ⓓ – 나랏말쏘미   ⑤ Ⓔ – 아니홈

04 (나)를 분석한 것으로 옳은 것을 〈보기〉에서 고른 것은?

┤ 보기 ├
ㄱ. (가)에 비해 이어적기가 우세하다.
ㄴ. ⓐ처럼 현대 국어에서는 사용하지 않는 조사가 있었다.
ㄷ. ⓑ는 현대 국어로 오면서 의미가 축소된 단어이다.
ㄹ. ⓒ를 통해 모음조화에 혼란이 생기기 시작했음을 알 수 있다.

① ㄱ, ㄴ   ② ㄱ, ㄷ   ③ ㄴ, ㄷ   ④ ㄴ, ㄹ   ⑤ ㄷ, ㄹ

05 다음 〈보기〉의 ㉮~㉱에 들어갈 말로 가장 적절한 것은?

┤ 보기 ├
중세 국어에는 끝소리가 'ㅎ'인 단어가 꽤 있었다. 이러한 단어 뒤에 조사가 뒤따를 경우에 다음과 같이 나타난다.

－ 나랗+을 → (㉮)
－ 긿+ㅅ → (㉯)
－ 머맇+도 → (㉰)

	㉮	㉯	㉰
①	나랗을	긿ㅅ	머맇도
②	나라을	깂	머리토
③	나라을	긿	머리도
④	나라홀	긿	머리도
⑤	나라홀	깂	머리토

06 다음은 중세 국어로 된 수수께끼이다. ㉠~㉤에 대한 설명으로 적절하지 <u>않은</u> 것은?

> 묻형·은 ㉠:뫼 우·희·셔 ㉡·붑·티·고, :둘·잿 형은 오·락가·락ᄒ·고, :세·잿 형·은 헤혀·고·져 ᄒ·고, :넷·잿 형·은 흔 ·딕 모·도고·져 ·ᄒᄂ·니?
>
> 묻형·은 ㉢방:츄, :둘·잿 형은 (㉣), :세·잿 형은 ㉤ᄀ·쇄 :네·잿 형·은 바·늘실.
>
> — 장숙영 옮김, 『번역 박통사(상)』에서 —

① ㉠은 고유어로서 훗날 한자 차용어로 대체되었다.
② ㉡을 통해 구개음화 현상을 확인할 수 있다.
③ ㉢은 '방망이'를 가리키는 말이다.
④ ㉣에 들어갈 적절한 말은 '다리우·리'이다.
⑤ ㉤에 쓰인 'ㅿ'은 현대 국어에서 'ㅅ'으로 변하거나 사라진 글자이다.

[07~08] 다음 글을 읽고, 물음에 답하시오.

> 불·휘ⓐ기·픈남·ᄀᆞᆫ ᄇᆞᄅ·매아·니:뮐·씨곶:됴·코㉠여·름·하ᄂ·니
> :시·미기·픈·므·른㉡·ᄀᆞᄆ·래아·니그·츨·씨:내·히이·러㉢바·ᄅ·래·가ᄂ·니

07 ⓐ의 어간에 어미 '-고'가 결합한 형태를 팔종성법에 맞게 쓰시오.

08 ㉠~㉢의 의미를 현대 국어의 어법에 맞게 쓰시오.(맞춤법에 맞지 않는 경우 부분점수 없음.)

㉠ 여·름 → _____
㉡ ·ᄀᆞᄆ·래 → _____
㉢ 바·ᄅ·래 → _____

09 다음 문장을 조건에 맞게 고치시오.

> ㉠ 경기의 승부가 그의 마지막 득점으로 뒤집혔다.
> ㉡ 처음 바다를 본 그녀는 "바다가 정말 넓구나."라고 혼잣말을 했다.

조건

- ㉠ - 능동문으로 고칠 것.
- ㉡ - 간접 인용문으로 고칠 것.

10 다음 문장에 대한 물음에 답하시오.

> 승주야, 아버지께 할머니께서 오셨는지 여쭈어 보아라.

(1) 위의 문장에 나타나는 높임의 양상을 다음의 표에 나타내려고 한다. +, ―를 순서대로 쓰시오. (상대 높임법이 사용되었으면 +로 한다. 높임과 낮춤의 구분이 아님)

주체 높임법	객체 높임법	상대 높임법

(2) (1)에서 '+'로 나타난 높임법의 실현 요소를 밝혀 쓰시오. 단, 높임법이 두 가지 이상 나타난 경우 각각을 구별하여 각각의 실현 요소를 쓰시오.

11 (A), (B)가 어색한 이유를 각각 문법적으로 구체적으로 서술하고, 자연스러운 문장으로 고쳐 쓰시오.

보기

(A) 이 제품은 반응이 아주 좋으세요.
(B) 그는 은퇴 후에도 여전히 바쁘고 있다.

12 〈보기〉의 ㄱ~ㅁ에 대한 설명으로 적절하지 <u>않은</u> 것은?

┤ 보기 ├
ㄱ. 네가 돌려준 책을 어머니께 받았어.
ㄴ. 고객님, 이것으로 하시겠습니까?
ㄷ. 형님. 어머님을 모시고 함께 나갈게요.
ㄹ. 손님, 여기 커피 나오셨습니다.
ㅁ. 선생님, 그것 제가 들어 드릴게요.

① ㄱ : 서술의 객체를 높이기 위해 부사격 조사와 특수어휘를 사용하였다.
② ㄴ : 종결어미를 사용하여 듣는 이를 높이고자 하는 상대 높임이 쓰였다.
③ ㄷ : 특수어휘를 사용하여 목적어를 높이고 있다.
④ ㄹ : 사물에 대한 지나친 높임 표현으로 높임의 대상이 잘못된 경우이다.
⑤ ㅁ : 화자 자신을 낮추는 어휘를 사용하여 청자를 높이고 있다.

13 〈보기〉의 ㄱ~ㅁ에 대한 설명으로 옳은 것은?

┤ 보기 ├
ㄱ. 작년에 나는 심하게 아팠었다.
ㄴ. 저기 열심히 밥을 먹는 아이가 보인다.
ㄷ. 네가 읽은 책은 유명한 작가의 작품이야.
ㄹ. 문 닫을 시간이 지나서 그 가게는 끝났겠다.
ㅁ. 어제 학교 앞 교회에 사람이 참 많더라.

① ㄱ을 통해 '-았었-'은 과거 사태가 현재까지 영향이 있음을 보여줄 때 사용됨을 알 수 있다.
② ㄴ, ㄷ을 통해 동사가 관형사형 어미 '-은', '-는'과 결합하여 과거시제를 실현할 수 있음을 알 수 있다.
③ ㄱ, ㄴ, ㅁ을 통해 작년, 저기, 어제와 같은 부사어가 문장의 시제를 나타내는 역할을 함을 알 수 있다.
④ ㄹ을 통해 선어말어미 '-겠-'이 미래에 대한 주체의 의지를 나타냄을 알 수 있다.
⑤ ㅁ을 통해 '-더-'는 과거 자신이 직접 본 내용을 나타낼 때 사용됨을 알 수 있다.

14 다음 표는 직접 인용을 간접 인용으로 바꾼 것이다. 적절하지 <u>않은</u> 것은?

	직접 인용		간접 인용
㉠	철수는 어머니께 "사랑합니다."라고 말했다.	→	철수는 어머니께 사랑한다고 말했다.
㉡	전화 통화 중 언니는 "거기에도 비가 와?"라고 물었다.	→	전화 통화 중 언니는 여기에도 비가 오냐고 물었다.
㉢	처음 바다를 본 그녀는 "바다가 정말 넓구나."라고 혼잣말을 했다.	→	처음 바다를 본 그녀는 바다가 정말 넓다고 혼잣말을 했다.
㉣	상이는 새로 짝꿍이 된 친구에게 "우리 앞으로 친하게 지내자."라고 말했다.	→	상이는 새로 짝꿍이 된 친구에게 앞으로 친하게 지내자고 했다.
㉤	태연이는 "모둠 활동에서 내가 발표를 맡을래."라고 외쳤다.	→	태연이는 모둠 활동에서 내가 발표를 맡겠다고 외쳤다.

① ㉠   ② ㉡   ③ ㉢   ④ ㉣   ⑤ ㉤

15 다음의 탐구 결과로 적절하지 <u>않은</u> 것은?

┤ 보기 ├

탐구 주제 : 외래어와 외국어 구별하기

– 외래어란? 외국에서 들어왔지만 대체할 고유어가 없거나 이제는 널리 사용되어 우리말처럼 쓰이는 말
– 외국어란? 고유어로 대체하여 쓸 수 있는 다른 나라의 말.

– 외래어 판별 기준
  ㉠ 한국어로 대체가 불가능하다.
  ㉡ 발음과 형태가 한국어에 동화되어 있다.
  ㉢ 자연스럽게 사용되고 한글로 표기된다.
  ㉣ 사용빈도가 많고 우리 사회에서 널리 쓰이고 있다.
  → 위의 ㉠~㉣ 중 해당하지 않으면 외국어로 판단

[연습문제] 다음의 단어들을 외국어와 외래어로 구별하기

테이크아웃	웨이팅타임	네티즌	메뉴	카페
서비스	스타일	케이크	라이프	엔딩

[탐구결과]
– 외래어 : 네티즌, 메뉴, ①<u>카페</u>, ②<u>밸브</u>, 케이크
– 외국어 : 테이크아웃, 웨이팅타임, ③<u>서비스</u>, ④<u>라이프</u>, ⑤<u>엔딩</u>

16 통신언어에 대한 설명으로 적절하지 <u>않은</u> 것은?

① 정보 통신 기술의 발달로 새로 생겨난 담화 관습이다.

② 세대 간 의사소통의 장벽을 개선하는데 도움이 된다.

③ 가상공간에서 사용되던 것이 일상에서 많이 사용되고 있다.

④ 문자 입력 시간을 단축하고 의사소통을 빠르게 한다.

⑤ 사용자 간의 친밀감을 높이고 언어를 창의적으로 사용하는 즐거움을 준다.

17 (가), (나)의 대화를 읽고 나서, 교사의 질문에 가장 적절하게 반응한 학생은?

(가)

할아버지 : 너 무얼 그렇게 골똘히 생각하냐?

손자 : 친구 생파에 갑니다. 그런데 생선으로 문상을 준비해갈까 생각 중입니다.

할아버지 : 친구가 생선 요리를 하는구나! 그래서 생파를 가져다 달래?

손자 : ....

(나) 떡볶이 가게를 지나는 상황

A : 배고프지 않아? 여기 떡볶이 엄청 맛있대

B : 그렇구나!

A : (   )

교사 : (가), (나)의 대화를 통해 알 수 있는 말하기 상황에 대해 설명해 봅시다.

정은 : (가)처럼 서로 살아온 지역적 배경이 다르면 말하기 방식이 달라지는 것 같아요.

민아 : (나)의 (   )안에 '실망한 표정을 짓는다.'가 들어가면 A는 완곡어법을 사용한 거라 볼 수 있을 것 같아요.

철수 : (가)의 손자와 할아버지는 받아온 교육 수준의 차이로 말미암아 의사소통에 문제가 생겼어요.

응수 : (나)의 B는 A의 언어적 표현을 이해하지 못해 잘 답변하지 못했어요.

영희 : (가)와 (나)는 성별, 처한 상황에 따른 말하기 방식을 이해하지 못해 의사소통이 제대로 이뤄지지 않았어요.

---

① 정은   ② 민아   ③ 철수   ④ 응수   ⑤ 영희

7

문제를 해결하는
말과 글

(바닷속 미세 플라스틱의 위협)

( ): 표제 제시 - 신문 기사의 핵심 내용을 파악할 수 있게 함   '위협'이라는 비유적 표현을 통해 미세 플라스틱이 환경 및 인간에게 심각한 문제가 될 수 있음을 나타냄

– 김정수 –

> 수십 년 흘러든 플라스틱 미세 입자, 수산물 내장에서 잇따라 검출
> 플라스틱이 수십 년 동안 바닷 속에 쌓여 왔음
>
> 한국 해역 오염 세계 최고 수준, 먹이 그물 거쳐 인체 도달 가능성도
> 미세 플라스틱이 해양 생물을 통해 인체에 유입되어 문제를 일으킬 수 있음

미세 플라스틱은 맨눈으로는 잘 보이지 않는 5밀리미터 이하의 작은 플라스틱 조각으로, 현재 전 세계 대부분의
_{미세 플라스틱의 개념} _{미세 플라스틱의 분포}
바다에서 발견되고 있다. 바다에는 해저 지각에서 녹아 나온 물질과 육지에서 바람에 날리거나 강물을 타고 흘러든 온갖 물질이 섞여 있는데, 인류는 지난 수십 년 사이에 미세 플라스틱이라는 새로운 물질을 바다에 대량으로 섞어 넣
인류에 의해 바다에 대량으로 버려진 미세 플라스틱
었다.

미세 플라스틱이 사람들의 눈길을 끌기 시작한 것은 오래되지 않았다. 불과 십몇 년 전까지만 해도 사람들은 버려
최근에서야 사람들에게 주목받기 시작한 미세 플라스틱
진 그물에 걸리거나 떠다니는 비닐봉지를 먹이로 잘못 알고 삼켰다가 죽은 해양 생물의 불행에만 주로 관심이 있었다. 그러다 2004년 세계적인 권위를 지닌 과학 잡지『사이언스(Science)』에 영국 플리머스 대학의 리처드 톰슨 교수
미세 플라스틱에 대한 관심이 높아지게 된 계기
가 바닷속 미세 플라스틱이 1960년대 이후 계속 증가해 왔다는 내용의 논문을 발표했다. 그 후로 미세 플라스틱이 해
톰슨 교수의 논문이 끼친 영향
양 생태계에 끼치는 영향을 규명하려는 후속 연구들이 이어졌다.

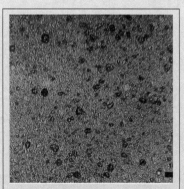

▲ 한 치약 제품을 현미경으로 본 모습. 까맣게 보이는 것이 연마제로 들어간 미세 플라스틱 알갱이다.

최근에는 각질 제거나 세정, 연마 등의 기능을 위해 1밀리미터 정도의 작은 미세 플라스틱을 넣은 화장품이나 치약 같은 생활용품이 미세 플라스틱 문제의 원
미세플라스틱 문제를 일으키는 원인
인으로 주목받고 있다. 이런 제품 가운데는 지름 500마이크로미터 이하의 플라스틱 알갱이들이 수십만 개까지 들어 있는 것도 있다. 이처럼 생산 당시 의도적으로
1차 미세 플라스틱의 개념
작게 만든 플라스틱을 '1차 미세 플라스틱'이라고 하는데, 이 알갱이들은 하수 처
바다로 유입되는 1차 미세 플라스틱
리장에서 걸러지지 않은 채 바다로 흘러든다.

미세 플라스틱은 바다에 떠다니는 다양한 플라스틱계 쓰레기가 파도나 자외선 때문에 부서져 만들어지기도 한다. 못 쓰게 된 어구, 페트병, 일회용 숟가락, 비
닐봉지, 담배꽁초 필터, 합성 섬유 등 각종 플라스틱이 함유된 생활용품이 부서져 만들어진 미세 플라스틱을 '2차 미
2차 미세 플라스틱의 개념
세 플라스틱'이라고 한다. 아직까지는 1차 미세 플라스틱에 비해 2차 미세 플라스틱의 비중이 더 높다는 게 전문가들
생산 당시 의도적으로 만들어진 1차 미세 플라스틱보다 생활용품이 부서져 만들어진 2차 미세 플라스틱의 비중이 더 높음
의 설명이다.

해양 생물들이 플라스틱 조각을 먹이로 알고 먹으면, 포만감을 주어 영양 섭취를 저해하거나 장기의 좁은 부분

미세 플라스틱이 해양 생물에 미치는 영향

에 걸려 문제를 일으킬 수 있다. 또한 플라스틱은 제조 과정에서 첨가된 잔류성 유기 오염 물질을 포함하고 있으

며 바다로 흘러들어 간 후에는 물속에 녹아 있는 다른 유해 물질까지 끌어당긴다. 미세 플라스틱을 먹이로 착각하

고 먹은 플랑크톤을 작은 물고기가 섭취하고, 작은 물고기를 다시 큰 물고기가 섭취하는 먹이 사슬 과정에서 농축

미세 플라스틱의 독성 물질이 농축되는 과정과 그에 따른 악영향

된 미세 플라스틱의 독성 물질은 해양 생물의 생식력을 떨어뜨릴 수 있다.

▲ 미세 플라스틱 조각을 먹은 동물성 플랑크톤의 모습. 형광색으로 표시한 부분이 미세 플라스틱이다.

미세 플라스틱은 인간에게도 위협이 될 수 있다. 한국 해양 과학 기술원의 실험 결과, 양식장 부표로 사용하는

인간에게 위해를 가할 수 있는 미세 플라스틱

발포 스티렌은 나노(10억분의 1) 크기까지 쪼개지는 것으로 확인되었다. 나노 입자는 생체의 주요 장기는 물론 뇌

속까지 침투할 수 있는 것으로 알려져 있다. 내장을 제거하지 않고 통째로 먹는 작은 물고기나 조개류를 즐기는

수산물 섭취 시 미세 플라스틱이 인체에 유입될 가능성이 큼

이들은 수산물의 체내에서 미처 배출되지 못한 미세 플라스틱을 함께 섭취할 위험이 상대적으로 높아지는 셈이다.

미세 플라스틱이 인간에게 어느 정도 위협이 되는지 현재로서는 과학자들도 분명한 답을 내놓지 못하고 있다.

미세 플라스틱이 인체에 끼칠 문제를 정확히 알 수 없음

하지만(미국이나 영국 등의 나라에서는 사람이나 환경에 심각한 피해를 줄 우려가 있으면 인과 관계가 확실히 입

'사전 예방 원칙'의 개념

증되기 전이라도 필요한 조처를 해야 한다는 '사전 예방의 원칙'에 따라 이미 여러 환경 단체가 미세 플라스틱을

추방하기 위한 활동을 활발히 하고 있다. 이들은 치약이나 세정용 각질 제거제 등을 생산하는 제조업체들에 미세

플라스틱 알갱이를 호두 껍데기나 코코넛 껍질과 같은 유기 물질로 대체하도록 촉구하고 있다. 또한 소비자들에게

미세플라스틱을 대체할 수 있는 물질

는 미세 플라스틱이 함유된 생활용품을 쓰지 않도록 하는 캠페인을 진행 중이다.)( ): 외국 환경 단체의 사례 제시 – 미세 플라스틱 문제
의 해결 방안을 구체적으로 보여 줌

(국내의 환경 운동 단체들도 발포 스티렌 부표가 부서져서 생기는 2차 미세 플라스틱을 줄이기 위해 부표의 소재

( ): 우리나라 환경 단체의 사례 제시 – 미세 플라스틱 문제의 해결 방안을 구체적으로 보여 줌

를 다른 재료로 바꾸거나 사용을 줄이는 양식법을 개발할 것을 정부에 제안했다.)이는 해양 수산부의 해양 쓰레기

2차 미세 플라스틱을 줄이기 위한 방법

관리 기본 계획에 반영되었고, 해당 기관은 어민들과 함께 발포 스티렌 부표 폐기물 발생을 줄일 수 있는 구체적

인 방안을 찾아 적용하는 사업을 펼칠 계획이다.

한국의 남해 연안 바닷물 속의 미세 플라스틱 오염도는 세계 최고 수준이다. 한국 해양 과학 기술원의 유류·유
_{미세 플라스틱 오염도가 심각한 한국}

해 물질 연구단이 조사한 것을 보면, ○○시 해역 바닷물 1세제곱미터에는 평균 21만 개의 미세 플라스틱 입자가
_{다른 나라와 비교하여 구체적인 수치를 제시함으로써 한국의 미세 플라스틱 오염의 심각성을 강조함}

들어 있다. 이것은 싱가포르 해역 바닷물 속 미세 플라스틱 평균 개수인 2,000개보다 100배 넘게 많은 것이다.

한국 해양 과학 기술원의 심△△ 연구단장은 "미세 플라스틱 연구가 본격적으로 시작된 지 십 년도 안 돼 아직
_{전문가의 견해를 인용하여 내용의 신뢰도를 높이고 미세 플라스틱 오염 예방에 대한 필요성을 강조함}

심각성과 관련하여 말하기는 어렵지만, 우려할 순간이 되면 이미 되돌릴 수 없으므로 우리나라에서도 예방 차원에

서 좀 더 관심을 기울일 필요가 있다."라고 강조했다.

◀ 태풍이 지나가면서 양식장 발포 스티렌 부표에
서 부서져 나온 미세 플라스틱이 남해 바다를
눈처럼 하얗게 뒤덮고 있다. 이 미세 플라스틱
쓰레기들은 수거되지 않고 파도에 쓸려 먼바
다로 흩어졌다.

– 『한겨레』, 2014년 4월 16일 기사 –

• **연마** 고체를 갈고 닦아서 표면을 반질반질하게 함.
• **마이크로미터** 미터법을 기준으로 한 길이의 단위. 1마이크로미
터는 1미터의 100만분의 1임.
• **어구** 고기잡이에 쓰는 여러 가지 도구.
• **잔류성 유기 오염 물질** 자연환경에서 분해되지 않고 생태계의
먹이 사슬을 거쳐 동식물 체내에 축적되는 유해 물질.

• **부표** 물 위에 띄워 어떤 표적으로 삼는 물건.
• **발포 스티렌** 거품처럼 작은 기포를 무수히 지닌 스타이렌 수
지. 일상적으로 '스티로폼'이라 부름.
• **연안** 육지와 면한 바다·강·호수 따위의 물가.
• **유류** 기름 종류. 석유·등유·휘발유나 참기름·들기름·콩기
름 따위를 통틀어 이름.

⊙ 핵심정리

갈래	기사문	성격	비판적, 성찰적
주제	미세 플라스틱의 문제점 및 해결책		
특징	• 미세 플라스틱 생성 과정 및 현황, 문제점을 사실적으로 서술함. • 미세 플라스틱 문제에 대한 관심 및 예방적 차원의 대책을 촉구함.		

확인학습 ···

01 이 글의 종류는 기사문으로서, 기사문은 정보의 전달을 목적으로 한다.   O☐ ✕☐

02 이 글은 학문적 권위를 가진 출처의 자료를 '인용'함으로써 글의 신뢰성을 높이고 있다.   O☐ ✕☐

03 유기 물질은 오염 물질인 미세 플라스틱의 대체품으로서 긍정적인 의미의 소재로 사용되었다.   O☐ ✕☐

04 미세 플라스틱은 다른 유해 물질과 결합하는 성질은 없다.   O☐ ✕☐

05 미세 플라스틱은 환경 오염을 우려하여 우리나라에서 사용이 금지되었다.   O☐ ✕☐

06 미세 플라스틱은 잘 분해되는 성질을 지녔다.   O☐ ✕☐

07 양식장의 부표로 발포 스티렌이 많이 사용되고 있다.   O☐ ✕☐

08 친환경적인 신소재의 사용을 통해 미세 플라스틱의 피해를 예방하고 환경을 지킬 수 있다.   O☐ ✕☐

학습활동

■ 이해 활동

1. 미세 플라스틱이 인체에 유입되는 과정을 정리해 보자.

[예시답안]

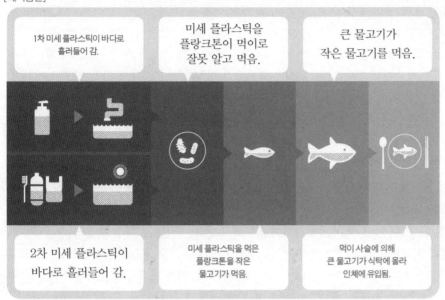

| 1차 미세 플라스틱이 바다로 흘러들어 감. | 미세 플라스틱을 플랑크톤이 먹이로 잘못 알고 먹음. | 큰 물고기가 작은 물고기를 먹음. |
| 2차 미세 플라스틱이 바다로 흘러들어 감. | 미세 플라스틱을 먹은 플랑크톤을 작은 물고기가 먹음. | 먹이 사슬에 의해 큰 물고기가 식탁에 올라 인체에 유입됨. |

■ 목표 활동

2. 글쓴이가 자신의 관점을 드러내기 위해 사용한 표현 방법과 효과를 연결해 보자.

[예시답안]

표현 방법	효과
'바닷속 미세 플라스틱의 위협'이라는 표제 제시	미세 플라스틱 문제의 해결 방안을 구체적으로 보여 줌.
외국과 우리나라 환경 단체의 사례 제시	내용의 신뢰도를 높임.
미세 플라스틱으로 뒤덮인 남해 바다 사진 제시	독자가 신문 기사의 핵심 내용을 한눈에 파악할 수 있음.
한국 해양 과학 기술원 심△△ 연구단장의 면담 내용 인용	미세 플라스틱 문제의 심각성을 시각적으로 보여 줌.

글쓴이의 관점: [예시답안] 바닷속 미세 플라스틱 문제의 심각성을 알고, 예방에 관심을 가져야 한다.

3. 이 신문 기사의 내용을 보완하기 위해 다음과 같은 자료를 추가하려고 한다. 자료가 들어갈 위치와 구체적인 활용 방안을 말해 보자.

(1) 읽기 전·중·후 과정에서 가졌던 질문이나 생각을 정리해 보자.

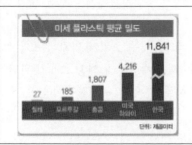

우리나라 전국 12개 해안에서 검출된 미세 플라스틱의 평균 밀도가 전 세계 주요 비교 지역보다 13배 높은 수준으로 나타났다.

– MBC, 2015년 4월 5일 뉴스 –

[예시답안] ·위치: ㉧ 단락(한국의 ~ 많은 것이다.) ·활용 방안: ㉧ 단락에 미세 플라스틱 오염 현황이 구체적으로 제시된 남해 연안뿐만 아니라 우리나라의 전국 12개 해안에서 검출된 미세 플라스틱의 평균 밀도가 전 세계 주요 비교 지역보다 13배 높은 수준이라는 통계 자료를 제시함으로써, 우리나라의 미세 플라스틱 문제가 심각함을 강조할 수 있다.

[01~04] 다음 글을 읽고 물음에 답하시오.

바닷속 미세 플라스틱의 위협

ㄱ수십 년 흘러든 플라스틱 미세 입자, 수산물 내장에서 잇따라 검출
한국 해역 오염 세계 최고 수준, 먹이 그물 거쳐 인체 도달 가능성도

(가) 미세 플라스틱은 맨눈으로는 잘 보이지 않는 5밀리미터 이하의 작은 플라스틱 조각으로, 현재 전 세계 대부분의 바다에서 발견되고 있다. 바다에는 해저 지각에서 녹아 나온 물질과 육지에서 바람에 날리거나 강물을 타고 흘러든 온갖 물질이 섞여 있는데, 인류는 지난 수십 년 사이에 미세 플라스틱이라는 새로운 물질을 바다에 대량으로 섞어 넣었다.

(나) 미세 플라스틱이 사람들의 눈길을 끌기 시작한 것은 오래되지 않았다. 불과 십몇 년 전까지만 해도 사람들은 버려진 그물에 걸리거나 떠다니는 비닐봉지를 먹이로 잘못 알고 삼켰다가 죽은 해양 생물의 불행에만 주로 관심이 있었다. 그러다 2004년 세계적인 권위를 지닌 과학 잡지 『사이언스(Science)』에 영국 플리머스 대학의 리처드 톰슨 교수가 바닷속 미세 플라스틱이 1960년대 이후 계속 증가해 왔다는 내용의 논문을 발표했다. 그 후로 미세 플라스틱이 해양 생태계에 끼치는 영향을 규명하려는 후속 연구들이 이어졌다.

(다) 최근에는 각질 제거나 세정, 연마 등의 기능을 위해 1밀리미터 정도의 작은 미세 플라스틱을 넣은 화장품이나 치약 같은 생활용품이 미세 플라스틱 문제의 원인으로 주목받고 있다. 이런 제품 가운데는 지름 500마이크로미터 이하의 플라스틱 알갱이들이 수십만 개까지 들어 있는 것도 있다. 이처럼 생산 당시 의도적으로 작게 만든 플라스틱을 'ㄴ1차 미세 플라스틱'이라고 하는데, 이 알갱이들은 하수 처리장에서 걸러지지 않은 채 바다로 흘러든다.

(라) 미세 플라스틱은 바다에 떠다니는 다양한 플라스틱계 쓰레기가 파도나 자외선 때문에 부서져 만들어지기도 한다. 못 쓰게 된 어구, 페트병, 일회용 숟가락, 비닐봉지, 담배꽁초 필터, 합성 섬유 등 각종 플라스틱이 함유된 생활용품이 부서져 만들어진 미세 플라스틱을 'ㄷ2차 미세 플라스틱'이라고 한다. 아직까지는 1차 미세 플라스틱에 비해 2차 미세 플라스틱의 비중이 더 높다는 게 전문가들의 설명이다.

(마) 해양 생물들이 플라스틱 조각을 먹이로 알고 먹으면, 포만감을 주어 영양 섭취를 저해하거나 장기의 좁은 부분에 걸려 문제를 일으킬 수 있다. (ㄹ) 플라스틱은 제조 과정에서 첨가된 잔류성 유기 오염 물질을 포함하고 있으며 바다로 흘러들어 간 후에는 물속에 녹아 있는 다른 유해 물질까지 끌어당긴다. 미세 플라스틱을 먹이로 착각하고 먹은 플랑크톤을 작은 물고기가 섭취하고, 작은 물고기를 다시 큰 물고기가 섭취하는 먹이 사슬 과정에서 농축된 미세 플라스틱의 독성 물질은 해양 생물의 생식력을 떨어뜨릴 수 있다.

(바) 미세 플라스틱은 인간에게도 위협이 될 수 있다. 한국 해양 과학 기술원의 실험 결과, 양식장 부표로 사용하는 ㅁ발포 스티렌은 나노(10억분의 1) 크기까지 쪼개지는 것으로 확인되었다. 나노 입자는 생체의 주요 장기는 물론 뇌 속까지 침투할 수 있는 것으로 알려져 있다. 내장을 제거하지 않고 통째로 먹는 작은 물고기나 조개류를 즐기는 이들은 수산물의 체내에서 미처 배출되지 못한 미세 플라스틱을 함께 섭취할 위험이 상대적으로 높아지는 셈이다.

(사) 미세 플라스틱이 인간에게 어느 정도 위협이 되는지 현재로서는 과학자들도 분명한 답을 내놓지 못하고 있다. 하지만 미국이나 영국 등의 나라에서는 사람이나 환경에 심각한 피해를 줄 우려가 있으면 인과 관계가 확실히 입증되기 전이라도 필요한 조처를 해야 한다는 'ㅂ사전 예방의 원칙'에 따라 이미 여러 환경 단체가 미세 플라스틱을 추방하기 위한 활동을 활발히 하고 있다. 이들은 치약이나 세정용 각질 제거제 등을 생산하는 제조업체들에 미세 플라스틱 알갱이를 호두 껍데기나 코코넛 껍질과 같은 ㅅ유기 물질로 대체하도록 촉구하고 있다. (ㅇ) 소비자들에게는 미세 플라스틱이 함유된 생활용품을 쓰지 않도록 하는 캠페인을 진행 중이다.

(아) 국내의 환경 운동 단체들도 발포 스티렌 부표가 부서져서 생기는 2차 미세 플라스틱을 줄이기 위해 부표의 소재를 다른 재료로 바꾸거나 사용을 줄이는 양식법을 개발할 것을 정부에 제안했다. 이는 해양 수산부의 해양 쓰레기 관리 기본 계획에 반영되었고, 해당 기관은 어민들과 함께 발포 스티렌 부표 폐기물 발생을 줄일 수 있는 구체적인 방안을 찾아 적용하는 사업을 펼칠 계획이다.

▲ 태풍이 지나가면서 양식장 발포 스티렌 부표에서 부서져 나온 미세 플라스틱이 남해 바다를 눈처럼 하얗게 뒤덮고 있다.

(자) 한국의 남해 연안 바닷물 속의 미세 플라스틱 오염도는 세계 최고 수준이다. 한국 해양 과학 기술원의 유류·유해 물질 연구단이 조사한 것을 보면, ○○시 해역 바닷물 1세제곱미터에는 평균 21만 개의 미세 플라스틱 입자가 들어 있다. 이것은 싱가포르 해역 바닷물 속 미세 플라스틱 평균 개수인 2,000개보다 100배 넘게 많은 것이다.

(차) 한국 해양 과학 기술원의 심△△ 연구단장은 "미세 플라스틱 연구가 본격적으로 시작된 지 십 년도 안 돼 아직 심각성과 관련하여 말하기는 어렵지만, 우려할 순간이 되면 이미 되돌릴 수 없으므로 우리나라에서도 예방 차원에서 좀 더 관심을 기울일 필요가 있다."라고 강조했다.

– 『한겨레』, 2014년 4월 16일 기사 –

01 윗글에 대한 설명으로 가장 적절한 것은?

① (가)에서는 실제 실험 과정을 제시하여 설득력을 높이고 있다.
② (라)에서는 구체적인 통계 수치를 제공하여 객관성을 확보하고 있다.
③ (아)에서는 정부와 환경 단체의 해결 방안을 대조시켜 설명하고 있다.
④ 글쓴이는 (자)를 통해 문제 해결의 시급(時急)성을 강조하고 있다.
⑤ 대상에 대한 전문가의 상반된 시각을 제시하여 차이점과 공통점을 비교, 분석하고 있다.

02 ㉠~◎에 대한 설명으로 적절한 것만을 〈보기〉에서 있는 대로 고른 것은?

┤ 보기 ├

ㄱ. ㉠은 글 전체의 제목을 보다 구체적으로 풀어 보완한다.
ㄴ. ㉢과 달리 ㉡은 해양 생물들에게 문제를 일으킬 수 있다.
ㄷ. 문맥으로 보아 ㉣과 ◎에는 같은 접속어를 사용할 수 있다.
ㄹ. 글쓴이는 ㉤과 ㉥을 모두 부정적인 시각으로 바라보고 있다.
ㅁ. ㉦으로 인해 미세 플라스틱의 위험성에 대한 합리적인 의심이 사라지게 되었다.

① ㄱ, ㄴ   ② ㄱ, ㄷ   ③ ㄱ, ㄷ, ㄹ   ④ ㄴ, ㄹ, ㅁ   ⑤ ㄷ, ㄹ, ㅁ

03 윗글에서 글쓴이가 자신의 관점을 드러내기 위해 사용한 표현방법과 그 효과가 서로 적절하지 <u>않은</u> 것은?

	표현 방법	표현 효과
①	'바닷속 미세 플라스틱의 위협'이라는 표제 제시	독자가 신문 기사의 핵심 내용을 한눈에 파악할 수 있음
②	외국과 우리나라 환경 단체의 사례 제시	미세 플라스틱 문제의 해결 방안의 갈등 사례를 보임
③	미세 플라스틱으로 뒤덮인 남해 바다 사진 제시	미세 플라스틱 문제의 심각성을 시각적으로 보여 줌
④	한국 해양 과학 기술원 연구 단장의 면담 내용 인용	내용의 신뢰도를 높임
⑤	미세 플라스틱의 정확한 뜻과 발생 과정 및 종류를 설명함	독자들에게 미세 플라스틱의 뜻에 대한 정확한 지식을 알리고자 함

04 다음 중 윗글의 내용과 일치하지 않는 것은?

① 미세 플라스틱이 인간에게 어느 정도 위협이 되는지는 현재 과학자들이 분명하게 답을 내놓았다.
② 한국 남해 연안 바닷물 속의 미세 플라스틱 오염도는 세계 최고 수준이다.
③ 미세 플라스틱에는 1차 미세 플라스틱과 2차 미세 플라스틱이 있다.
④ 미세 플라스틱의 영향에 대해 관심을 갖게 된 것은 오래되지 않았다.
⑤ 전 세계 대부분의 바다에서 미세 플라스틱이 발견되고 있다.

[05~07] 다음 글을 읽고 물음에 답하시오.

바닷속 미세 플라스틱의 위협

수십 년 흘러든 플라스틱 미세 입자, 수산물 내장에서 잇따라 검출
한국 해역 오염 세계 최고 수준, 먹이 그물 거쳐 인체 도달 가능성도

(가) 미세 플라스틱은 맨눈으로는 잘 보이지 않는 5밀리미터 이하의 작은 플라스틱 조각으로, 현재 전 세계 대부분의 바다에서 발견되고 있다. 바다에는 해저 지각에서 녹아 나온 물질과 육지에서 바람에 날리거나 강물을 타고 흘러든 온갖

물질이 섞여 있는데, 인류는 지난 수십 년 사이에 미세 플라스틱이라는 새로운 물질을 바다에 대량으로 섞어 넣었다.

(나) 미세 플라스틱이 사람들의 눈길을 끌기 시작한 것은 오래되지 않았다. 불과 십몇 년 전까지만 해도 사람들은 버려진 그물에 걸리거나 떠다니는 비닐봉지를 먹이로 잘못 알고 삼켰다가 죽은 해양 생물의 불행에만 주로 관심이 있었다. 그러다 2004년 세계적인 권위를 지닌 과학 잡지 『사이언스(Science)』에 영국 플리머스 대학의 리처드 톰슨 교수가 바닷속 미세 플라스틱이 1960년대 이후 계속 증가해 왔다는 내용의 논문을 발표했다. 그 후로 미세 플라스틱이 해양 생태계에 끼치는 영향을 규명하려는 후속 연구들이 이어졌다.

(다) 최근에는 각질 제거나 세정, 연마 등의 기능을 위해 1밀리미터 정도의 작은 미세 플라스틱을 넣은 화장품이나 치약 같은 생활용품이 미세 플라스틱 문제의 원인으로 주목받고 있다. 이런 제품 가운데는 지름 500마이크로미터 이하의 플라스틱 알갱이들이 수십만 개까지 들어 있는 것도 있다. 이처럼 생산 당시 의도적으로 작게 만든 플라스틱을 '1차 미세 플라스틱'이라고 하는데, 이 알갱이들은 하수 처리장에서 걸러지지 않은 채 바다로 흘러든다.

(라) 미세 플라스틱은 바다에 떠다니는 다양한 플라스틱계 쓰레기가 파도나 자외선 때문에 부서져 만들어지기도 한다. 못 쓰게 된 어구, 페트병, 일회용 숟가락, 비닐봉지, 담배꽁초 필터, 합성 섬유 등 각종 플라스틱이 함유된 생활용품이 부서져 만들어진 미세 플라스틱을 '2차 미세 플라스틱'이라고 한다. 아직까지는 1차 미세 플라스틱에 비해 2차 미세 플라스틱의 비중이 더 높다는 게 전문가들의 설명이다.

(마) 해양 생물들이 플라스틱 조각을 먹이로 알고 먹으면, 포만감을 주어 영양 섭취를 저해하거나 장기의 좁은 부분에 걸려 문제를 일으킬 수 있다. 또한 플라스틱은 제조 과정에서 첨가된 잔류성 유기 오염 물질을 포함하고 있으며 바다로 흘러들어 간 후에는 물속에 녹아 있는 다른 유해 물질까지 끌어당긴다. 미세 플라스틱을 먹이로 착각하고 먹은 플랑크톤을 작은 물고기가 섭취하고, 작은 물고기를 다시 큰 물고기가 섭취하는 먹이 사슬 과정에서 농축된 미세 플라스틱의 독성 물질은 해양 생물의 생식력을 떨어뜨릴 수 있다.

(바) 미세 플라스틱은 인간에게도 위협이 될 수 있다. 한국 해양 과학 기술원의 실험 결과, 양식장 부표로 사용하는 발포 스티렌은 나노(10억분의 1) 크기까지 쪼개지는 것으로 확인되었다. 나노 입자는 생체의 주요 장기는 물론 뇌 속까지 침투할 수 있는 것으로 알려져 있다. 내장을 제거하지 않고 통째로 먹는 작은 물고기나 조개류를 즐기는 이들은 수산물의 체내에서 미처 배출되지 못한 미세 플라스틱을 함께 섭취할 위험이 상대적으로 높아지는 셈이다.

(사) 미세 플라스틱이 인간에게 어느 정도 위협이 되는지 현재로서는 과학자들도 분명한 답을 내놓지 못하고 있다. 하지만 미국이나 영국 등의 나라에서는 사람이나 환경에 심각한 피해를 줄 우려가 있으면 인과 관계가 확실히 입증되기 전이라도 필요한 조처를 해야 한다는 '사전 예방의 원칙'에 따라 이미 여러 환경 단체가 미세 플라스틱을 추방하기 위한 활동을 활발히 하고 있다. 이들은 치약이나 세정용 각질 제거제 등을 생산하는 제조업체들에 미세 플라스틱 알갱이를 호두 껍데기나 코코넛 껍질과 같은 유기 물질로 대체하도록 촉구하고 있다. 또한 소비자들에게는 미세 플라스틱이 함유된 생활용품을 쓰지 않도록 하는 캠페인을 진행 중이다.

(아) 한국의 남해 연안 바닷물 속의 미세 플라스틱 오염도는 세계 최고 수준이다. 한국 해양 과학 기술원의 유류·유해 물질 연구단이 조사한 것을 보면, ○○시 해역 바닷물 1세제곱미터에는 평균 21만 개의 미세 플라스틱 입자가 들어 있다. 이것은 싱가포르 해역 바닷물 속 미세 플라스틱 평균 개수인 2,000개보다 100배 넘게 많은 것이다.

(자) 한국의 남해 연안 바닷물 속의 미세 플라스틱 오염도는 세계 최고 수준이다. 한국 해양 과학 기술원의 유류·유해 물질 연구단이 조사한 것을 보면, ○○시 해역 바닷물 1세제곱미터에는 평균 21만 개의 미세 플라스틱 입자가 들어 있다. 이것은 싱가포르 해역 바닷물 속 미세 플라스틱 평균 개수인 2,000개보다 100배 넘게 많은 것이다.

(차) 한국 해양 과학 기술원의 심△△ 연구단장은 "미세 플라스틱 연구가 본격적으로 시작된 지 십 년도 안 돼 아직 심각성과 관련하여 말하기는 어렵지만, 우려할 순간이 되면 이미 되돌릴 수 없으므로 우리나라에서도 예방 차원에서 좀 더 관심을 기울일 필요가 있다."라고 강조했다.

- 『한겨레』, 2014년 4월 16일 기사 -

05 위와 같은 글의 특징으로 가장 적절한 것은?

① 마음에 떠오르는 느낌이나 자신의 생각을 자유롭게 표현한다.

② 알릴 만한 가치가 있는 사건이나 사실을 매체를 통해 전달한다.

③ 어떤 주제에 대한 주장이나 의견을 논리적으로 내세워 읽는 이를 설득한다.

④ 지식이나 정보를 읽는 이에게 전달하고 이해시키기 위해 쉽게 풀어놓는다.

⑤ 사물의 옳고 그름이나 아름다움과 추함 따위를 분석하여 그 가치를 논한다.

06 위의 내용을 통해 알 수 있는 사실로 적절하지 <u>않은</u> 것은?

① 바닷속 미세 플라스틱이 2004년부터 계속 증가해왔다.

② 미세 플라스틱은 전 세계 대부분의 바다에서 발견되고 있다.

③ 미세 플라스틱은 생활용품에서 세정과 연마의 기능을 한다.

④ 미세 플라스틱은 바닷속에 녹아 있는 다른 유해 물질을 끌어당긴다.

⑤ 의도적으로 만든 미세 플라스틱보다 부서져 만들어진 미세 플라스틱의 비중이 더 크다.

07 윗글을 읽고 답할 수 있는 질문으로 적절하지 않은 것은?

① 미세 플라스틱이 어떻게 바닷속에 존재하게 된 걸까?

② 미세 플라스틱을 대체할 수 있는 어떤 물질이 있을까?

③ 미세 플라스틱이 인체에 유입될 수 있는 가능성이 있을까?

④ 미세 플라스틱이 인간에게 주는 위협과 심각성은 어느 정도일까?

⑤ 1차 미세 플라스틱과 2차 미세 플라스틱의 형성과정은 어떻게 다를까?

[01~03] 다음 글을 읽고, 물음에 답하시오.

바닷속 미세 플라스틱의 위협

수십 년 흘러든 플라스틱 미세 입자, 수산물 내장에서 잇따라 검출
한국 해역 오염 세계 최고 수준, 먹이 그물 거쳐 인체 도달 가능성도

(가) 미세 플라스틱은 맨눈으로는 잘 보이지 않는 5밀리미터 이하의 작은 플라스틱 조각으로, 현재 전 세계 대부분의 바다에서 발견되고 있다. 바다에는 해저 지각에서 녹아 나온 물질과 육지에서 바람에 날리거나 강물을 타고 흘러든 온갖 물질이 섞여 있는데, 인류는 지난 수십 년 사이에 미세 플라스틱이라는 새로운 물질을 바다에 대량으로 섞어 넣었다.

(나) 미세 플라스틱이 사람들의 눈길을 끌기 시작한 것은 오래되지 않았다. 불과 십몇 년 전까지만 해도 사람들은 버려진 그물에 걸리거나 떠다니는 비닐봉지를 먹이로 잘못 알고 삼켰다가 죽은 해양 생물의 불행에만 주로 관심이 있었다. 그러다 2004년 세계적인 권위를 지닌 과학 잡지 『사이언스(Science)』에 영국 플리머스 대학의 리처드 톰슨 교수가 바닷속 미세 플라스틱이 1960년대 이후 계속 증가해 왔다는 내용의 논문을 발표했다. 그 후로 미세 플라스틱이 해양 생태계에 끼치는 영향을 규명하려는 후속 연구들이 이어졌다.

(다) 최근에는 각질 제거나 세정, 연마 등의 기능을 위해 1밀리미터 정도의 작은 미세 플라스틱을 넣은 화장품이나 치약 같은 생활용품이 미세 플라스틱 문제의 원인으로 주목받고 있다. 이런 제품 가운데는 지름 500마이크로미터 이하의 플라스틱 알갱이들이 수십만 개까지 들어 있는 것도 있다. 이처럼 생산 당시 의도적으로 작게 만든 플라스틱을 '1차 미세 플라스틱'이라고 하는데, 이 알갱이들은 하수 처리장에서 걸러지지 않은 채 바다로 흘러든다.

(라) 미세 플라스틱은 바다에 떠다니는 다양한 플라스틱계 쓰레기가 파도나 자외선 때문에 부서져 만들어지기도 한다. 못 쓰게 된 어구, 페트병, 일회용 숟가락, 비닐봉지, 담배꽁초 필터, 합성 섬유 등 각종 플라스틱이 함유된 생활용품이 부서져 만들어진 미세 플라스틱을 '2차 미세 플라스틱'이라고 한다. 아직까지는 1차 미세 플라스틱에 비해 2차 미세 플라스틱의 비중이 더 높다는 게 전문가들의 설명이다.

(마) 해양 생물들이 플라스틱 조각을 먹이로 알고 먹으면, 포만감을 주어 영양 섭취를 저해하거나 장기의 좁은 부분에 걸려 문제를 일으킬 수 있다. 또한 플라스틱은 제조 과정에서 첨가된 잔류성 유기 오염 물질을 포함하고 있으며 바다로 흘러들어 간 후에는 물속에 녹아 있는 다른 유해 물질까지 끌어당긴다. 미세 플라스틱을 먹이로 착각하고 먹은 플랑크톤을 작은 물고기가 섭취하고, 작은 물고기를 다시 큰 물고기가 섭취하는 먹이 사슬 과정에서 농축된 미세 플라스틱의 독성 물질은 해양 생물의 생식력을 떨어뜨릴 수 있다.

(바) 미세 플라스틱은 인간에게도 위협이 될 수 있다. 한국 해양 과학 기술원의 실험 결과, 양식장 부표로 사용하는 발포 스티렌은 나노(10억분의 1) 크기까지 쪼개지는 것으로 확인되었다. 나노 입자는 생체의 주요 장기는 물론 뇌 속까지 침투할 수 있는 것으로 알려져 있다. 내장을 제거하지 않고 통째로 먹는 작은 물고기나 조개류를 즐기는 이들은 수산물의 체내에서 미처 배출되지 못한 미세 플라스틱을 함께 섭취할 위험이 상대적으로 높아지는 셈이다.

미세 플라스틱이 인간에게 어느 정도 위협이 되는지 현재로서는 과학자들도 분명한 답을 내놓지 못하고 있다. 하지만 미국이나 영국 등의 나라에서는 사람이나 환경에 심각한 피해를 줄 우려가 있으면 인과 관계가 확실히 입증되기 전이라도 필요한 조처를 해야 한다는 '사전 예방의 원칙'에 따라 이미 여러 환경 단체가 미세 플라스틱을 추방하기 위한 활동을 활발히 하고 있다. 이들은 치약이나 세정용 각질 제거제 등을 생산하는 제조업체들에 미세 플라스틱 알갱이를 호두 껍데기나 코코넛 껍질과 같은 유기 물질로 대체하도록 촉구하고 있다. 또한 소비자들에게는 미세 플라스틱이 함유된 생활용품을 쓰지 않도록 하는 캠페인을 진행 중이다.

(사) 한국의 남해 연안 바닷물 속의 미세 플라스틱 오염도는 세계 최고 수준이다. 한국 해양 과학 기술원의 유류·유해 물질 연구단이 조사한 것을 보면, ○○시 해역 바닷물 1세제곱미터에는 평균 21만 개의 미세 플라스틱 입자가 들어 있다.

이것은 싱가포르 해역 바닷물 속 미세 플라스틱 평균 개수인 2,000개보다 100배 넘게 많은 것이다.

한국 해양 과학 기술원의 심△△ 연구단장은 "미세 플라스틱 연구가 본격적으로 시작된 지 십 년도 안 돼 아직 심각성과 관련하여 말하기는 어렵지만, 우려할 순간이 되면 이미 되돌릴 수 없으므로 우리나라에서도 예방 차원에서 좀 더 관심을 기울일 필요가 있다."라고 강조했다.

– 『한겨레』, 2014년 4월 16일 기사 –

01 (가)~(마)의 중심 내용으로 적절하지 않은 것은?

① (가) : 미세 플라스틱의 개념 및 현황
② (나) : 미세 플라스틱을 사용하게 된 계기
③ (다) ; 1차 미세 플라스틱의 개념
④ (라) : 2차 미세 플라스틱의 개념
⑤ (마) : 미세 플라스틱이 해양 생태계에 끼치는 영향

02 윗글을 읽고 독자가 이해한 내용으로 가장 적절한 것은?

① 하수처리장을 보수함으로써 문제를 해결할 수 있겠어.
② 하위 포식자일수록 오염 물질의 농축 정도가 더욱 심해져.
③ 사람들은 1960년대부터 미세 플라스틱에 관심을 갖기 시작했군.
④ 인간은 수산물 섭취 시 미세 플라스틱이 뇌에 침투할 가능성도 있겠군.
⑤ 싱가포르처럼 한국도 남해안에서의 양식업을 규제하면 문제를 해결할 수 있어.

03 (다)~(사)에 함께 제시하면 좋을 보조 자료로 적절하지 않은 것은?

① (다) : 미세 플라스틱이 사용된 치약을 현미경으로 본 모습
② (라) : 플라스틱 수입량 변화를 나타내는 도표
③ (마) : 미세 플라스틱을 먹은 플랑크톤 사진
④ (바) : 양식장에 쓰이는 발포 스티렌 사진
⑤ (사) : 국가별 미세 플라스틱 평균 밀도를 보여주는 그래프

바닷속 미세 플라스틱의 위협

수십 년 흘러든 플라스틱 미세 입자, 수산물 내장에서 잇따라 검출
한국 해역 오염 세계 최고 수준, 먹이 그물 거쳐 인체 도달 가능성도

(가) 미세 플라스틱은 맨눈으로는 잘 보이지 않는 5밀리미터 이하의 작은 플라스틱 조각으로, 현재 전 세계 대부분의 바다에서 발견되고 있다. 바다에는 해저 지각에서 녹아 나온 물질과 육지에서 바람에 날리거나 강물을 타고 흘러든 온갖 물질이 섞여 있는데, 인류는 지난 수십 년 사이에 미세 플라스틱이라는 새로운 물질을 바다에 대량으로 섞어 넣었다.

미세 플라스틱이 사람들의 눈길을 끌기 시작한 것은 오래되지 않았다. 불과 십몇 년 전까지만 해도 사람들은 버려진 그물에 걸리거나 떠다니는 비닐봉지를 먹이로 잘못 알고 삼켰다가 죽은 해양 생물의 불행에만 주로 관심이 있었다. 그러다 2004년 세계적인 권위를 지닌 과학 잡지 『사이언스(Science)』에 영국 플리머스 대학의 리처드 톰슨 교수가 바닷속 미세 플라스틱이 1960년대 이후 계속 증가해 왔다는 내용의 논문을 발표했다. 그 후로 미세 플라스틱이 해양 생태계에 끼치는 영향을 규명하려는 후속 연구들이 이어졌다.

(나) 최근에는 각질 제거나 세정, 연마 등의 기능을 위해 1밀리미터 정도의 작은 미세 플라스틱을 넣은 화장품이나 치약 같은 생활용품이 미세 플라스틱 문제의 원인으로 주목받고 있다. 이런 제품 가운데는 지름 500마이크로미터 이하의 플라스틱 알갱이들이 수십만 개까지 들어 있는 것도 있다. 이처럼 생산 당시 의도적으로 작게 만든 플라스틱을 '1차 미세 플라스틱'이라고 하는데, 이 알갱이들은 하수 처리장에서 걸러지지 않은 채 바다로 흘러든다.

미세 플라스틱은 바다에 떠다니는 다양한 플라스틱계 쓰레기가 파도나 자외선 때문에 부서져 만들어지기도 한다. 못 쓰게 된 어구, 페트병, 일회용 숟가락, 비닐봉지, 담배꽁초 필터, 합성 섬유 등 각종 플라스틱이 함유된 생활용품이 부서져 만들어진 미세 플라스틱을 '2차 미세 플라스틱'이라고 한다. 아직까지는 1차 미세 플라스틱에 비해 2차 미세 플라스틱의 비중이 더 높다는 게 전문가들의 설명이다.

(다) 해양 생물들이 플라스틱 조각을 먹이로 알고 먹으면, 포만감을 주어 영양 섭취를 저해하거나 장기의 좁은 부분에 걸려 문제를 일으킬 수 있다. 또한 플라스틱은 제조 과정에서 첨가된 잔류성 유기 오염 물질을 포함하고 있으며 바다로 흘러들어 간 후에는 물속에 녹아 있는 다른 유해 물질까지 끌어당긴다. 미세 플라스틱을 먹이로 착각하고 먹은 플랑크톤을 작은 물고기가 섭취하고, 작은 물고기를 다시 큰 물고기가 섭취하는 먹이 사슬 과정에서 농축된 미세 플라스틱의 독성 물질은 해양 생물의 생식력을 떨어뜨릴 수 있다.

미세 플라스틱은 인간에게도 위협이 될 수 있다. 한국 해양 과학 기술원의 실험 결과, 양식장 부표로 사용하는 발포 스티렌은 나노(10억분의 1) 크기까지 쪼개지는 것으로 확인되었다. 나노 입자는 생체의 주요 장기는 물론 뇌 속까지 침투할 수 있는 것으로 알려져 있다. 내장을 제거하지 않고 통째로 먹는 작은 물고기나 조개류를 즐기는 이들은 수산물의 체내에서 미처 배출되지 못한 미세 플라스틱을 함께 섭취할 위험이 상대적으로 높아지는 셈이다.

(라) 미세 플라스틱이 인간에게 어느 정도 위협이 되는지 현재로서는 과학자들도 분명한 답을 내놓지 못하고 있다. 하지만 미국이나 영국 등의 나라에서는 사람이나 환경에 심각한 피해를 줄 우려가 있으면 인과 관계가 확실히 입증되기 전이라도 필요한 조처를 해야 한다는 '사전 예방의 원칙'에 따라 이미 여러 환경 단체가 미세 플라스틱을 추방하기 위한 활동을 활발히 하고 있다. 이들은 치약이나 세정용 각질 제거제 등을 생산하는 제조업체들에 미세 플라스틱 알갱이를 호두 껍데기나 코코넛 껍질과 같은 유기 물질로 대체하도록 촉구하고 있다. 또한 소비자들에게는 미세 플라스틱이 함유된 생활용품을 쓰지 않도록 하는 캠페인을 진행 중이다.

국내의 환경 운동 단체들도 발포 스티렌 부표가 부서져서 생기는 2차 미세 플라스틱을 줄이기 위해 부표의 소재를 다른 재료로 바꾸거나 사용을 줄이는 양식법을 개발할 것을 정부에 제안했다. 이는 해양 수산부의 해양 쓰레기 관리 기본 계획에 반영되었고, 해당 기관은 어민들과 함께 발포 스티렌 부표 폐기물 발생을 줄일 수 있는 구체적인 방안을 찾아 적용하는 사업을 펼칠 계획이다.

(마) 한국의 남해 연안 바닷물 속의 미세 플라스틱 오염도는 세계 최고 수준이다. 한국 해양 과학 기술원의 유류·유해 물질 연구단이 조사한 것을 보면, ○○시 해역 바닷물 1세제곱미터에는 평균 21만 개의 미세 플라스틱 입자가 들어 있다. 이것은 싱가포르 해역 바닷물 속 미세 플라스틱 평균 개수인 2,000개보다 100배 넘게 많은 것이다.

한국 해양 과학 기술원의 심△△ 연구단장은 "미세 플라스틱 연구가 본격적으로 시작된 지 십 년도 안 돼 아직 심각성과 관련하여 말하기는 어렵지만, 우려할 순간이 되면 이미 되돌릴 수 없으므로 우리나라에서도 예방 차원에서 좀 더 관심을 기울일 필요가 있다."라고 강조했다.

- 『한겨레』, 2014년 4월 16일 기사 -

04 (가)~(마)에 대한 설명으로 적절하지 <u>않은</u> 것은?

① (가) : 미세 플라스틱의 개념과 현황을 밝히며 미세 플라스틱이 사람들에게 주목받게 된 것이 그리 오래되지 않았음을 짐작케 한다.

② (나) : 생활용품이 부서져 만들어진 미세 플라스틱보다 생산 당시 의도적으로 작게 만들어진 미세 플라스틱이 문제의 원인으로 더 비중이 높은 현황을 전문가의 입을 빌어 밝히고 있다.

③ (다) : 미세 플라스틱이 해양 생물뿐 아니라 인간에게도 영향을 미칠 수 있음을 관련 기관의 실험 자료를 활용하여 입증하고 있다.

④ (라) : 미세 플라스틱 문제 해결을 위한 국내외 환경 단체의 노력을 구체적인 사례 중심으로 전달하고 있다.

⑤ (마) : 기관의 연구 결과 수치와 전문가의 견해를 활용하여 미세 플라스틱 문제의 심각성을 강조하고 관심을 촉구하고 있다.

05 다음은 윗글을 보완하기 위해 추가로 수집한 자료이다. 자료 활용 방안에 대한 논의로 적절한 것만을 〈보기〉에서 고른 것은?

해양 플라스틱 오염이 식탁으로

전 세계 소금 표본 39개 가운데 90% 이상에서 미세 플라스틱 검출

우리가 매일 먹는 소금, 특히 바닷물로 만든 해염이 전 세계적으로 미세 플라스틱에 광범위하게 오염돼 있는 것으로 나타났다. 인천대학교 해양학과 김○○ 교수팀 국제 환경단체 그린피스와 함께 바다의 플라스틱 오염과 일상에서 소비되는 소금 오염의 상관관계를 보여주는 논문 '식용 소금에 함유된 미세 플라스틱의 국제적 양상 : 해양의 미세 플라스틱 오염 지표로서 해염'을 오늘 발표했다.

조사 대상 39개 브랜드 소금을 모두 합친 후, 이를 세계 평균 일일 소금 섭취량인 10그램씩 먹을 경우 매년 2,000개의 미세 플라스틱 조각을 함께 삼키게 된다. 플라스틱 오염도가 유독 높은 인도네시아 천일염을 제외하고 평균을 내더라고, 연간 수백 개의 미세 플라스틱이 소금을 통해 몸속으로 들어오는 것을 피하기 힘들다.

논문의 주요저자인 김○○ 교수는 "바다로 흘러드는 플라스틱이 해산물뿐 아니라 소금을 통해 다시 인간에게 되돌아오고 있는 것"이라며, "하지만 미세 플라스틱의 인체 침투 경로는 다양하고, 그 중 소금 섭취를 통한 침투는 약 6%로 상대적으로 적은 편"이라고 말했다. 김 교수는 "이 연구의 핵심은 해염 섭취의 위험성이 아니라, 우리가 환경에 배출하는 플라스틱 쓰레기의 양과 해염 섭취를 통해서 삼키게 되는 미세 플라스틱의 양이 매우 밀접하게 연관될 수 있음을 보여주는 것"이라고 덧붙였다.

ㄱ. 인지도가 높은 관련 기관과 단체의 연구 결과이므로 글의 신뢰도를 높이는 데 도움이 되겠군.

ㄴ. 미세플라스틱이 해양생태계에 미치는 영향에 대한 연구 결과이므로 (다) 뒤에 추가하는 것이 적절하겠군.

ㄷ. 조사 대상 해염의 미세 플라스틱 함유량 순위를 도표나 그래프로 덧붙이면 시각적으로 정보 파악이 용이하겠군.

ㄹ. 특히 소금은 우리가 매일 필수적으로 섭취하게 되는 성분이므로 미세플라스틱이 인체에 유입될 가능성을 구체적으로 짚어줄 수 있겠군.

ㅁ. 미세 플라스틱이 사람이나 환경에 미치는 피해를 객관적으로 입증하는 셈이니 (라)에 이어지는 '사전예방의 원칙'에 근거한 미세플라스틱 추방 활동 현황에 대한 설명은 수정할 필요가 있겠군.

① ㄱ, ㄴ, ㄹ   ② ㄱ, ㄴ, ㅁ   ③ ㄱ, ㄷ, ㄹ   ④ ㄴ, ㄷ, ㅁ   ⑤ ㄷ, ㄹ, ㅁ

06 윗글을 읽은 후의 반응으로 적절하지 <u>않은</u> 것은?

① 작은 물고기나 조개류의 섭취를 가급적 줄이는 노력이 필요하겠어.

② 미세 플라스틱이 들어간 물건의 사용을 줄이고 함부로 버리지 않도록 노력해야겠어.

③ 발포 스티렌을 사용하지 않는 새로운 양식법을 개발할 수 있도록 정부 차원의 지원이 필요하겠군.

④ 부표 폐기물 관련 대책 외에도 유기 오염 물질을 포함하지 않는 친환경 대체 물질을 개발하기 위한 국가적 투자와 지원이 필요하겠군.

⑤ 남해의 오염 문제 해결을 위해 어민 대상 인식 개선 교육을 실시하고, 싱가포르의 예방책을 참고하여 해결책을 모색해야겠군.

[07~09] 다음 글을 읽고, 물음에 답하시오.

바닷속 미세 플라스틱의 위협

수십 년 흘러든 플라스틱 미세 입자, 수산물 내장에서 잇따라 검출
한국 해역 오염 세계 최고 수준, 먹이 그물 거쳐 인체 도달 가능성도

ㅤ⑤

ㅤㅤ바다에는 해저 지각에서 녹아 나온 물질과 육지에서 바람에 날리거나 강물을 타고 흘러든 온갖 물질이 섞여 있는데, 인류는 지난 수십 년 사이에 미세 플라스틱이라는 새로운 물질을 바다에 대량으로 섞어 넣었다.

미세 플라스틱이 사람들의 눈길을 끌기 시작한 것은 오래되지 않았다. 불과 십몇 년 전까지만 해도 사람들은 버려진 그물에 걸리거나 떠다니는 비닐봉지를 먹이로 잘못 알고 삼켰다가 죽은 해양 생물의 불행에만 주로 관심이 있었다. 그러다 2004년 세계적인 권위를 지닌 과학 잡지『사이언스(Science)』에 영국 플리머스 대학의 리처드 톰슨 교수가 바닷속 미세 플라스틱이 1960년대 이후 계속 증가해 왔다는 내용의 논문을 발표했다. 그 후로 미세 플라스틱이 해양 생태계에 끼치는 영향을 규명하려는 후속 연구들이 이어졌다.

＿＿＿＿＿＿＿＿＿＿＿ ㉡ ＿＿＿＿＿＿＿＿＿＿＿

이런 제품 가운데는 지름 500마이크로미터 이하의 플라스틱 알갱이들이 수십만 개까지 들어 있는 것도 있다. 이처럼 생산 당시 의도적으로 작게 만든 플라스틱을 '1차 미세 플라스틱'이라고 하는데, 이 알갱이들은 하수 처리장에서 걸러지지 않은 채 바다로 흘러든다.

미세 플라스틱은 바다에 떠다니는 다양한 플라스틱계 쓰레기가 파도나 자외선 때문에 부서져 만들어지기도 한다. 못 쓰게 된 어구, 페트병, 일회용 숟가락, 비닐봉지, 담배꽁초 필터, 합성 섬유 등 각종 플라스틱이 함유된 생활용품이 부서져 만들어진 미세 플라스틱을 '2차 미세 플라스틱'이라고 한다. 아직까지는 1차 미세 플라스틱에 비해 2차 미세 플라스틱의 비중이 더 높다는 게 전문가들의 설명이다.

해양 생물들이 플라스틱 조각을 먹이로 알고 먹으면, 포만감을 주어 영양 섭취를 저해하거나 장기의 좁은 부분에 걸려 문제를 일으킬 수 있다. 또한 플라스틱은 제조 과정에서 첨가된 잔류성 유기 오염 물질을 포함하고 있으며 바다로 흘러들어 간 후에는 물속에 녹아 있는 다른 유해 물질까지 끌어당긴다. 미세 플라스틱을 먹이로 착각하고 먹은 플랑크톤을 작은 물고기가 섭취하고, 작은 물고기를 다시 큰 물고기가 섭취하는 먹이 사슬 과정에서 농축된 미세 플라스틱의 독성 물질은 해양 생물의 생식력을 떨어뜨릴 수 있다.

미세 플라스틱은 인간에게도 위협이 될 수 있다. 한국 해양 과학 기술원의 실험 결과, 양식장 부표로 사용하는 발포 스티렌은 나노(10억분의 1) 크기까지 쪼개지는 것으로 확인되었다. 나노 입자는 생체의 주요 장기는 물론 뇌 속까지 침투할 수 있는 것으로 알려져 있다. 내장을 제거하지 않고 통째로 먹는 작은 물고기나 조개류를 즐기는 이들은 수산물의 체내에서 미처 배출되지 못한 미세 플라스틱을 함께 섭취할 위험이 상대적으로 높아지는 셈이다.

미세 플라스틱이 인간에게 어느 정도 위협이 되는지 현재로서는 과학자들도 분명한 답을 내놓지 못하고 있다. 하지만 미국이나 영국 등의 나라에서는 사람이나 환경에 심각한 피해를 줄 우려가 있으면 인과 관계가 확실히 입증되기 전이라도 필요한 조처를 해야 한다는 '사전 예방의 원칙'에 따라 이미 여러 환경 단체가 미세 플라스틱을 추방하기 위한 활동을 활발히 하고 있다.

＿＿＿＿＿＿＿＿＿＿＿ ㉢ ＿＿＿＿＿＿＿＿＿＿＿

또한 소비자들에게는 미세 플라스틱이 함유된 생활용품을 쓰지 않도록 하는 캠페인을 진행 중이다.

국내의 환경 운동 단체들도 발포 스티렌 부표가 부서져서 생기는 2차 미세 플라스틱을 줄이기 위해 부표의 소재를 다른 재료로 바꾸거나 사용을 줄이는 양식법을 개발할 것을 정부에 제안했다. 이는 해양 수산부의 해양 쓰레기 관리 기본 계획에 반영되었고, 해당 기관은 어민들과 함께 발포 스티렌 부표 폐기물 발생을 줄일 수 있는 구체적인 방안을 찾아 적용하는 사업을 펼칠 계획이다.

＿＿＿＿＿＿＿＿＿＿＿ ㉣ ＿＿＿＿＿＿＿＿＿＿＿

한국 해양 과학 기술원의 유류·유해 물질 연구단이 조사한 것을 보면, ○○시 해역 바닷물 1세제곱미터에는 평균 21만 개의 미세 플라스틱 입자가 들어 있다. 이것은 싱가포르 해역 바닷물 속 미세 플라스틱 평균 개수인 2,000개보다 100배 넘게 많은 것이다.

＿＿＿＿＿＿＿＿＿＿＿ ㉤ ＿＿＿＿＿＿＿＿＿＿＿

－『한겨레』, 2014년 4월 16일 기사 －

07 윗글을 읽고 난 학생의 평가로 적절하지 <u>않은</u> 것은?

① 플라스틱 오염의 심각성을 알리고 경각심을 갖게 하려는 글쓴이의 의도가 표제에 잘 드러나 있는 것 같아.

② 제품 속 미세 플라스틱이 문제가 아니라 생활용품으로 만들어진 플라스틱의 위험이 더 큰 것 같아.

③ 바닷속 생물의 생식력이 떨어져 우리가 식탁에서 먹을 수 있는 생선이 점점 사라지게 될 거야.

④ 양식장에서 발포 스티렌 부표를 없애지 않으면 인간의 뇌는 치명적인 영향을 받지 않을까?

⑤ '사전예방 원칙'으로 인해 사람들이 예방적 차원의 해결책을 찾으려고 노력할 것 같아.

08 ㉠~㉤에 들어갈 내용을 계획한 것으로 적절하지 <u>않은</u> 것은?

① ㉠ : 미세 플라스틱의 개념을 통해 다루고자 하는 내용의 본질을 명확하게 함.

② ㉡ : 1차 미세 플라스틱 문제의 원인을 제시하고 제품 속 미세 플라스틱의 모습을 볼 수 있는 사진 자료를 첨가함.

③ ㉢ : 미세 플라스틱을 줄이기 위한 노력들을 사례로 언급함.

④ ㉣ : 한국 바다의 오염도가 세계 최고 수준임을 알리며 각국의 미세 플라스틱 평균 밀도를 비교한 자료를 추가함.

⑤ ㉤ : 발포 스티렌 부표의 심각성을 알리는 사진을 제시하고 전문가의 견해를 내세워 예방 차원의 문제해결에 관심을 가질 것을 촉구함.

09 윗글에 대한 설명으로 적절하지 <u>않은</u> 것은?

① 한국 해양 과학기술원과의 면담 내용을 인용하여 내용의 신뢰도를 높인다.

② 표제와 부제를 제시하여 독자가 신문 기사의 내용을 한눈에 파악할 수 있게 하였다.

③ 미세 플라스틱 생성 과정 및 현황 문제점을 사실적으로 서술하였다.

④ 미세 플라스틱 문제에 대한 상반된 입장을 합리적으로 절충하고 있다.

⑤ 미세 플라스틱 문제에 대한 관심 및 예방적 차원의 대책을 촉구하였다.

[01~02] 다음 글을 읽고, 물음에 답하시오.

바닷속 미세 플라스틱의 위협

수십 년 흘러든 플라스틱 미세 입자, 수산물 내장에서 잇따라 검출
한국 해역 오염 세계 최고 수준, 먹이 그물 거쳐 인체 도달 가능성도

(가) 미세 플라스틱은 맨눈으로는 잘 보이지 않는 5밀리미터 이하의 작은 플라스틱 조각으로, 현재 전 세계 대부분의 바다에서 발견되고 있다. 바다에는 해저 지각에서 녹아 나온 물질과 육지에서 바람에 날리거나 강물을 타고 흘러든 온갖 물질이 섞여 있는데, 인류는 지난 수십 년 사이에 미세 플라스틱이라는 새로운 물질을 바다에 대량으로 섞어 넣었다.

(나) 미세 플라스틱이 사람들의 눈길을 끌기 시작한 것은 오래되지 않았다. 불과 십몇 년 전까지만 해도 사람들은 버려진 그물에 걸리거나 떠다니는 비닐봉지를 먹이로 잘못 알고 삼켰다가 죽은 해양 생물의 불행에만 주로 관심이 있었다. 그러다 2004년 세계적인 권위를 지닌 과학 잡지 『사이언스(Science)』에 영국 플리머스 대학의 리처드 톰슨 교수가 바닷속 미세 플라스틱이 1960년대 이후 계속 증가해 왔다는 내용의 논문을 발표했다. 그 후로 미세 플라스틱이 해양 생태계에 끼치는 영향을 규명하려는 후속 연구들이 이어졌다.

(다) 최근에는 각질 제거나 세정, 연마 등의 기능을 위해 1밀리미터 정도의 작은 미세 플라스틱을 넣은 화장품이나 치약 같은 생활용품이 미세 플라스틱 문제의 원인으로 주목받고 있다. 이런 제품 가운데는 지름 500마이크로미터 이하의 플라스틱 알갱이들이 수십만 개까지 들어 있는 것도 있다. 이처럼 생산 당시 의도적으로 작게 만든 플라스틱을 '1차 미세 플라스틱'이라고 하는데, 이 알갱이들은 하수 처리장에서 걸러지지 않은 채 바다로 흘러든다.

(라) 미세 플라스틱은 바다에 떠다니는 다양한 플라스틱계 쓰레기가 파도나 자외선 때문에 부서져 만들어지기도 한다. 못 쓰게 된 어구, 페트병, 일회용 숟가락, 비닐봉지, 담배꽁초 필터, 합성 섬유 등 각종 플라스틱이 함유된 생활용품이 부서져 만들어진 미세 플라스틱을 '2차 미세 플라스틱'이라고 한다. 아직까지는 1차 미세 플라스틱에 비해 2차 미세 플라스틱의 비중이 더 높다는 게 전문가들의 설명이다.

(마) 해양 생물들이 플라스틱 조각을 먹이로 알고 먹으면, 포만감을 주어 영양 섭취를 저해하거나 장기의 좁은 부분에 걸려 문제를 일으킬 수 있다. 또한 플라스틱은 제조 과정에서 첨가된 잔류성 유기 오염 물질을 포함하고 있으며 바다로 흘러들어 간 후에는 물속에 녹아 있는 다른 유해 물질까지 끌어당긴다. 미세 플라스틱을 먹이로 착각하고 먹은 플랑크톤을 작은 물고기가 섭취하고, 작은 물고기를 다시 큰 물고기가 섭취하는 먹이 사슬 과정에서 농축된 미세 플라스틱의 독성 물질은 해양 생물의 생식력을 떨어뜨릴 수 있다.

(바) 미세 플라스틱은 인간에게도 위협이 될 수 있다. 한국 해양 과학 기술원의 실험 결과, 양식장 부표로 사용하는 발포 스티렌은 나노(10억분의 1) 크기까지 쪼개지는 것으로 확인되었다. 나노 입자는 생체의 주요 장기는 물론 뇌 속까지 침투할 수 있는 것으로 알려져 있다. 내장을 제거하지 않고 통째로 먹는 작은 물고기나 조개류를 즐기는 이들은 수산물의 체내에서 미처 배출되지 못한 미세 플라스틱을 함께 섭취할 위험이 상대적으로 높아지는 셈이다.

(사) 미세 플라스틱이 인간에게 어느 정도 위협이 되는지 현재로서는 과학자들도 분명한 답을 내놓지 못하고 있다. 하지만 미국이나 영국 등의 나라에서는 사람이나 환경에 심각한 피해를 줄 우려가 있으면 인과 관계가 확실히 입증되기 전이라도 필요한 조처를 해야 한다는 '사전 예방의 원칙'에 따라 이미 여러 환경 단체가 미세 플라스틱을 추방하기 위한 활동을 활발히 하고 있다. 이들은 치약이나 세정용 각질 제거제 등을 생산하는 제조업체들에 미세 플라스틱 알갱이를 호두 껍데기나 코코넛 껍질과 같은 유기 물질로 대체하도록 촉구하고 있다. 또한 소비자들에게는 미세 플라스틱이 함유된 생활용품을 쓰지 않도록 하는 캠페인을 진행 중이다.

(아) 국내의 환경 운동 단체들도 발포 스티렌 부표가 부서져서 생기는 2차 미세 플라스틱을 줄이기 위해 부표의 소재를 다른 재료로 바꾸거나 사용을 줄이는 양식법을 개발할 것을 정부에 제안했다. 이는 해양 수산부의 해양 쓰레기 관리 기본 계획에 반영되었고, 해당 기관은 어민들과 함께 발포 스티렌 부표 폐기물 발생을 줄일 수 있는 구체적인 방안을 찾아 적용하는 사업을 펼칠 계획이다.

(자) 한국의 남해 연안 바닷물 속의 미세 플라스틱 오염도는 세계 최고 수준이다. 한국 해양 과학 기술원의 유류·유해 물질 연구단이 조사한 것을 보면, ○○시 해역 바닷물 1세제곱미터에는 평균 21만 개의 미세 플라스틱 입자가 들어 있다. 이것은 싱가포르 해역 바닷물 속 미세 플라스틱 평균 개수인 2,000개보다 100배 넘게 많은 것이다.

(차) 한국 해양 과학 기술원의 심△△ 연구단장은 "미세 플라스틱 연구가 본격적으로 시작된 지 십 년도 안 돼 아직 심각성과 관련하여 말하기는 어렵지만, 우려할 순간이 되면 이미 되돌릴 수 없으므로 우리나라에서도 예방 차원에서 좀 더 관심을 기울일 필요가 있다."라고 강조했다.

– 『한겨레』, 2014년 4월 16일 기사 –

---

01 글쓴이가 자신의 관점을 드러내기 위해 사용한 표현 방법 세 가지와 각각의 효과를 작성하시오.

> ┤ 조건 ├
> • 글씨체가 불분명할 경우 채점하지 않음
> • 맞춤법을 준수할 것
> • 각 표현 방법에 따른 효과를 각각 작성할 것

02 윗글에 아래의 자료를 추가하려고 한다. 각각의 <u>자료가 들어갈 문단의 위치</u>와 <u>그에 따른 효과</u>를 서술하시오.

┤ 자료 1 ├

태풍이 지나가면서 양식장 발포 스티렌 부표에서 부서져 나온 미세 플라스틱

┤ 자료 2 ├

국가별 해안에서 검출된 미세 플라스틱의 평균 밀도 그래프

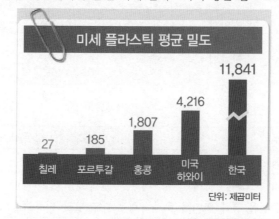

펼쳐라, 설득하는 글쓰기

◆ 설득하는 글쓰기의 이해

1. 다음 글을 읽고 설득하는 글의 특성을 알아보자.

날마다 새로운 기능과 디자인의 상품이 쏟아져 나오는 현대 사회에서 우리는 어떤 상품을 선택하고 구매해야 할
<sub 질문의 방식을 통해 독자의 관심과 흥미 유발>
까? 대부분의 소비는 가격과 품질에서 높은 만족을 얻을 수 있는 방향으로 결정된다. 이른바 '합리적 소비'를 추구하
소비를 결정짓는 요소   대다수 현대인들의 소비 경향
는 것이다. 그러나 최근에는 저개발국의 인권이나 환경 보호에 관심이 커지면서 '윤리적 소비'와 관련한 인식이 널리
윤리적 소비에 대한 관심이 커진 배경
퍼지고 있다. 윤리적 소비란 인간, 동물, 자연환경에 해를 끼치지 않고 윤리적으로 생산된 상품을 구매하는 것을 말
윤리적 소비의 정의
한다.

윤리적 소비는 더 나은 세상을 만들기 위한 정당한 권리 행사이다. 흔히 소비를 '시장 경제 시대의 투표'라고 표현
윤리적 소비의 의의 ①   소비 행위를 '투표'에 비유하여 윤리적 소비가 소비자의 정당한 권리 행사임을 강조함
한다. 현재 우리가 살고 있는 자본주의 사회에서는 소비자들의 선택에 따라 시장에서 공급되는 상품의 종류와 양이
소비자의 수요에 따라 결정되는 상품의 공급
달라진다. 소비자들은 특정 상품을 사거나 사지 않는 선택을 함으로써 자신이 추구하는 가치를 드러낼 수 있다. 우리
가 가난한 아동들의 노동으로 만든 제품을 구매하지 않는 것은 노동자를 착취하는 행위에 반대하는 것이고, 친환경
윤리적 소비로 소비자의 가치를 드러내는 예
제품을 구매하는 것은 환경 보호에 지지를 보내는 것이다.

윤리적 소비는 세계의 빈곤 문제 해결에 기여한다. 세계 인권 선언 제23조에서는 "모든 사람은 차별 없이 동일한
윤리적 소비의 의의 ②   공신력 있는 문서의 내용을 인용하여 글쓴이 주장의 신뢰성을 높임
노동을 하면 동일한 보수를 받을 권리가 있다."라고 규정하고 있다. 그러나 아직도 수많은 제삼 세계 노동자가 혹독
노동에 대한 대가를 제대로 받지 못하고 있는 제삼 세계 노동자의 현실
한 노동을 하면서도 아주 적은 대가를 받는다. 그런데 우리가 노동자에게 공정한 노동의 대가를 지급한 제품을 구매
하면, 그들의 빈곤을 완화하고 경제적 자립을 도울 수 있다.

또한 윤리적 소비는 지구를 지키는 친환경 소비이다. 윤리적 소비자는 지역 농산물이나 유기농 식품을 구매할 뿐
윤리적 소비의 의의 ③
만 아니라, 동물 실험을 하거나 오염 물질을 배출하는 기업을 상대로 불매 운동을 벌이기도 한다. 이것은 지구를 더
는 훼손하지 않고 다음 세대에 물려주기 위한 노력의 일환이다.

생활이 달라져야 의식이 바뀌고, 소비가 바뀌어야 세상이 변한다. 세상은 더 나은 세상을 원한다는 말만으로 변하
현대인이 지향하는 합리적 소비 의식을 바꾸고 윤리적 소비를 통해 공생하는 사회를 만들 수 있음
지 않는다. 윤리적 소비는 생산자와 소비자, 노동자와 기업, 지구와 인류의 공생을 위한 첫걸음이다. 어떻게 살[買]
비유적 표현을 활용하여 윤리적 소비의 의의를 강조함
것인가는 결국 어떻게 함께 살[生] 것인가의 다른 말이다.

⊙ 핵심정리

갈래	논설문	성격	설득적
주제	합리적 소비의 대안으로 부상한 윤리적 소비의 의의		
특징	• 윤리적 소비의 뜻을 정의하여 독자에게 명확히 전달함. • 비유법을 통해 의미를 효과적으로 강조하고, 인용법을 통해 주장의 신뢰성을 높임.		

(1) 글쓴이가 이 글을 쓰기 위해 고려했을 쓰기 맥락을 분석해 보자.

[예시답안]

- **목적:** 현대인이 지향하고 있는 합리적 소비를 최근 태동하고 있는 윤리적 소비와 대비하면서 현대인의 소비에 대한 의식을 바꾸고 함께 잘 살아갈 수 있는 사회를 만들기 위한 대안을 모색하기 위함.

- **주제:** 합리적 소비의 대안으로 부상한 윤리적 소비의 의의

- **독자:** 현대 자본주의 사회를 살아가는 모든 사람들

(2) 이 글의 주장과 근거를 찾아보자.

[예시답안]

주장	합리적 소비에 대한 성찰과 윤리적 소비에 대한 올바른 인식을 통해 공생할 수 있는 사회를 만들자.

▲

근거	• 윤리적 소비는 더 나은 세상을 만들기 위한 권리 행사이다. • 윤리적 소비는 빈곤 문제 해결에 기여한다 • 윤리적 소비는 지구를 지키는 친환경 소비이다.

(3) 글쓴이가 자신의 주장을 효과적으로 내세우기 위해 사용한 표현 방법이 드러난 부분을 찾고, 표현 방법의 효과를 정리해 보자.

[예시답안]

표현 방법	표현 방법이 드러난 부분	표현 방법의 효과
정의	윤리적 소비란 인간, 동물, 자연환경에 해를 끼치지 않고 윤리적으로 생산된 상품을 구매하는 것을 말한다.	윤리적 소비의 뜻을 명확히 밝힘으로써 그 범위를 규정짓고 본질을 독자에게 정확히 전달함.
비유	흔히 소비를 '시장 경제 시대의 투표'라고 표현한다	소비 행위를 투표에 비유하여 윤리적 소비가 소비자의 정당한 권리 행사임을 강조함.
인용	세계 인권 선언 제23조에서는 "모든 사람은 차별 없이 동일한 노동을 하면 동일한 보수를 받을 권리가 있다."라고 규정하고 있다.	'세계 인권 선언'이라는 공신력 있는 문서를 근거로 제시함으로써 글쓴이 주장의 신뢰성을 확보함.

(4) 다음 자료를 활용하여 이 글을 보완하려고 한다. 쓰기 맥락을 고려하여 자료의 구체적인 활용 방안과 효과를 써 보자.

> 소비자의 의식 변화에 발맞춰 기업들도 윤리적 소비에 한발 더 다가서고 있다. 이제 공정 무역 초콜릿이나 커피를 판매하는 곳은 어렵지 않게 찾을 수 있다. '건강에 이롭지 않은 음료'로 눈총을 받아 온 한 탄산음료 회사는 최근 비용 부담을 감수하고 친환경 페트병을 사용해 이미지 반전에 성공했다. 미국의 한 신발 회사는 한 켤레를 팔 때마다 아프리카 등 어려운 나라에 한 켤레를 기부하는 '착한 경영'을 펼치고 있다. 이와 같은 움직임은 소비자들의 의식 변화로 이루어진 것이라서 더욱 값지다.
>
> － 『소비자가 만드는 신문』, 2012년 6월 15일 칼럼 －

[예시답안]

- 활용 방안: 윤리적 소비의 의의 중 빈곤 문제 해결이나 친환경적 소비의 사례로 제시할 수 있다.
- 효과: 소비자의 의식 변화가 기업 경영의 변화로 이어질 수 있음을 보여 주는 자료로, 윤리적 소비가 공생을 위한 세상으로 한 걸음 더 나아갈 수 있게 만든다는 결론을 보강하여 주장을 강화할 수 있다.

■ 알아 두기 － 설득하는 글을 쓰는 방법

설득하는 글은 일반적으로 '서론－본론－결론'으로 구성되는데, 각 부분을 효과적으로 드러내기 위해 다양한 방법을 사용할 수 있다.

서론	문제의 배경이나 통념 언급, 화제의 정확한 개념 정의, 질문이나 주장으로 문제 제기, 화제의 현황이나 실태 제시 등의 방법을 사용하여 구성할 수 있다.
본론	주제의 일관성, 단락 간의 논리적 연관성, 중심 문장과 뒷받침 문장의 긴밀성 등을 고려하여 타당한 근거를 제시하고, 적절한 표지나 접속어를 활용하여 구성할 수 있다.
결론	본론 요약과 해결 방안 제시, 절충안이나 대안 제시, 기대 효과 언급 등의 방법을 사용하여 구성할 수 있다.

확인학습

01 합리적 소비와 윤리적 소비가 양립하는 것은 매우 힘들다. O☐ X☐

02 합리적인 소비를 위해서는 품질도 고려해야 한다. O☐ X☐

03 빈곤 문제는 윤리적 소비가 이뤄지지 않아서 생긴다. O☐ X☐

04 유기농 식품은 재배 과정에서 환경오염이 적게 발생한다. O☐ X☐

05 윤리적 소비에 대한 인식이 퍼진 것은 최근의 일이다. O☐ X☐

06 소비자는 구매를 통해 지지를, 불매를 통해 반대를 표현할 수 있다. O☐ X☐

07 소비자는 소비를 통해 자신의 뜻을 표현하고 생산자는 거기에 대응하면서 상호 작용한다. O☐ X☐

08 소비자는 상품 구입을 통해 여러 사회 문제들을 해결하는 데 간접적인 도움을 주게 된다. O☐ X☐

2. 다음 활동을 하며 쓰기 맥락에 따라 글이 어떻게 달라지는지 알아보자.

교장 선생님께

안녕하세요. 저는 1학년 3반 김시우입니다.

최근 우리 학교 매점에서 파는 식품을 사 먹은 몇 명의 학생들이 배탈이 난 일이 있었습니다. 저도 간식을 먹기 위
<small>교장 선생님께 건의문을 쓰게 된 배경</small>

해 매점을 자주 이용하는데, 매점에서 판매하는 식품의 안전이 염려되어 한 가지 건의를 드리려고 합니다.
<small>건의문을 쓰게 된 이유</small>

'교내 식품 안전 지킴이' 제도를 도입하여 우리 학교 매점에서 유해 · 불량 식품을 판매하지 않도록 해 주세요. 어린
<small>교장 선생님에게 요구하는 건의 사항</small>

이 식생활 안전 관리 특별법에 의하면 초 · 중 · 고교 매점은 학생들에게 안전하고 영양가 있는 식품을 공급하도록 노
<small>관련 법률 규정을 인용하여 주장에 대한 근거로 삼음</small>

력해야 합니다. 하지만 우리 학교 매점에서는 버젓이 유해 · 불량 식품을 판매하고 있습니다.
<small>법률을 어기고 있는 학교 매점의 운영 실태</small>

　학생들은 하루 중 대부분의 시간을 학교에서 보냅니다. 제 2의 가정인 학교에서 학생들의 건강을 책임지는 것은
<small>학생의 건강 유지 및 보호에 대한 학교의 책임을 주장의 근거로 삼음</small>

당연하다고 생각합니다. 학생들이 고열량 · 저영양의 식품을 섭취하여 영양 불균형 상태에 놓이는 것을 방지하고, 안

전한 먹거리를 섭취하여 바람직한 식습관을 가질 수 있도록 제 건의를 받아들여 주시기 바랍니다.

　학부모와 학생으로 구성된 '교내 식품 안전 지킴이'가 매점에서 판매하는 유해 · 불량 식품을 감독하고, 전교생을
<small>'교내 식품 안전 지킴이'의 구성 자격</small>　　　　　　　　　　　　　　　　　　　<small>'교내 식품 안전 지킴이'의 역할 ①</small>

대상으로 식품 안전 기초 교육을 하면 학생 스스로 안전한 식품을 섭취하고자 할 것입니다.
<small>'교내 식품 안전 지킴이'의 역할 ②</small>

　다시 한번 '교내 식품 안전 지킴이' 제도를 도입해 주시기를 당부드립니다. 감사합니다.

20○○년 ○월 ○일

1학년 3반 김시우 올림

(1) 이 건의문의 쓰기 맥락을 분석해 보자.

[예시답안]

목적	주제	독자
적절한 제도를 도입하고 식품 안전 교육을 해서 학교 매점에서 더 이상 유해 · 불량 식품을 판매하지 못하도록 하기 위함.	'교내 식품 안전 지킴이' 제도를 입해서 학교 매점에서 유해 · 불량 식품을 판매하지 않도록 해 달라.	교장 선생님

(2) 다음은 독자를 학생회로 바꾸어 (1)의 건의문을 다시 쓴 것이다. 독자에 따라 글에서 고려한 사항이 어떻게 달라졌는지 파악해 보자.

학생회 여러분에게

안녕하세요. 저는 1학년 3반 김시우입니다.

항상 우리 학교 학생들의 편안한 학교생활을 위해 애쓰는 학생회에 감사한 마음을 전하며 한 가지 건의 사항을 말씀드립니다.

<u>학생들이 교내 매점에서 안전한 식품을 사 먹을 수 있도록, 유해·불량 식품 근절 운동을 시행할 것을 대의원 회의 안건으로 채택해 주시기 바랍니다.</u> 건의 내용 교내 매점은 <u>어린이 식생활 안전 보호를 위해 시장, 군수 또는 자치구의 구청장이 지정하여 관리할 수 있는 '식품 안전 보호 구역'에 해당합니다.</u> 식품 안전 구역의 개념을 밝힘 식품 안전 보호 구역에서는 건강을 위협하는 유해·불량 식품의 판매를 금지하고 있습니다. 그런데 우리 학교 매점에서는 학생들의 건강을 해치는 유해·불량 식품을 버젓이 판매하고 있습니다.

학생회는 학생의 목소리를 대변하는 곳입니다. 지난달, 제가 속한 환경 동아리에서 1학년 학생 320명을 대상으로 우리 학교 매점에서 판매하고 있는 식품의 안전 관련 설문 조사를 하였습니다. <u>조사 결과 80퍼센트에 해당하는 학생들이 매점에서 판매하는 식품의 안전성이 의심된다고 답하였습니다.</u> 설문 조사 결과를 근거로 삼음

학생들이 안전성을 의심하면서도 <u>유해·불량 식품을 사 먹는 것은 관련 정보가 부족하기 때문입니다.</u> 유해·불량 식품 근절 운동을 해야 하는 이유 학생회에서 유해·불량 식품 근절 운동을 시행하여 학생들에게 관련 정보를 제공한다면 학생들이 바람직한 식습관을 기를 수 있을 것입니다.

위와 같은 사항을 신중하게 고려하여 대의원 회의 안건으로 채택해 주시기 바랍니다. 감사합니다.

20○○년 ○월 ○일

1학년 3반 김시우 올림.

[예시답안]

독자가 교장 선생님일 때	독자가 학생회일 때
'교내 식품 안전 지킴이' 제도를 도입할 것을 건의해야겠군.	'유해·불량 식품 근절 운동'을 시행할 것을 대의원 회의 안건으로 채택해 달라고 건의해야겠군.
'어린이 식생활 안전 관리 특별법'을 근거로 들어야겠군.	'식품 안전 보호 구역'의 개념을 자세히 설명하여 교내 매점에서 유해·불량 식품의 판매를 금지해야 하는 까닭을 쉽게 이해하도록 해야겠군.
학교를 가정에 빗대어 학생들의 건강을 책임지는 것도 학교의 역할임을 강조해야겠군.	우리 학교 학생들을 대상으로 실시한 설문 조사 결과를 근거로 제시하여 학생회가 학생들의 목소리를 대변해야 함을 강조해야겠군.

(3) 설득하는 글을 쓸 때 주제, 독자에 따라 제시하는 근거가 달라지는 까닭을 말해 보자.

[예시답안] 설득하는 글의 주제, 즉 주장이 달라지면 그 주장을 뒷받침하는 근거 역시 바뀌어야 한다. 또한 설득하는 글은 독자의 태도 변화를 목적으로 하기 때문에 같은 문제 상황이나 소재를 다루는 글일지라도 독자의 요구, 관심사, 수준, 처지, 입장 등에 따라 그에 맞는 근거를 들어 설득해야 한다.

■ **알아 두기 – 건의문을 쓸 때 유의할 점**

건의문은 개인이나 기관에 어떤 문제의 해결을 요구하거나 제안하는 글로, 설득을 목적으로 한다. 건의문을 쓸 때에는 다음과 같은 사항을 유의하도록 한다.

- 예상 독자를 바르게 선정하였는가?
- 문제점을 정확하게 파악하였는가?
- 건의 내용이 합리적이고 공정한가?
- 해결 방안이 구체적이고 실현 가능한가?
- 정중한 어투로 정확하고 바르게 표현하였는가?

확인학습 ....

01 이 글에서는 주장을 다시 한번 강조하여 자신의 설득력을 높였다. ○☐ ×☐

02 이 글은 문제 상황이 주는 실제 피해 사례를 들어 자신의 주장을 강조했다. ○☐ ×☐

03 이 글은 학생 설문 조사 결과를 실어서 자신의 요청이 여러 학생의 뜻임을 강조하였다. ○☐ ×☐

04 이 글은 상대의 논리적 허점을 지적하여 본인의 주장을 강조했다. ○☐ ×☐

05 이와 같은 글은 설득을 목적으로 하는 글을 읽을 때에는 비판적으로 읽는 것이 가장 중요하다. ○☐ ×☐

객관식 기본문제

[01~02] 다음 글을 읽고 물음에 답하시오.

(가) 날마다 새로운 기능과 디자인의 상품이 쏟아져 나오는 현대 사회에서 우리는 어떤 상품을 선택하고 구매해야 할까? 대부분의 소비는 가격과 품질에서 높은 만족을 얻을 수 있는 방향으로 결정된다. 이른바 ㉠'합리적 소비'를 추구하는 것이다. 그러나 최근에는 저개발국의 인권이나 환경 보호에 관심이 커지면서 ㉡'윤리적 소비'와 관련한 인식이 널리 퍼지고 있다. 윤리적 소비란 인간, 동물, 자연환경에 해를 끼치지 않고 윤리적으로 생산된 상품을 구매하는 것을 말한다.

윤리적 소비는 더 나은 세상을 만들기 위한 정당한 권리 행사이다. 흔히 소비를 '시장 경제 시대의 투표'라고 표현한다. 현재 우리가 살고 있는 ㉢자본주의 사회에서는 소비자들의 선택에 따라 시장에서 공급되는 상품의 종류와 양이 달라진다. 소비자들은 특정 상품을 사거나 사지 않는 선택을 함으로써 자신이 추구하는 가치를 드러낼 수 있다. 우리가 가난한 아동들의 노동으로 만든 제품을 구매하지 않는 것은 노동자를 착취하는 행위에 반대하는 것이고, 친환경 제품을 구매하는 것은 환경 보호에 지지를 보내는 것이다.

윤리적 소비는 세계의 빈곤 문제 해결에 기여한다. 세계 인권 선언 제23조에서는 "모든 사람은 차별 없이 동일한 노동을 하면 동일한 보수를 받을 권리가 있다."라고 규정하고 있다. 그러나 아직도 수많은 제삼 세계 노동자가 혹독한 노동을 하면서도 아주 적은 대가를 받는다. 그런데 우리가 노동자에게 공정한 노동의 대가를 지급한 제품을 구매하면, 그들의 빈곤을 완화하고 경제적 자립을 도울 수 있다.

또한 윤리적 소비는 지구를 지키는 친환경 소비이다. 윤리적 소비자는 지역 농산물이나 유기농 식품을 구매할 뿐만 아니라, ㉣동물 실험을 하거나 오염 물질을 배출하는 기업을 상대로 ㉤불매 운동을 벌이기도 한다. 이것은 지구를 더는 훼손하지 않고 다음 세대에 물려주기 위한 노력의 일환이다.

생활이 달라져야 의식이 바뀌고, 소비가 바뀌어야 세상이 변한다. 세상은 더 나은 세상을 원한다는 말만으로 변하지 않는다. 윤리적 소비는 생산자와 소비자, 노동자와 기업, 지구와 인류의 공생을 위한 첫걸음이다. 어떻게 살[買] 것인가는 결국 어떻게 함께 살[生] 것인가의 다른 말이다.

(나) 교장 선생님께

안녕하세요. 저는 1학년 3반 김시우입니다.

최근 우리 학교 매점에서 파는 식품을 사 먹은 몇 명의 학생들이 배탈이 난 일이 있었습니다. 저도 간식을 먹기 위해 매점을 자주 이용하는데, 매점에서 판매하는 식품의 안전이 염려되어 한 가지 건의를 드리려고 합니다.

'교내 식품 안전 지킴이' 제도를 도입하여 우리 학교 매점에서 유해·불량 식품을 판매하지 않도록 해 주세요. 어린이 식생활 안전 관리 특별법에 의하면 초·중·고교 매점은 학생들에게 안전하고 영양가 있는 식품을 공급하도록 노력해야 합니다. 하지만 우리 학교 매점에서는 버젓이 유해·불량 식품을 판매하고 있습니다.

학생들은 하루 중 대부분의 시간을 학교에서 보냅니다. 제 2의 가정인 학교에서 학생들의 건강을 책임지는 것은 당연하다고 생각합니다. 학생들이 고열량·저영양의 식품을 섭취하여 영양 불균형 상태에 놓이는 것을 방지하고, 안전한 먹거리를 섭취하여 바람직한 식습관을 가질 수 있도록 제 건의를 받아들여 주시기 바랍니다.

학부모와 학생으로 구성된 '교내 식품 안전 지킴이'가 매점에서 판매하는 유해·불량 식품을 감독하고, 전교생을 대상으로 식품 안전 기초 교육을 하면 학생 스스로 안전한 식품을 섭취하고자 할 것입니다.

다시 한번 '교내 식품 안전 지킴이' 제도를 도입해 주시기를 당부드립니다. 감사합니다.

20○○년 ○월 ○일
1학년 3반 김시우 올림.

(다) 학생회 여러분에게

안녕하세요. 저는 1학년 3반 김시우입니다.

항상 우리 학교 학생들의 편안한 학교생활을 위해 애쓰는 학생회에 감사한 마음을 전하며 한 가지 건의 사항을 말씀드립니다.

학생들이 교내 매점에서 안전한 식품을 사 먹을 수 있도록, 유해·불량 식품 근절 운동을 시행할 것을 대의원 회의 안건으로 채택해 주시기 바랍니다. 교내 매점은 어린이 식생활 안전 보호를 위해 시장, 군수 또는 자치구의 구청장이 지정하여 관리할 수 있는 '식품 안전 보호 구역'에 해당합니다. 식품 안전 보호 구역에서는 건강을 위협하는 유해·불량 식품의 판매를 금지하고 있습니다. 그런데 우리 학교 매점에서는 학생들의 건강을 해치는 유해·불량 식품을 버젓이 판매하고 있습니다.

　학생회는 학생의 목소리를 대변하는 곳입니다. 지난달, 제가 속한 환경 동아리에서 1학년 학생 320명을 대상으로 우리 학교 매점에서 판매하고 있는 식품의 안전 관련 설문 조사를 하였습니다. 조사 결과 80퍼센트에 해당하는 학생들이 매점에서 판매하는 식품의 안전성이 의심된다고 답하였습니다.

　학생들이 안전성을 의심하면서도 유해·불량 식품을 사 먹는 것은 관련 정보가 부족하기 때문입니다. 학생회에서 유해·불량 식품 근절 운동을 시행하여 학생들에게 관련 정보를 제공한다면 학생들이 바람직한 식습관을 기를 수 있을 것입니다.

　위와 같은 사항을 신중하게 고려하여 대의원 회의 안건으로 채택해 주시기 바랍니다. 감사합니다.

20○○년 ○월 ○일
1학년 3반 김시우 올림.

---

01 (가)를 바르게 이해한 것만을 〈보기〉에서 있는 대로 고른 것은?

> ┤ 보기 ├─
> ㄱ. ㉠은 ㉡보다 생산자와 소비자의 상호 작용을 중시한다.
> ㄴ. ㉡에는 특정 상품을 구매하지 않는 행위도 포함된다.
> ㄷ. 각 개념들의 단점을 비교하여 차이점을 부각하고 있다.
> ㄹ. 화제와 관련된 질문을 통해 독자의 관심을 유발하고 있다.
> ㅁ. ㉢,㉣,㉤은 글의 내용으로 보아 모두 글쓴이가 경계하는 소비형태에 해당한다.

① ㄱ, ㄴ　　　② ㄱ, ㄷ　　　③ ㄴ, ㄹ　　　④ ㄴ, ㄹ, ㅁ　　　⑤ ㄷ, ㄹ, ㅁ

02 (가)~(다)를 비교한 내용으로 가장 적절한 것은?

① (가)와 (나)는 모두 비유의 방법을 사용하고 있다.
② (나)와 (다)에 드러나는 쓰기 맥락 요소는 모두 동일하다.
③ (나)와 (다)의 궁극적인 목표는 독자를 이해시키는 것이다.
④ (다)와 달리 (나)는 '식품 안전 보호 구역'을 주된 근거로 내세우고 있다.
⑤ (가), (나), (다)는 모두 글쓴이의 개성적인 표현이 드러난 부분을 찾는 데 중점을 두면서 읽어야 하는 글이다.

[03~04] 다음 글을 읽고 물음에 답하시오.

(가) 날마다 새로운 기능과 디자인의 상품이 쏟아져 나오는 현대 사회에서 우리는 어떤 상품을 선택하고 구매해야 할까? 대부분의 소비는 가격과 품질에서 높은 만족을 얻을 수 있는 방향으로 결정된다. 이른바 '합리적 소비'를 추구하는 것이다. 그러나 최근에는 저개발국의 인권이나 환경 보호에 관심이 커지면서 '윤리적 소비'와 관련한 인식이 널리 퍼지고 있다. 윤리적 소비란 인간, 동물, 자연환경에 해를 끼치지 않고 윤리적으로 생산된 상품을 구매하는 것을 말한다.

윤리적 소비는 더 나은 세상을 만들기 위한 정당한 권리 행사이다. 흔히 소비를 '시장 경제 시대의 투표'라고 표현한다. 현재 우리가 살고 있는 자본주의 사회에서는 소비자들의 선택에 따라 시장에서 공급되는 상품의 종류와 양이 달라진다. 소비자들은 특정 상품을 사거나 사지 않는 선택을 함으로써 자신이 추구하는 가치를 드러낼 수 있다. 우리가 가난한 아동들의 노동으로 만든 제품을 구매하지 않는 것은 노동자를 착취하는 행위에 반대하는 것이고, 친환경 제품을 구매하는 것은 환경 보호에 지지를 보내는 것이다.

윤리적 소비는 세계의 빈곤 문제 해결에 기여한다. 세계 인권 선언 제23조에서는 "모든 사람은 차별 없이 동일한 노동을 하면 동일한 보수를 받을 권리가 있다."라고 규정하고 있다. 그러나 아직도 수많은 제삼 세계 노동자가 혹독한 노동을 하면서도 아주 적은 대가를 받는다. 그런데 우리가 노동자에게 공정한 노동의 대가를 지급한 제품을 구매하면, 그들의 빈곤을 완화하고 경제적 자립을 도울 수 있다.

또한 윤리적 소비는 지구를 지키는 친환경 소비이다. 윤리적 소비자는 지역 농산물이나 유기농 식품을 구매할 뿐만 아니라, 동물 실험을 하거나 오염 물질을 배출하는 기업을 상대로 불매 운동을 벌이기도 한다. 이것은 지구를 더는 훼손하지 않고 다음 세대에 물려주기 위한 노력의 일환이다.

생활이 달라져야 의식이 바뀌고, 소비가 바뀌어야 세상이 변한다. 세상은 더 나은 세상을 원한다는 말만으로 변하지 않는다. 윤리적 소비는 생산자와 소비자, 노동자와 기업, 지구와 인류의 공생을 위한 첫걸음이다. 어떻게 살[買] 것인가는 결국 어떻게 함께 살[生] 것인가의 다른 말이다.

(나) 교장 선생님께

안녕하세요. 저는 1학년 3반 김시우입니다.

최근 우리 학교 매점에서 파는 식품을 사 먹은 몇 명의 학생들이 배탈이 난 일이 있었습니다. 저도 간식을 먹기 위해 매점을 자주 이용하는데, 매점에서 판매하는 식품의 안전이 염려되어 한 가지 건의를 드리려고 합니다.

'교내 식품 안전 지킴이' 제도를 도입하여 우리 학교 매점에서 유해 · 불량 식품을 판매하지 않도록 해 주세요. 어린이 식생활 안전 관리 특별법에 의하면 초 · 중 · 고교 매점은 학생들에게 안전하고 영양가 있는 식품을 공급하도록 노력해야 합니다. 하지만 우리 학교 매점에서는 버젓이 유해 · 불량 식품을 판매하고 있습니다.

학생들은 하루 중 대부분의 시간을 학교에서 보냅니다. 제 2 의 가정인 학교에서 학생들의 건강을 책임지는 것은 당연하다고 생각합니다. 학생들이 고열량 · 저영양의 식품을 섭취하여 영양 불균형 상태에 놓이는 것을 방지하고, 안전한 먹거리를 섭취하여 바람직한 식습관을 가질 수 있도록 제 건의를 받아들여 주시기 바랍니다.

학부모와 학생으로 구성된 '교내 식품 안전 지킴이'가 매점에서 판매하는 유해 · 불량 식품을 감독하고, 전교생을 대상으로 식품 안전 기초 교육을 하면 학생 스스로 안전한 식품을 섭취하고자 할 것입니다.

다시 한번 '교내 식품 안전 지킴이' 제도를 도입해 주시기를 당부드립니다. 감사합니다.

20○○년 ○월 ○일
1학년 3반 김시우 올림.

03 다음을 참고하여 (가)를 공익광고로 제작할 때, 그 내용으로 적절하지 <u>않은</u> 것은?

> 공익광고는 상품 광고와는 달리 공익성을 바탕으로 시민 의식을 높이고 복지를 증진할 목적으로 제작된다. 공익 광고는 이해하기 쉽고 누구나 공감할 수 있어야 하므로 광고 문구는 되도록 짧고 강렬하게 만들고, 배경은 눈길을 끌 수 있는 색과 형상을 선택하여 제작하는 것이 좋다.
>
> 〈광고에 사용되는 여러 가지 설득 전략〉
> • 이야기를 만들어 보여주기
> • 운율적인 요소를 활용하기
> • 인상적인 이미지 제시하기
> • 인상적인 문구 제시하기
> • 주제와 어울리는 배경음악 활용하기

① 따뜻한 분위기의 잔잔한 배경음악과 함께 '더 좋은 세상 만들기'라는 제목을 제시하며 관심을 유발한다.

② '세계 인권 선언 제 23조'의 규정을 구체적으로 설명하며 가난한 아동들의 노동이 착취되는 비참한 현장의 영상을 삽입하여 실질적인 정보를 제공한다.

③ 친환경 제품이나 사회적 기업의 제품, 지역 농산물 등의 이미지와 자막을 통해 윤리적 소비의 구체적인 실천 방안을 제시한다.

④ 기업의 기부로 환히 웃는 난민 어린이, 정당한 대가를 받으며 일하는 제삼 세계 노동자의 모습 등을 사진으로 제시하여 윤리적 소비의 의의를 보여준다.

⑤ 생산자와 소비자, 노동자와 기업 등이 모두 손잡은 이미지와 함께 "작은 실천으로 더 나은 세상을 만드는 윤리적 소비, 함께해요"라는 문구를 자막으로 제시하여 실천 의지를 강조한다.

04 다음은 시우가 (나)를 쓰기 위해 작성한 메모의 일부이다. 고려한 내용이 글에 반영되지 <u>않은</u> 것은?

> • 매점에서 간식을 사 먹고 배탈이 난 나의 경험을 활용해 글을 쓰게 된 구체적인 배경과 이유를 밝혀야겠어. ⋯⋯⋯⋯⋯⋯⋯⋯⋯⋯⋯⋯⋯⋯⋯⋯⋯⋯⋯⋯⋯⋯⋯⋯⋯⋯⋯⋯⋯⋯⋯ ①
> • '교내 식품 안전 지킴이' 제도 도입을 요청하며 관련 법률 규정을 찾아 인용해서 설득력을 높여야겠어. ②
> • 학교를 가정에 빗대어 학생의 건강 유지 및 보호에 대한 학교의 책임을 강조하여 설득력을 높여야겠어. ③
> • '교내 식품 안전 지킴이' 제도의 긍정적인 역할에 대해 구체적으로 설명하여 설득력을 높여야겠어. ⋯ ④
> • 건의 내용을 수용해주길 거듭 강조하며 인사말로 마무리를 해야겠어. ⋯⋯⋯⋯⋯⋯⋯⋯⋯⋯⋯⋯⋯⋯⋯ ⑤

[05~06] 다음 글을 읽고 물음에 답하시오.

(가) 교장 선생님께

안녕하세요. 저는 1학년 3반 김시우입니다.

최근 우리 학교 매점에서 파는 식품을 사 먹은 몇 명의 학생들이 배탈이 난 일이 있었습니다. 저도 간식을 먹기 위해 매점을 자주 이용하는데, 매점에서 판매하는 식품의 안전이 염려되어 한 가지 건의를 드리려고 합니다.

'교내 식품 안전 지킴이' 제도를 도입하여 우리 학교 매점에서 유해·불량 식품을 판매하지 않도록 해 주세요. ㉠어린이 식생활 안전 관리 특별법에 의하면 초·중·고교 매점은 학생들에게 안전하고 영양가 있는 식품을 공급하도록 노력해야 합니다. 하지만 우리 학교 매점에서는 버젓이 유해·불량 식품을 판매하고 있습니다.

학생들은 하루 중 대부분의 시간을 학교에서 보냅니다. ㉡제 2의 가정인 학교에서 학생들의 건강을 책임지는 것은 당연하다고 생각합니다. 학생들이 고열량·저영양의 식품을 섭취하여 영양 불균형 상태에 놓이는 것을 방지하고, 안전한 먹거리를 섭취하여 바람직한 식습관을 가질 수 있도록 제 건의를 받아들여 주시기 바랍니다.

㉢학부모와 학생으로 구성된 '교내 식품 안전 지킴이'가 매점에서 판매하는 유해·불량 식품을 감독하고, 전교생을 대상으로 식품 안전 기초 교육을 하면 학생 스스로 안전한 식품을 섭취하고자 할 것입니다.

다시 한번 '교내 식품 안전 지킴이' 제도를 도입해 주시기를 당부드립니다. 감사합니다.

20○○년 ○월 ○일
1학년 3반 김시우 올림.

(나) 학생회 여러분에게

안녕하세요. 저는 1학년 3반 김시우입니다.

항상 우리 학교 학생들의 편안한 학교생활을 위해 애쓰는 학생회에 감사한 마음을 전하며 한 가지 건의 사항을 말씀드립니다.

학생들이 교내 매점에서 안전한 식품을 사 먹을 수 있도록, 유해·불량 식품 근절 운동을 시행할 것을 대의원 회의 안건으로 채택해 주시기 바랍니다. ㉣교내 매점은 어린이 식생활 안전 보호를 위해 시장, 군수 또는 자치구의 구청장이 지정하여 관리할 수 있는 '식품 안전 보호 구역'에 해당합니다. 식품 안전 보호 구역에서는 건강을 위협하는 유해·불량 식품의 판매를 금지하고 있습니다. 그런데 우리 학교 매점에서는 학생들의 건강을 해치는 유해·불량 식품을 버젓이 판매하고 있습니다.

학생회는 학생의 목소리를 대변하는 곳입니다. 지난달, 제가 속한 환경 동아리에서 1학년 학생 320명을 대상으로 우리 학교 매점에서 판매하고 있는 식품의 안전 관련 설문 조사를 하였습니다. ㉤조사 결과 80퍼센트에 해당하는 학생들이 매점에서 판매하는 식품의 안전성이 의심된다고 답하였습니다.

학생들이 안전성을 의심하면서도 유해·불량 식품을 사 먹는 것은 관련 정보가 부족하기 때문입니다. 학생회에서 유해·불량 식품 근절 운동을 시행하여 학생들에게 관련 정보를 제공한다면 학생들이 바람직한 식습관을 기를 수 있을 것입니다.

위와 같은 사항을 신중하게 고려하여 대의원 회의 안건으로 채택해 주시기 바랍니다. 감사합니다.

20○○년 ○월 ○일
1학년 3반 김시우 올림.

05 (가)와 (나)를 이해한 것으로 적절하지 않은 것은?

① (가)는 건의문을 쓰게 된 배경을 명확히 밝히고 있다.
② (가)와 (나)를 쓰게 된 목적은 결국 같다고 할 수 있다.
③ (가)와 (나)의 근거가 달라지는 이유는 독자의 차이로 인한 것이다.
④ (가)와 (나) 모두 학생들의 바람직한 식습관 형성에 관심을 갖고 있다.
⑤ (가)와 (나) 모두 '어린이 식생활 안전'에 대해 다루고 있다는 측면에서 건의 내용이 같다고 할 수 있다.

06 ⊙~⑩을 이해한 내용으로 적절하지 <u>않은</u> 것은?

① ⊙ : 관련 법률 규정을 주장에 대한 근거로 삼고 있어.
② ⓒ : 학교를 가정에 빗대어 학생들의 건강을 책임지는 것이 학교의 역할임을 강조하고 있어.
③ ⓒ : 건의 내용을 수정해 줄 것을 요구하는 구성팀의 역할을 제시하고 있어.
④ ② : 식품 안전 보호구역의 개념을 밝혀 요구사항을 분명히 하고 있어.
⑤ ⑩ : 설문조사 결과를 활용하여 주장에 대한 설득력을 높이고 있어.

[07~09] 다음 글을 읽고 물음에 답하시오.

날마다 새로운 기능과 디자인의 상품이 쏟아져 나오는 현대 사회에서 우리는 어떤 상품을 선택하고 구매해야 할까? 대부분의 소비는 가격과 품질에서 높은 만족을 얻을 수 있는 방향으로 결정된다. 이른바 '합리적 소비'를 추구하는 것이다. 그러나 최근에는 저개발국의 인권이나 환경 보호에 관심이 커지면서 '윤리적 소비'와 관련한 인식이 널리 퍼지고 있다. 윤리적 소비란 인간, 동물, 자연환경에 해를 끼치지 않고 윤리적으로 생산된 상품을 구매하는 것을 말한다.

윤리적 소비는 더 나은 세상을 만들기 위한 정당한 권리 행사이다. 흔히 소비를 '시장 경제 시대의 투표'라고 표현한다. 현재 우리가 살고 있는 자본주의 사회에서는 소비자들의 선택에 따라 시장에서 공급되는 상품의 종류와 양이 달라진다. 소비자들은 특정 상품을 사거나 사지 않는 선택을 함으로써 자신이 추구하는 가치를 드러낼 수 있다. 우리가 가난한 아동들의 노동으로 만든 제품을 구매하지 않는 것은 노동자를 착취하는 행위에 반대하는 것이고, 친환경 제품을 구매하는 것은 환경 보호에 지지를 보내는 것이다.

윤리적 소비는 세계의 빈곤 문제 해결에 기여한다. 세계 인권 선언 제23조에서는 "모든 사람은 차별 없이 동일한 노동을 하면 동일한 보수를 받을 권리가 있다."라고 규정하고 있다. 그러나 아직도 수많은 제삼 세계 노동자가 혹독한 노동을 하면서도 아주 적은 대가를 받는다. 그런데 우리가 노동자에게 공정한 노동의 대가를 지급한 제품을 구매하면, 그들의 빈곤을 완화하고 경제적 자립을 도울 수 있다.

또한 윤리적 소비는 지구를 지키는 친환경 소비이다. 윤리적 소비자는 지역 농산물이나 유기농 식품을 구매할 뿐만 아니라, 동물 실험을 하거나 오염 물질을 배출하는 기업을 상대로 불매 운동을 벌이기도 한다. 이것은 지구를 더는 훼손하지 않고 다음 세대에 물려주기 위한 노력의 일환이다.

생활이 달라져야 의식이 바뀌고, 소비가 바뀌어야 세상이 변한다. 세상은 더 나은 세상을 원한다는 말만으로 변하지 않는다. 윤리적 소비는 생산자와 소비자, 노동자와 기업, 지구와 인류의 공생을 위한 첫걸음이다. 어떻게 살[買] 것인가는 결국 어떻게 함께 살[生] 것인가의 다른 말이다.

07 윗글의 내용전개 방식으로 적절하지 <u>않은</u> 것은?

① 윤리적 소비의 뜻을 명확히 밝혀 그 범위를 규정짓고 독자에게 정확히 전달한다.
② 질문의 방식을 통해 독자의 관심과 흥미를 유발한다.
③ 공신력 있는 문서를 근거로 제시함으로써 주장의 신뢰성을 확보한다.
④ 구체적인 사례를 제시하고 그와 관련된 해결 방안과 한계를 제시하고 있다.
⑤ 소비 행위를 투표에 비유하여 윤리적 소비의 의의를 강조한다.

08 다음 중 윗글의 내용과 일치하지 <u>않는</u> 것은?

① 합리적 소비는 빈곤 문제의 해결방법이 될 수 있지만 빈곤 문제의 원인은 아니다.

② 소비자들은 특정 상품을 사거나 사지 않음으로써 추구하는 가치를 드러낼 수 있다.

③ 저개발국의 인권이나 환경 보호에 관심이 커지면서 '윤리적 소비'와 관련한 인식이 널리 퍼졌다.

④ 윤리적 소비는 빈곤 문제의 해결방법이 될 수 있지만 빈곤 문제의 원인은 아니다.

⑤ 세계 인권 선언에서는 '합리적 소비' 보다는 '윤리적 소비'를 할 것을 권고하고 있다.

09 다음 중 윗글의 글쓴이의 입장과 가장 <u>이질적인</u> 것은?

① 윤리적 소비는 더 나은 세상을 만들기 위한 정당한 권리행사이다.

② 아름다운 디자인보다는 새롭거나 실용적인 기능을 중시하여 제품을 구매해야 한다.

③ 세계의 빈곤 문제 해결에 기여하기 위해서는 윤리적 소비를 해야 한다.

④ 윤리적 소비는 생활과 소비의 변화를 일으켜 사람들의 의식과 세상이 변화되게 한다.

⑤ 윤리적 소비자는 지구를 더 훼손하지 않고 다음 세대에 물려주기 위해 특정 상품에 대한 불매 운동을 벌이기도 한다.

[10~11] 다음 글을 읽고 물음에 답하시오.

(가) 교장 선생님께

안녕하세요. 저는 1학년 3반 김시우입니다.

최근 우리 학교 매점에서 파는 식품을 사 먹은 몇 명의 학생들이 배탈이 난 일이 있었습니다. 저도 간식을 먹기 위해 매점을 자주 이용하는데, 매점에서 판매하는 식품의 안전이 염려되어 한 가지 건의를 드리려고 합니다.

'교내 식품 안전 지킴이' 제도를 도입하여 우리 학교 매점에서 유해·불량 식품을 판매하지 않도록 해 주세요. 어린이 식생활 안전 관리 특별법에 의하면 초·중·고교 매점은 학생들에게 안전하고 영양가 있는 식품을 공급하도록 노력해야 합니다. 하지만 우리 학교 매점에서는 버젓이 유해·불량 식품을 판매하고 있습니다.

학생들은 하루 중 대부분의 시간을 학교에서 보냅니다. 제 2 의 가정인 학교에서 학생들의 건강을 책임지는 것은 당연하다고 생각합니다. 학생들이 고열량·저영양의 식품을 섭취하여 영양 불균형 상태에 놓이는 것을 방지하고, 안전한 먹거리를 섭취하여 바람직한 식습관을 가질 수 있도록 제 건의를 받아들여 주시기 바랍니다.

학부모와 학생으로 구성된 '교내 식품 안전 지킴이'가 매점에서 판매하는 유해·불량 식품을 감독하고, 전교생을 대상으로 식품 안전 기초 교육을 하면 학생 스스로 안전한 식품을 섭취하고자 할 것입니다.

다시 한번 '교내 식품 안전 지킴이' 제도를 도입해 주시기를 당부드립니다. 감사합니다.

20○○년 ○월 ○일
1학년 3반 김시우 올림.

(나) 학생회 여러분에게

안녕하세요. 저는 1학년 3반 김시우입니다.

항상 우리 학교 학생들의 편안한 학교생활을 위해 애쓰는 학생회에 감사한 마음을 전하며 한 가지 건의 사항을 말씀드립니다.

학생들이 교내 매점에서 안전한 식품을 사 먹을 수 있도록, 유해·불량 식품 근절 운동을 시행할 것을 대의원 회의 안건으로 채택해 주시기 바랍니다. 교내 매점은 어린이 식생활 안전 보호를 위해 시장, 군수 또는 자치구의 구청장이 지정하여 관리할 수 있는 '식품 안전 보호 구역'에 해당합니다. 식품 안전 보호 구역에서는 건강을 위협하는 유해·불량 식품의 판매를 금지하고 있습니다. 그런데 우리 학교 매점에서는 학생들의 건강을 해치는 유해·불량 식품을 버젓이 판매하고 있습니다.

학생회는 학생의 목소리를 대변하는 곳입니다. 지난달, 제가 속한 환경 동아리에서 1학년 학생 320명을 대상으로 우리 학교 매점에서 판매하고 있는 식품의 안전 관련 설문 조사를 하였습니다. 조사 결과 80퍼센트에 해당하는 학생들이 매점에서 판매하는 식품의 안전성이 의심된다고 답하였습니다.

학생들이 안전성을 의심하면서도 유해·불량 식품을 사 먹는 것은 관련 정보가 부족하기 때문입니다. 학생회에서 유해·불량 식품 근절 운동을 시행하여 학생들에게 관련 정보를 제공한다면 학생들이 바람직한 식습관을 기를 수 있을 것입니다.

위와 같은 사항을 신중하게 고려하여 대의원 회의 안건으로 채택해 주시기 바랍니다. 감사합니다.

20○○년 ○월 ○일
1학년 3반 김시우 올림.

---

10 (가)와 (나)에 대한 설명으로 적절하지 <u>않은</u> 것은?

① (가)와 (나)의 주제와 독자는 서로 다르다.
② (가)와 (나)는 일상생활에서 직접 말하는 듯한 구어체 형식으로 작성되었다.
③ (가)는 (나)와 달리 건의 내용과 관련된 대상의 개념을 정의하며 글을 시작하고 있다.
④ (가)와 (나)는 건의문으로 모두 설득의 목적을 가지고 작성되었다.
⑤ (가)와 (나) 모두 상대 높임법 중 가장 높은 등급의 격식체인 '하십시오체'가 쓰였다.

11 (가)와 (나)를 통해 확인할 수 있는 내용으로 적절하지 <u>않은</u> 것은?

① 학생들에게 식품의 안전 관련 설문 조사를 한 결과 대다수의 학생들이 식품의 안전성을 의심하고 있다는 것을 알게 되었다.
② 학생들이 유해·불량 식품은 사 먹는 것은 식품 안전 기초 교육이 부족하기 때문이라고 할 수 있따.
③ '교내 식품 안전 지킴이'는 전교생 대상의 식품 안전 기초 교육을 실시한다.
④ '교내 식품 안전 지킴이'는 매점에서 판매하는 유해, 불량 식품을 감독하는 역할을 담당한다.
⑤ 학교 매점은 '식품 안전 보호 구역'에 해당되지 않으므로 유해, 불량 식품이 위험성에 직접적으로 노출되어 있다.

[01~07] 작문의 계획하기와 표현하기 단계의 글을 읽고 물음에 답하시오.

(가)
- 목적 : 손수건을 사용하도록 설득하고자 함.
- 예상 독자 : 같은 학교 학생들
- 주제 : 손수건 사용을 생활화하자.
- 사회 · 문화적 상황
  - 사람들이 대부분 손수건을 사용하지 않음.
  - 휴지와 손 건조기 사용으로 자원이 낭비됨.
- 매체 : 학교 누리집 게시판

(나) 얼마 전 화장실에서 손을 씻고 휴지를 물기를 닦다가 휴지 보관함 위에 붙어 있는 공익 광고를 보았다. 거기에 쓰인 "단 한 번을 쓰기 위해 50년을 키웠습니까?"라는 문구를 보고 순간 뜨끔했다. 휴지를 마구 쓰는 나에게 하는 말 같았다.

평소에 나는 화장실에서 손을 씻은 다음 아무 생각 없이 휴지나 손 건조기를 써 왔다. 다른 사람들도 대부분 손의 물기를 닦을 때 휴지나 손 건조기를 사용한다. 그런데 이렇게 휴지나 손 건조기를 계속 사용하는 것, 과연 괜찮을까? 많은 사람이 한 번 쓰고 버리는 휴지, 전기를 사용해야 하는 손 건조기를 대체할 방법은 없을까? 나는 우리가 할 수 있는 작은 실천 방안으로 손수건 사용을 제안하고자 한다. ㉠손수건을 사용하면 다음과 같은 좋은 점이 있다.

첫째, 손수건을 사용하면 자원을 절약할 수 있다. 우리 학교 세 학급 103명을 대상으로 하여 설문 조사를 해 보니, 한 사람이 화장실에서 손을 씻는 횟수는 하루에 평균 4.5회였고, 한 번 손을 씻고 나서 사용한 휴지의 양은 평균 2.3장이 있다. 한 사람이 손을 씻고 나서 사용하는 휴지의 양이 하루에 10.35장인 셈인데, 전교생이 1,100명이므로 매우 많은 양의 휴지가 우리 학교에서 매일 사용되고 있다. ㉡이를 사회 전반으로 확대하여 생각하면, 한 번 쓰고 버리는 휴지로 엄청난 양의 나무가 소비되고 있음을 알 수 있다. 손 건조기 사용에도 자원이 소비된다. 한 시민 단체가 서울시 공중화장실에 설치된 손 건조기 1,484대를 대상으로 하여 실태 조사를 한 결과, 손 건조기들의 평균 소비 전력은 538와트였다. 조사한 손 건조기들 가운데에는 소비 전력이 최대 2,000와트 이상인 제품들도 있었다. 16~19제곱미터의 공간을 시원하게 만드는 냉방기의 소비 전력이 보통 600~700와트인 것과 비교하면, 손 건조기의 소비 전력이 상당하다는 것을 알 수 있다. 만일 휴지와 손 건조기 대신 손수건을 사용한다면 자원을 많이 절약할 수 있을 것이다.

둘째, 손수건을 사용하면 건강에 도움이 된다. 최근에 대학 병원 네 곳의 화장실에 비치된 휴지에서 형광 증백제가 검출되었다는 뉴스 보도가 있었다. 형광 증백제는 오랫동안 몸에 닿으면 피부 질환을 일으킬 수 있는 화학 물질이다. 일부 학자들은 암까지 일으킬 수 있다고 경고한다. 제품을 만드는 과정에서 형광 증백제를 사용하지 않더라도, 폐지를 원료로 하여 만든 휴지 가운데에는 이처럼 형광 증백제가 검출되는 사례가 있다고 한다. 휴지뿐만 아니라 손 건조기 사용도 인체에 해로울 수 있다. 손 건조기를 사용함으로써 세균이 퍼질 수 있기 때문이다. ㉢손 건조기를 사용할 때에 손에 있는 세균이 공기 중에 퍼지게 되는데 이 세균은 상당한 시간 동안 주변에 그대로 머무른다. 즉, 손 건조기를 사용하면 자신의 손에 묻은 세균을 퍼뜨릴 수 있고, 또 다른 사람이 퍼뜨린 세균이 자신의 손에 묻을 수도 있다는 것이다. 휴지나 손 건조기 대신 손수건을 사용한다면 우리 몸을 인체에 해로운 물질이나 세균으로부터 보호할 수 있을 것이다.

㉣손수건을 사용하면 이처럼 자원을 절약할 수 있을 뿐만 아니라 우리의 건강에도 도움이 된다. 물론 휴지나 손 건조기를 사용하던 지금까지의 습관을 당장 바꾸기는 쉽지 않을 것이다. 그러나 "천 리 길도 한 걸음부터."라는 ㉤우리 속담이 있지 않은가? 손수건 가지고 다니기, 친구에게 손수건 선물하기 등이 실천의 첫걸음이 될 수 있을 것이다. 그리고 우리의 이러한 작은 실천은 갈수록 나빠지는 지구 환경을 되살리는 데에도 이바지할 것이다.

01 윗글을 쓰는 과정에서 적용할 수 있는 글쓴이의 쓰기 전략이 <u>아닌</u> 것은?

① 글쓴이가 손수건 사용에 관심을 둔 계기와 관련된 경험을 이야기하는 방법으로 글을 시작한다.

② 사람들이 휴지나 손 건조기를 계속 사용하는 것에 대한 문제 제기를 통하여 독자의 주의를 환기하도록 한다.

③ 예상 독자의 이해를 돕고 공감을 이끌어내기 위해 같은 학교 학생들을 대상으로 한 통계 자료를 제시한다.

④ 시민 단체에서 형광증백제가 검출된 휴지의 실태 조사를 한 결과를 근거로 마련하여 객관성을 높인다.

⑤ 결론에서 본론의 내용을 요약하고 주제를 강조하며 긍정적 전망을 제시함으로써 설득력을 높인다.

02 글쓴이가 ㉠~㉤을 고쳐 쓰기 위한 사고의 과정으로 적절한 것은?

① ㉠ 본론의 내용과의 연결을 고려해 '휴지와 손 건조기 사용은 다음과 같은 문제점이 있다.'로 고쳐야겠어.

② ㉡ 글 전반의 내용이 학교 학생들에 대한 것으로 국한되므로 삭제하는 게 좋겠어.

③ ㉢ 사실만 제시하기보다는 신뢰성과 저작권 존중을 위해 사실을 얻게 된 출처를 함께 제시해야겠어.

④ ㉣ 독자들의 인식 변화를 위해 다소 과장하더라도 모든 자원 부족 문제를 해결할 수 있다고 써야겠어.

⑤ ㉤ 시작이 중요하다는 것을 강조하고 싶으니 의문형 문장보다는 평이한 평서형 문장을 쓰는 것이 좋겠어.

03 윗글을 읽은 독자의 반응으로 적절하지 <u>않은</u> 것은? (정답 2개)

① 타요 : 휴지나 손 건조기 대신 손수건을 사용하자고 사람들을 설득하는 글이야.

② 가니 : 글쓴이는 그동안 휴지나 손 건조기를 써왔던 것을 부정적으로 생각하고 있는 것 같아.

③ 로기 : 손 건조기의 소비 전력은 크지 않지만 수가 많고 빈번하게 사용되니 큰 전력 소모를 유발하는구나.

④ 라니 : 손수건 사용의 장점은 잘 알게 되었지만 생활 속 실천방안이 구체적으로 제시되지 않은 점은 아쉬워.

⑤ 씨투 : 손수건을 사용하는 것은 개인의 건강 뿐 아니라 지구 환경에 도움이 되는 내용이기에 공동체의 가치 측면에서 좋은 글이야.

04 글쓴이가 글을 쓰기 전에 고려했을 것으로 보기 <u>어려운</u> 것은?

① 전문가의 의견도 근거로 활용할 수 있겠어.

② 관용적 표현으로 내용을 효과적으로 전달해야겠어.

③ 내 경험을 이야기하면서 자연스럽게 글을 시작해야겠어.

④ 설득력을 높이려면 근거가 충분해야 해. 여러 자료에서 주장을 뒷받침할 근거를 마련해야겠어.

⑤ 우리 학교 학생들이 독자이니까, 실제 우리 학교 학생들을 대상으로 한 통계 자료를 제시해야겠어.

05 윗글의 글쓴이가 구상하고 사고한 내용으로 보기에 가장 적절한 것은?

① 학생들에게 필요한 정보와 지식을 전달할 목적으로 쓴다.
② 다양한 매체 자료에서 주장을 뒷받침할 근거를 마련하고 영상으로 제시한다.
③ 내용은 에너지와 환경에 관심을 둔 계기, 손수건의 다양한 효용으로 구성한다.
④ 자료의 객관성을 높이기 위해 연구 결과를 토대로 한 전문가의 의견을 제시한다.
⑤ 글 전체를 주의 깊게 살펴보면서 사실이 아닌 내용이나 과장된 내용은 없는지 점검한다.

06 윗글을 통해 알 수 있는 작문의 특성으로 적절하지 않은 것은?

① 글쓴이의 경험을 소개하여 관심을 끌고 있다.
② 관용 표현을 활용하여 강한 인상을 주고 있다.
③ 공익 광고의 문구를 인용하여 설득력을 높이고 있다.
④ 의문문 형식을 사용하여 의미를 강조하고 독자의 주의를 환기하고 있다.
⑤ 구체적으로 시간을 표현하고 공간 이동을 묘사하여 객관성을 확고하고 있다.

07 윗글의 내용과 일치하지 않는 것은?

① 손수건을 사용하면 손 건조기 사용으로 인한 전력 소비를 줄일 수 있다.
② 손 건조기는 손에 묻은 세균을 퍼뜨려 건강에 해로운 영향을 끼칠 수 있다.
③ 손수건을 사용하면 휴지의 사용량을 줄임으로써 나무의 소비를 줄일 수 있다.
④ 손수건을 사용하면 휴지에 들어 있을 수 있는 해로운 화학 물질을 피할 수 있다.
⑤ 손수건을 자주 사용하면 일회성이 아닌 지속 가능한 소비문화 습관을 가질 수 있다.

[08~14] 다음 글을 읽고 물음에 답하시오.

(가) 얼마 전 화장실에서 손을 씻고 휴지로 물기를 닦다가 휴지 보관함 위에 붙어 있는 공익 광고를 보았다. 거기에 쓰인 "단 한 번을 쓰기 위해 50년을 키웠습니까?"라는 문구를 보고 순간 뜨끔했다. 휴지를 마구 쓰는 나에게 하는 말 같았다.

평소에 나는 화장실에서 손을 씻은 다음 아무 생각 없이 휴지나 손 건조기를 써 왔다. 다른 사람들도 대부분 손의 물기를 닦을 때 휴지나 손 건조기를 사용한다. 그런데 이렇게 휴지나 손 건조기를 계속 사용하는 것, 과연 괜찮을까? 많은 사람이 한 번 쓰고 버리는 휴지, 전기를 사용해야 하는 손 건조기를 대체할 방법은 없을까? 나는 우리가 할 수 있는 작은 실천 방안으로 손수건 사용을 제안하고자 한다. 손수건을 사용하면 다음과 같은 좋은 점이 있다.

(나) 첫째, 손수건을 사용하면 자원을 절약할 수 있다. 우리 학교 세 학급 103명을 대상으로 하여 설문 조사를 해 보니, 한 사람이 화장실에서 손을 씻는 횟수는 하루에 평균 4.5회였고, 한 번 손을 씻고 나서 사용한 휴지의 양은 평균 2.3장이었다. 한 사람이 손을 씻고 나서 사용하는 휴지의 양이 하루에 10.35장인 셈인데, 전교생이 1,100명이므로 매우 많은 양의 휴지가 우리 학교에서 매일 사용되고 있다. 이를 사회 전반으로 확대하여 생각하면, 한 번 쓰고 버리는 휴지로 엄청난 양의 나무가 소비되고 있음을 알 수 있다. 손 건조기 사용에도 자원이 소비된다. 한 시민 단체가 서울시 공중 화장실에 설치된 손 건조기 1,484대를 대상으로 하여 실태 조사를 한 결과, 손 건조기들의 평균 소비 전력은 2,000와트 이상인 제품들도 있었다. 16~19제곱미터의 공간을 시원하게 만드는 냉방기의 소비 전력이 보통 600~700와트인 것과 비교하면, 손 건조기의 소비 전력이 상당하다는 것을 알 수 있다. 만일 휴지와 손 건조기 대신 손수건을 사용한다면 자원을 많이 절약할 수 있을 것이다.

(다) 둘째, 손수건을 사용하면 건강에 도움이 된다. 최근에 대학 병원 네 곳의 화장실에 비치된 휴지에서 형광 증백제가 검출되었다는 뉴스 보도가 있었다. 형광 증백제는 오랫동안 몸에 닿으면 피부 질환을 일으킬 수 있는 화학 물질이다. 일부 학자들은 암까지 일으킬 수 있다고 경고한다. 제품을 만드는 과정에서 형광 증백제를 사용하지 않더라도, 폐지를 원료로 하여 만든 휴지 가운데에는 이처럼 형광 증백제가 검출되는 사례가 있다고 한다. 휴지뿐만 아니라 손 건조기 사용도 인체에 해로울 수 있다. 손 건조기를 사용함으로써 세균이 퍼질 수 있기 때문이다. 영국 리즈 대학의 마크 윌콕스 교수가 연구한 결과에 따르면, 손 건조기를 사용할 때에 손에 있는 세균이 공기 중에 퍼지게 되는데 이 세균은 상당한 시간 동안 주변에 그대로 머무른다고 한다. 즉, 손 건조기를 사용하면 자신의 손에 묻은 세균을 퍼뜨릴 수 있고, 또 다른 사람이 퍼뜨린 세균이 자신의 손에 묻을 수도 있다는 것이다. 휴지나 손 건조기 대신 손수건을 사용한다면, 우리 몸을 인체에 해로운 물질이나 세균으로부터 보호할 수 있을 것이다.

　셋째, (　　　　　　(A)　　　　　　).

(라) ㉠손수건을 사용하면 이처럼 자원을 절약할 수 있을 뿐만 아니라 우리의 건강에도 도움이 된다. 물론 휴지나 손 건조기를 사용하던 지금까지의 습관을 당장 바꾸기는 쉽지 않을 것이다. 그러나 "천 리 길도 한 걸음부터."라는 우리 속담이 있지 않은가? 손수건 가지고 다니기, 친구에게 손수건 선물하기 등이 실천의 첫걸음이 될 수 있을 것이다.

　그리고 우리의 이러한 작은 실천은 갈수록 나빠지는 지구 환경을 되살리는 데에도 이바지할 것이다.

---

08 〈보기〉의 자료를 활용하여 (A)부분에 들어갈 근거를 보충하려고 할 때 가장 적절한 것은?

┤ 보기 ├

- 펄프 공급을 위한 나무를 덜 베게 되므로 산림 보호 및 유지에 도움이 된다.
- 휴지는 사용 즉시 쓰레기가 되므로 이러한 쓰레기의 배출량을 줄일 수 있다.
- 전기 제품은 이산화탄소 배출 원인이 되므로 이산화탄소 배출 감소의 효과가 있다.

① 손수건의 사용으로 지구 환경 보호가 가능하다.
② 손수건의 사용으로 에너지 낭비를 줄일 수 있다.
③ 손수건의 사용으로 아껴 쓰는 소비 습관이 길러진다.
④ 손수건의 사용으로 공생(共生)의 가치관이 형성된다.
⑤ 손수건의 사용으로 타인과의 조화로운 삶의 태도를 형성한다.

09 윗글에 대한 학생들의 반응으로 적절하지 <u>않은</u> 것은?

① **가영** : (가)에서는 자신의 경험을 제시하는 방법으로 글을 시작하여 사실감을 높이고 있군.

② **아라** : (나)에서는 전문가의 연구 결과를 들며 손수건 사용으로 자원 절약의 가능함을 보여주고 있군.

③ **아름** : (다)에서는 뉴스 보도 자료를 들어 손수건 사용이 건강 증진에 도움이 됨을 제시하고 있군.

④ **애영** : (라)에서는 (나)와 (다)에서 언급한 내용을 요약하며 강조하고 있군.

⑤ **인혜** : (라)에서는 관용적인 표현을 사용하여 내용을 효과적으로 전달하고 있군.

10 '윤리적인 글쓰기 태도'에 대한 설명으로 가장 관련성이 낮은 것은?

① 다른 사람이나 글이나 자료를 인용할 때에는 반드시 출처를 밝힌다.

② 글을 쓸 때에는 자신이 쓴 글이 독자와 사회에 끼칠 영향에 대해 고려해야 한다.

③ 설득하는 글을 쓸 때 내용을 과장 · 축소하거나 사실을 왜곡하지 않도록 유의해야 한다.

④ 설득하는 글을 쓸 때에는 주장을 뒷받침할 수 있는 충분하고 타당한 근거를 마련해야 한다.

⑤ 타인에게 불쾌감을 주는 무례하고 저속한 표현을 삼가고 상대방의 인격을 존중하는 예의 바른 표현을 사용해야
한다.

11 ㉠은 윗글의 글쓴이가 초고에 〈보기〉와 같이 썼다가 고친 부분이다. 이때 글쓴이가 고려한 사항으로 가장 적절한 것은?

> ┤ 보기 ├
>
> 손수건을 사용하면 이처럼 자원 부족 문제를 완전히 해결할 수 있을 뿐만 아니라 모든 질병을 철저히 예방
> 할 수 있다.

① 어법에 맞게 표현하였는가?

② 주장을 분명히 드러내었는가?

③ 연구자의 권리나 저작권 침해는 없는가?

④ 예상 독자의 수준을 고려하여 이해하기 쉽게 썼는가?

⑤ 과장, 왜곡된 표현으로 독자에게 거부감을 주지는 않았는가?

12 윗글에 사용된 표현 전략으로 적절한 것만을 〈보기〉에서 있는 대로 고른 것은?

---| 보기 |---

ㄱ. 공익 광고 문구를 인용하여 글의 사실감을 높였다.

ㄴ. 상징적 표현을 사용하여 주제를 인상적으로 전달하였다.

ㄷ. 전문가의 의견을 근거로 활용하여 글의 신뢰성을 높였다.

ㄹ. 글쓴이 자신의 경험으로 글을 시작하여 독자의 흥미를 유도하였다.

① ㄱ, ㄴ   ② ㄴ, ㄷ   ③ ㄷ, ㄹ   ④ ㄱ, ㄴ, ㄹ   ⑤ ㄱ, ㄷ, ㄹ

13 다음은 윗글을 준비하면서 학생이 떠올린 생각이다. ㉮~㉲ 중 윗글에서 확인할 수 있는 것을 고른 것은?

---| 보기 |---

㉮휴지 사용을 자제하자라는 주제로 사람들을 설득해야겠어. ㉯우리 학급 학생들을 대상으로 한 인터뷰의 내용을 싣고, ㉰설득력을 높이려면 친구들이 이해하기 쉽고 공감할 수 있는 내용을 써야겠어. ㉱내가 손수건 사용에 관심을 둔 계기, ㉲휴지와 손 건조기 사용의 문제점 등을 다루어야겠다.

① ㉮, ㉯, ㉰   ② ㉮, ㉯, ㉱   ③ ㉯, ㉰, ㉱   ④ ㉯, ㉱, ㉲   ⑤ ㉰, ㉱, ㉲

14 다음은 윗글의 글쓴이가 글을 쓰면서 고친 부분인데, 고친 이유로 가장 적절한 것은?

고치기 전	손 건조기를 사용할 때에 손에 있는 세균이 공기 중에 퍼지게 되는데 이 세균은 상당한 시간 동안 주변에 그대로 머무른다.
고친 후	영국 리즈 대학의 마크 윌콕스 교수가 연구한 결과에 따르면, 손 건조기를 사용할 때에 손에 있는 세균이 공기 중에 퍼지게 되는데 이 세균은 상당한 시간 동안 주변에 그대로 머무른다고 한다.

① 과장된 표현은 사실을 왜곡하고, 독자에게 거부감을 주거나 잘못된 인식을 갖게 하기 때문이다.

② 객관적인 통계 자료가 없으면 주장에 대한 근거가 부족하여 설득력이 떨어지기 때문이다.

③ 출처 제시가 미흡하면 근거의 타당성이 떨어지고, 내용의 신뢰성이 떨어지기 때문이다.

④ 유명기관이나 유명인이 없으면 독자의 흥미를 끌 수 없기 때문이다.

⑤ 내용이 지나치게 단언적이고 사실을 왜곡할 수 있기 때문이다.

[15~21] 다음 글을 읽고 물음에 답하시오.

① 과학사를 들춰 보면 기존의 학문 체계에 도전했다가 곤욕을 치른 인물들의 이야기를 자주 만날 수 있다. 대표적인 인물이 천동설을 부정하고 지동설을 주장한 갈릴레이다. 천동설을 지지하던 당시의 권력층을 그들의 막강한 힘을 이용하여 갈릴레이를 신의 권위에 도전하는 이단자로 욕하고 목숨까지 위협했다. 갈릴레이가 영원한 침묵을 맹세하지 않고 계속 지동설을 주장했더라면 그는 단두대의 이슬로 사라졌을지도 모른다. 이처럼 천동설을 믿었던 당시의 사람들에게 갈릴레이는 진리의 창시자가 아니라 그저 불온한 이단자에 불과했다.

② 당시의 사회적 통념으로 새로운 가설이 무시되고 과학의 발전이 늦춰질 뻔했던 사례가 또 있다. 1854년 8월 런던의 브로드 가에 퍼진 콜레라는 불과 열흘 만에 주민 500명 이상의 목숨을 앗아 갔다. 당시 과학자들은 별다른 증거 없이 오염된 공기로 콜레라가 전염된다고 주장했다. 보통 악취가 나는 하수구나 늪지대 근방에서 전염병이 유행했기 때문에 공기로 병이 전염된다는 주장은 많은 사람의 지지를 얻었던 것이다.

③ 그러나 영국의 의사 존 스노만은 예외였다. 그는 대담하게도 공기가 아니라 물이 콜레라균의 매개체라는 가설을 세우고 이를 입증하려고 했다. 그는 빈민가를 돌아다니면서 콜레라의 전염 양상을 관찰하고 발병자와 사망자의 집 위치를 조사하였다. 그 결과, 최초 발병자의 집 지하에 있는 정화조와 브로드 가 지하에 있는 상수도의 거리가 가까운 것을 확인하였다. 이러한 자료를 근거로 그는 최초 발병자의 장에서 나온 세균이 정화조와 토양층을 통하여 브로드 가의 상수도에 감염되었고, 그 상수도에서 물을 길어 먹었던 사람들이 콜레라에 감염되었다는 사실을 밝혀내었다. 무모한 듯 보였던 존 스노의 연구는 콜레라의 전염 경로를 설명하여 콜레라 예방에 공헌했을 뿐 아니라 현대 의학의 연구 방법에도 큰 밑거름이 되었다. 만약 존 스노가 오염된 공기로 병이 전염된다는 기존의 지배적 통념에 갇혀 있었더라면 더 많은 사람들이 콜레라에 감염되어 목숨을 잃었을지 모를 일이다.

④ 새로운 생각에 대한 너그럽지 못한 태도가 과학에서뿐만 아니라 사회나 조직의 발전을 해치는 경우를 찾는 일은 어렵지 않다. 사회나 조직이 구축한 문화적 동질성은 구성원의 연대를 강화하고 구성원이 사회 공동의 목표에 집중하게 하는 순기능이 있지만, 기존의 제도나 학설에 도전하는 자를 처벌하려는 불합리한 면도 있기 때문이다.

⑤ 그러나 지동설을 주장한 갈릴레이와 콜레라의 감염 경로를 밝힌 존 스노의 경우에서도 알 수 있듯이, 과학의 도약은 대개 이단적 발상을 통해 이루어졌다. 용기 있는 이단을 수용할 때에 발전과 도약이 가능했던 것이다. 조직과 사회도 이와 같다. 사회 혁신의 동력은 기존의 권위에 도전하는 충심 어린 이단자들로부터 나온다는 것을 기억해야 한다.

⑥ 영국의 시인 밀턴은 르네상스를 화려하게 꽃피운 이탈리아의 영광이 순식간에 몰락한 결정적 원인은 바로 갈릴레이를 영원히 침묵하게 만든 탓이라고 했다. 기존 사회의 편협한 시각에서 벗어나 ⑦'이상한 말'에 귀를 기울이라는 충고이다. 용기 있는 이단자들을 감싸고 그들을 활용하라. 그것이 우리 사회의 성장과 발전의 동력임을 명심하자.

15 이와 같은 글의 특징으로 적절하지 <u>않은</u> 것은?

① 논리적이고 설득적인 성격을 띤다.
② 서론, 본론, 결론의 짜임새로 글이 전개된다.
③ 글쓴이의 주장을 전달하여 독자의 의식이나 행동에 영향을 주는 것이 목적이다.
④ 문제에 대한 대립적인 입장을 소개하고 두 입장을 절충하는 글이다.
⑤ 주장이 뚜렷해야 하고, 이를 뒷받침하는 근거가 합리적이어야 한다.

16 이 글에 대한 설명으로 적절하지 <u>않은</u> 것은?

① 물음과 대답을 제시하는 방식으로 논지를 전개하고 있다.
② 주제를 강조하고 위해 권위 있는 사람의 말을 인용하고 있다.
③ 실재했던 과학적 사례를 근거로 들어 주장을 뒷받침하고 있다.
④ 전문적인 과학 지식을 지니지 않은 일반적인 독자를 대상으로 하고 있다.
⑤ 글의 첫 부분에 익숙한 사례를 제시하여 독자의 관심을 환기하고 있다.

17 ⑴에 대한 설명으로 가장 적절한 것은?

① 열거의 방식으로 논지를 전개하고 있다.
② 특정 용어의 어원과 함께 개념을 소개하고 있다.
③ 글쓴이의 특수한 경험을 다양하고 구체적으로 제시하고 있다.
④ 일반인의 왜곡된 인식을 바로잡으며 주의를 환기시키고 있다.
⑤ 친숙한 사례를 제시하여 앞으로 전개할 주장에 대한 설득력을 높이고 있다.

18 ㉠이 의미하는 바로 가장 적절한 것은?

① 기존 학설의 내용을 보충하는 의견
② 기존의 통념과는 다른 새로운 생각
③ 사회의 혁신에 대해 조언하는 말
④ 기존 체제를 거스르는 이단적 발상
⑤ 사회의 발전과 도약을 위한 새로운 규칙

19 윗글에 대한 설명으로 적절하지 <u>않은</u> 것은?

① 독자의 관심과 흥미를 유발하기 위해 독자에게 익숙한 인물을 제시하고 있다.
② 과학 분야의 사례를 조직과 사회 분야에 적용하여 설명하고 있다.
③ 주제를 강조하기 위해 권위 있는 사람의 말을 인용하고 있다.
④ 여러 가지 가설을 제시하고 다양한 자료를 활용하여 타당성을 검증하고 있다.
⑤ 실재 했던 과학적 사실을 근거로 독자를 설득하고 있다.

20 윗글을 읽고 알 수 있는 내용으로 가장 적절한 것은?

① 갈릴레이는 천동설을 주장함으로써 당대의 진리의 창시자로 추앙받았다.
② 존 스노와 갈릴레이는 사회나 조직이 구축한 기존의 제도나 학설에 도전하는 사람이었다.
③ 갈릴레이가 살던 시대에 신의 권위에 도전하는 것은 당시의 권력층에게만 허용된 일이었다.
④ 1854년 당시 대부분의 과학자들은 콜레라가 하수구나 늪지대 근방에서 물을 통해 전염된다고 주장하였다.
⑤ 과학사의 혁신과 사회의 혁신은 이단적 발상보다는 문화적 동질성을 바탕으로 한 연대를 통해 이루어질 수 있다.

21 윗글에 대한 설명으로 적절하지 않은 것은?

① 주제를 강조하기 위해 권위 있는 사람의 말을 인용하였다.
② 실재했던 과학적 사례를 근거로 들어 독자를 설득하고자 하였다.
③ 과학 분야에서 얻은 결론을 다른 분야로 확장하여 적용하였다.
④ 많은 사람들이 알 법한 인물을 통해 글에 대한 흥미를 유발하고 있다.
⑤ 두 개의 대조적인 예시를 제시하여 변증법적으로 결론을 도출하였다.

[22~26] 다음 글을 읽고 물음에 답하시오.

(가) 과학사를 들춰 보면 기존의 학문 체계에 도전했다가 곤욕을 치른 인물들의 이야기를 자주 만날 수 있다. 대표적인 인물이 천동설을 부정하고 지동설을 주장한 갈릴레이이다. 천동설을 지지하던 당시의 권력층을 그들의 막강한 힘을 이용하여 갈릴레이를 신의 권위에 도전하는 이단자로 욕하고 목숨까지 위협했다. 갈릴레이가 영원한 침묵을 맹세하지 않고 계속 지동설을 주장했더라면 그는 단두대의 이슬로 사라졌을지도 모른다. 이처럼 천동설을 믿었던 당시의 사람들에게 갈릴레이는 진리의 창시자가 아니라 그저 불온한 이단자에 불과했다.

(나) 당시의 사회적 통념으로 새로운 가설이 무시되고 과학의 발전이 늦춰질 뻔했던 사례가 또 있다. 1854년 8월 런던의 브로드 가에 퍼진 콜레라는 불과 열흘 만에 주민 500명 이상의 목숨을 앗아 갔다. 당시 과학자들은 별다른 증거 없이 오염된 공기로 콜레라가 전염된다고 주장했다. 보통 악취가 나는 하수구나 늪지대 근방에서 전염병이 유행했기 때문에 공기로 병이 전염된다는 주장은 많은 사람의 지지를 얻었던 것이다.

(다) 그러나 영국의 의사 존 스노만은 예외였다. 그는 대담하게도 공기가 아니라 물이 콜레라균의 매개체라는 가설을 세우고 이를 입증하려고 했다. 그는 빈민가를 돌아다니면서 콜레라의 전염 양상을 관찰하고 발병자와 사망자의 집 위치를 조사하였다. 그 결과, 최초 발병자의 집 지하에 있는 정화조와 브로드가 지하에 있는 상수도의 거리가 가까운 것을 확인하였다. 이러한 자료를 근거로 그는 최초 발병자의 장에서 나온 세균이 정화조와 토양층을 통하여 브로드 가의 상수도에

유입되었고, 그 상수도에서 물을 길어 먹었던 사람들이 콜레라에 감염되었다는 사실을 밝혀내었다. 무모한 듯 보였던 존 스노의 연구는 콜레라의 전염 경로를 설명하여 콜레라 예방에 공헌했을 뿐 아니라 현대 의학의 연구 방법에도 큰 밑거름이 되었다. 만약 존 스노가 오염된 공기로 병이 전염된다는 기존의 지배적 통념에 갇혀 있었더라면 더 많은 사람들이 콜레라에 감염되어 목숨을 잃었을지 모를 일이다.

(라) 새로운 생각에 대한 너그럽지 못한 태도가 과학에서뿐만 아니라 사회나 조직의 발전을 해치는 경우를 찾는 일은 어렵지 않다. 사회나 조직이 구축한 문화적 동질성은 구성원의 연대를 강화하고 구성원이 사회 공동의 목표에 집중하게 하는 순기능이 있지만, 기존의 제도나 학설에 도전하는 자를 처벌하려는 불합리한 면도 있기 때문이다.

(마) 그러나 지동설을 주장한 갈릴레이와 콜레라의 감염 경로를 밝힌 존 스노의 경우에서도 알 수 있듯이, 과학의 도약은 대개 이단적 발상을 통해 이루어졌다. 용기 있는 이단을 수용할 때에 발전과 도약이 가능했던 것이다. 조직과 사회도 이와 같다. 사회 혁신의 동력은 기존의 권위에 도전하는 충심 어린 이단자들로부터 나온다는 것을 기억해야 한다.

(바) 영국의 시인 밀턴은 르네상스를 화려하게 꽃피운 이탈리아의 영광이 순식간에 몰락한 결정적 원인은 바로 갈릴레이를 영원히 침묵하게 만든 탓이라고 했다. 기존 사회의 편협한 시각에서 벗어나 '이상한 말'에 귀를 기울이라는 충고이다. 용기 있는 이단자들을 감싸고 그들을 활용하라. 그것이 우리 사회의 성장과 발전의 동력임을 명심하자.

---

22 이와 같은 설득하는 글을 읽는 방법으로 가장 적절한 것은?

① 글쓴이의 경험에 공감하며 읽는다.
② 글의 내용을 추론과 의견으로 구분하며 읽는다.
③ 글의 전개 과정이 개연성이 있는지 판단하며 읽는다.
④ 글쓴이의 주장과 그 근거가 타당한지 판단하며 읽는다.
⑤ 각 문단의 중심 문장과 주변 문장 간의 사실 관계를 파악하며 읽는다.

23 (다)에 대한 설명으로 가장 적절한 것은?

① 글쓴이의 주장과 그에 대한 근거를 요약하여 정리하고 있다.
② 역사적인 사건을 예로 들어 주제의 중요성에 접근하고 있다.
③ 주제를 강조하기 위해 권위 있는 사람의 말을 인용하고 있다.
④ 주제와 관련된 통계 자료를 활용하여 주장의 타당성을 높이고 있다.
⑤ 쉽게 접할 수 있는 익숙한 대상을 활용하여 주장을 뒷받침하고 있다.

24 이와 같은 글만의 특징으로 가장 적절한 것은?

① 생각이나 정서가 뚜렷해야 한다.
② 글의 전개가 짜임새 있게 구성되어야 한다.
③ 사회에 귀감이 될 만한 인물의 삶을 다루어야 한다.
④ 글의 내용 전개가 독자의 상상력을 불러일으켜야 한다.
⑤ 주장에 대한 근거가 구체적이고 공익을 담고 있어야 한다.

25 이 글에 대한 설명으로 가장 적절한 것은?

① 여러 가지 가설을 제시하고 그 타당성을 검증한다.
② 객관적인 태도로 사실을 정확하게 전달하는 것을 중시한다.
③ 문제에 대한 대립적인 입장을 소개하고 두 입장을 절충하고 있다.
④ 과학에 대한 과학자의 생각이 변화해 온 과정을 설명하고 있다.
⑤ 독자에게 널리 알려진 유명한 과학자의 사례를 들어 독자의 관심을 환기하고 있다.

26 이 글을 읽고 알 수 있는 내용으로 적절하지 않은 것은?

① 잘못된 사회적 통념이 과학적 발전을 늦출 수도 있음을 보여주고 있다.
② 천동설을 부정하고 지동설을 주장한 '갈릴레이'는 이단자로 취급당했다.
③ '존 스노'가 획기적인 연구로 콜레라의 발생 원인과 치료 방법을 밝혀냈음을 드러내고 있다.
④ 새로운 생각을 가진 사람이 사회를 발전시키고 사람의 목숨을 구하는 역사적 사실을 보여주고 있다.
⑤ '존 스노'의 연구는 콜레라 예방에 공헌했을 뿐 아니라 현대의 의학 연구 방법에도 큰 밑거름이 되었다.

[01~02] 다음 글을 읽고 물음에 답하시오.

날마다 새로운 기능과 디자인의 상품이 쏟아져 나오는 현대 사회에서 우리는 어떤 상품을 선택하고 구매해야 할까? 대부분의 소비는 가격과 품질에서 높은 만족을 얻을 수 있는 방향으로 결정된다. 이른바 '합리적 소비'를 추구하는 것이다. 그러나 최근에는 저개발국의 인권이나 환경 보호에 관심이 커지면서 '윤리적 소비'와 관련한 인식이 널리 퍼지고 있다. ㉠윤리적 소비란 인간, 동물, 자연환경에 해를 끼치지 않고 윤리적으로 생산된 상품을 구매하는 것을 말한다.

윤리적 소비는 더 나은 세상을 만들기 위한 정당한 권리 행사이다. ㉡흔히 소비를 '시장 경제 시대의 투표'라고 표현한다. 현재 우리가 살고 있는 자본주의 사회에서는 소비자들의 선택에 따라 시장에서 공급되는 상품의 종류와 양이 달라진다. 소비자들은 특정 상품을 사거나 사지 않는 선택을 함으로써 자신이 추구하는 가치를 드러낼 수 있다. 우리가 가난한 아동들의 노동으로 만든 제품을 구매하지 않는 것은 노동자를 착취하는 행위에 반대하는 것이고, 친환경 제품을 구매하는 것은 환경 보호에 지지를 보내는 것이다.

윤리적 소비는 세계의 빈곤 문제 해결에 기여한다. ㉢세계 인권 선언 제23조에서는 "모든 사람은 차별 없이 동일한 노동을 하면 동일한 보수를 받을 권리가 있다."라고 규정하고 있다. 그러나 아직도 수많은 제삼 세계 노동자가 혹독한 노동을 하면서도 아주 적은 대가를 받는다. 그런데 우리가 노동자에게 공정한 노동의 대가를 지급한 제품을 구매하면, 그들의 빈곤을 완화하고 경제적 자립을 도울 수 있다.

또한 윤리적 소비는 지구를 지키는 친환경 소비이다. 윤리적 소비자는 지역 농산물이나 유기농 식품을 구매할 뿐만 아니라, 동물 실험을 하거나 오염 물질을 배출하는 기업을 상대로 불매 운동을 벌이기도 한다. 이것은 지구를 더는 훼손하지 않고 다음 세대에 물려주기 위한 노력의 일환이다.

생활이 달라져야 의식이 바뀌고, 소비가 바뀌어야 세상이 변한다. 세상은 더 나은 세상을 원한다는 말만으로 변하지 않는다. 윤리적 소비는 생산자와 소비자, 노동자와 기업, 지구와 인류의 공생을 위한 첫걸음이다. 어떻게 살[買] 것인가는 결국 어떻게 함께 살[生] 것인가의 다른 말이다.

01 글쓴이가 자신의 주장을 효과적으로 내세우기 위해 ㉠, ㉡, ㉢에 사용된 표현방법과 그 효과를 서술하시오.

02 이 글의 주장과 근거를 정리해보시오. (주장은 명확히 밝히고, 근거를 2개 이상 찾으시오.)

서로 만족하는 협상

1. 다음 글을 읽고 협상의 개념과 가치를 알아보자.

18세기, 프랑스의 시민 계급은 자유롭고 평등한 사회 건설을 외치며 프랑스 혁명을 일으킨다. 시민군이 가장 먼저
프랑스 시민이 프랑스 혁명을 일으킨 목적

쳐들어간 곳은 바스티유 감옥이고 그다음은 왕궁이었다. 왕궁을 직접 본 성난 시민군은 왕 일가가 그토록 호화롭게

살았다는 사실에 격분하면서 왕궁을 닥치는 대로 파괴하려고 하였다. 왕정의 잔재를 없애 버리겠다는 의지를 드러낸
시민들이 왕궁을 파괴하려고 한 이유

것이다.

시민군이 왕궁을 습격하자 프랑스 행정 당국은 왕궁을 지키고자 안간힘을 쓴다. 왕궁에 있는 모든 것이 역사적 유
행정 당국이 왕궁을 지키려고 한 이유

물인데, 그것들이 허무하게 사라지는 것이 안타까웠기 때문이다. 이로써 왕궁을 파괴하겠다는 시민군의 요구와 왕궁
시민군과 행정 당국 간의 갈등 상황이 나타남

을 보존하겠다는 행정 당국의 요구가 맞서게 된다.

과연 이 상황에서 어떻게 하면 두 가지 요구를 동시에 만족시킬 수 있을까? 그렇다. 바로 왕궁을 시민들을 위한 박
질문을 통한 독자의 호기심 유발

물관으로 만드는 것이다. 이렇게 하면 역사적 유물을 보존하는 동시에 시민들의 입장에서는 왕이 독점하던 왕궁이라
타협과 조정을 통한, 양측이 서로 만족할 수 있는 결과

는 공간을 자신들이 소유한다고 느끼고 왕정이 끝났음을 선언할 수 있게 된다. 이러한 타협과 조정의 결과가 오늘날

프랑스를 대표하는 관광지이자, 역사의 현장이 된 '루브르 박물관'이다.
시민군과 행정 당국 양측의 입장을 조정하여 왕궁을 박물관으로 남겨 기리는 대안이 제시됨

— 최철규, 『협상의 신』에서 —

• **왕정** 왕이 나라의 모든 일을 관할하는 정치.

(1) 시민군과 행정 당국 사이에 갈등이 생긴 까닭을 써 보자.

[예시답안] 시민군은 왕정에 대한 반감으로 왕이 독점했던 왕궁을 부수고 왕정의 잔재를 없애고자 하지만, 행정 당국은 포악한 왕이 독점한 공간이라도 왕궁에 있는 모든 것이 역사적 유물이므로 왕궁을 보존하고자 하였다.

(2) 시민군과 행정 당국이 문제를 해결하기 위해 타협한 대안을 찾고, 양측이 양보한 것과 얻은 것을 정리해 보자.

[예시답안]

대안	왕궁을 박물관으로 만듦.

▼

	시민군	행정 당국
양보한 것	왕궁을 파괴하지 않음.	왕궁을 시민에게 돌려줌.
얻은 것	왕이 독점했던 공간을 시민들의 공간으로 돌려받음으로써 왕정이 끝났음을 선언함.	역사적 유물인 왕궁을 그대로 보존함.

(3) 이 글을 바탕으로 협상의 목적과 중요성을 이야기해 보자.

[예시답안] 협상은 다양한 집단의 가치와 이익, 요구 등으로 발생하는 갈등을 조정·합의하여 양측이 서로 만족할 만한 결과를 이끌어 내는 것을 목적으로 하는 의사소통 방법이다. 다양한 집단 간의 갈등이 자주 일어나는 현대 사회에서 갈등을 조정·합의하는 것을 목적으로 하는 협상은 그 중요성과 가치가 크다.

■ 알아 두기 – 협상의 개념과 목적

• **개념**: 협상은 개인이나 집단 사이의 이익과 주장이 달라 갈등이 생길 때, 문제를 해결하기 위해 서로 타협하고 조정하면서 해결 방법을 찾아가는 의사소통 방법이다.
• **목적**: 다양한 집단의 가치와 이익, 요구 등으로 발생하는 갈등을 조정하고 합의하여 양측이 서로 만족할 만한 결과를 이끌어 내는 것을 목적으로 한다.

확인학습

01 이 글에 나타난 말하기 방식은 협상으로, 조정과 합의를 통해 갈등을 해결하는 의사 결정 과정이다.　　○☐ ×☐

02 협상은 다양한 의견 교환을 통해 최선의 해결 방안을 찾아내는 말하기 방식이다.　　○☐ ×☐

03 이 글의 내용을 보면 18세기 프랑스 시민들이 봉기한 까닭은 불평등 사회에 대한 불만 때문이라는 것을 알 수 있다.
　　○☐ ×☐

04 이 글의 내용을 보면 시민들이 바스티유 감옥을 가장 먼저 공격한 것으로 알 수 있다.　　○☐ ×☐

05 이 글의 내용을 보면 왕궁이 보존될 수 있던 가장 근본적인 이유는 시민군과 행정 당국 양측이 신의 입장만 일방적으로 밀어붙이지 않고 일단 존중하고 대화하였기 때문이다.　　○☐ ×☐

06 이 글에 나타난 협상 방식은 상대의 요구를 수용하되 조건을 제시하여 절충하는 전략이다.　　○☐ ×☐

2. 다음은 동아리실 사용과 관련한 협상 장면이다. 이를 바탕으로 협상이 이루어지는 과정을 알아보자.

민규: 해윤아, 안녕? <u>가능하다면 이번 주 동아리 시간에는 우리 춤 동아리가 강당을 사용하면 안 될까?</u>
춤 동아리 시간에 강당 사용하는 것을 양해해 달라고 요청함

해윤: 어, 왜? 강당은 우리 뮤지컬 동아리가 계속 사용하고 있는 공간인데, 갑자기 무슨 일이야?

민규: 알다시피 우리 동아리가 올해 처음 생겼잖아. <u>그동안은 계속 무용실에서 연습을 했는데, 무용실은 무대가 따로</u>
춤 동아리 측이 연습 장소로 사용하고 있는 무용실의 연습 환경이 좋지 않음
<u>없어서 공연하기 전에 예행연습을 하기가 어려워.</u>

해윤: 그렇구나. <u>너희 입장도 이해는 되지만 우리도 곧 있을 축제에서 공연할 작품을 맹연습 중이라 조금 곤란해.</u>
상대방의 입장을 고려하면서 자신의 입장을 내세워 조심스럽게 거절함

민규: 물론 <u>학기 초에 너희 동아리에서 강당을 사용하기로 했고, 춤과 노래, 연기까지 해야 하는 뮤지컬 동아리가 무</u>
뮤지컬 동아리 측에서 강당 사용이 필요함을 이해함
<u>대가 있는 강당을 사용하는 건 당연하다고 생각해. 하지만 축제를 앞두고 공연 동아리 수에 비해 연습 공간이 부족</u>
공연 연습 공간의 부족을 이유로 들어 강당을 양보해 줄 것을 다시 요청함
<u>하니까 이번 주에는 우리 동아리에게 양보해 주면 좋겠어.</u>

해윤: <u>하긴 축제를 앞두고 공연 동아리들이 예행연습을 할 수 있는 공간이 없기는 해. 그럼 이번 주는 우리가 무용실</u>
상대방의 처지와 상황을 이해함
<u>을 쓸게. 대본 작성하고 연기 연습 위주로 하면 될 것 같아. 대신에 너희도 우리 좀 도와줘.</u> 이번 축제 때 있을 공
자신의 이익을 상대방에게 양보함
연 연습을 하는데 군무가 잘 안 돼서 도움이 필요했거든. <u>춤은 너희가 전문이니까 우리가 연습하는 것 보고 잘 안</u>
서로의 이익을 최대한 확보할 수 있는 구체적인 대안을 제시함
<u>되는 부분 좀 가르쳐 줘.</u>

민규: 그야 당연히 도와줘야지. 우리 팀에서 안무를 담당하고 있는 친구에게 시간을 내 보라고 할게.

해윤: <u>그럼 이번 기회에 축제 때까지 연습 날짜와 시간을 맞춰 보고, 강당 사용 시간표도 만들까?</u>
양측이 서로 만족할 만한 협상안을 제시함

민규: 좋은 생각이야. 그리고 서로의 연습을 지켜보고 조언을 해 주는 것도 지속적으로 이어 가면 좋을 것 같아. 우리
도 너희 도움이 필요할 때가 있을 테니까.

해윤: <u>앞으로 강당은 시간표대로 조정하면서 사용하고, 서로의 연습을 지켜보고 의견을 나누는 시간을 정기적으로</u>
타협과 조정을 통해 합의된 최선의 해결책
<u>갖자.</u>

민규: 그래, 좋아. 어려운 결정인데 양보해 줘서 고마워. 축제 때까지 서로 멋지게 준비해 보자.

---

(1) 협상을 하게 된 구체적인 상황과 협상의 목적을 써 보자.

[예시답안]
- **상황:** 축제를 앞두고 춤 동아리가 예행연습을 할 공간이 없어서 기존에 강당을 사용하고 있는 뮤지컬 동아리에 이번 주 동아리 시간에 강당을 양보해 줄 것을 요구함.

- **목적:** 축제를 앞두고 두 공연 동아리가 연습 공간 확보의 문제를 해결하고자 함.

(2) 다음 절차에 따라 협상의 내용을 정리해 보자.

[예시답안]

시작	협상 참여자들의 기본 __입장__ 을/를 확인하는 단계	• **민규**: 이번 주에 춤 동아리에서 강당을 사용하고자 함. • **해윤**: 강당은 우리 뮤지컬 동아리가 계속 동아리실로 사용하고 있는 공간이고 축제를 앞두고 공연 작품 연습 중이라 양보가 곤란함.
조정	상대측의 처지와 관점을 이해하고, 참여자들이 구체적인 __제안__ (이)나 대안을 제시하는 단계	• **민규**: 강당이 학기 초부터 뮤지컬 동아리의 사용 공간이라는 점과 뮤지컬 동아리라는 특성상 무대가 있는 강당 사용이 필요함을 이해함. • **해윤**: 축제를 앞두고 공연 예행연습을 할 공간이 부족한 상황임을 이해함. ▼ • **대안**: 뮤지컬 동아리가 무용실에서 연습하는 대신, 춤 동아리가 뮤지컬 동아리에서 준비하고 있는 공연의 군무 부분 연습을 도와줄 것을 요구함.
해결	양측이 타협하고 조정하여 문제 해결에 __합의__ 하는 단계	사용 시간표를 작성하여 강당을 함께 사용하고, 서로의 연습을 지켜보고 조언해 주는 시간을 정기적으로 갖기로 함.

■ **알아 두기 – 협상의 절차**

협상의 절차는 상황에 따라 다양하게 전개될 수 있으나 크게 시작, 조정, 해결 단계로 나뉜다.

시작 단계		조정 단계		해결 단계
• 갈등 원인 분석 • 기본 입장 확인 • 협상 가능성 진단	▶	• 상대측의 처지와 관점 이해 • 구체적 제안이나 대안 검토	▶	• 상대측의 대안 비판 및 수용 • 타협하고 조정하며 문제 해결에 합의

확인학습 ···

01 이 글의 대화에 나타나는 쟁점은 학교 강당의 사용 시간 분배이다.   O ☐ ✕ ☐

02 이 글에 나타난 대화와 같은 방식의 이야기에서는 질문을 할 때 질문의 내용은 상대가 주장한 내용의 범위를 벗어나서는 안 된다는 점을 명심해야 한다.   O ☐ ✕ ☐

03 이 글에 나타난 대화와 같은 방식의 이야기에서는 자신의 입장과 상대방의 입장을 모두 자세히 분석해야 한다.   O ☐ ✕ ☐

04 이 글의 대화에서 나타난 협상 전략은 자신의 입장을 양보하면서 상대의 합의를 유도하기이다.   O ☐ ✕ ☐

05 이 글의 대화에서 나타난 협상 전략은 상대가 가진 특징 중 장점을 찾아 칭찬하기이다.   O ☐ ✕ ☐

06 이 글의 대화에서 나타난 협상 전략은 논리적이지 못한 부분을 찾아서 지적하기이다.   O ☐ ✕ ☐

3. 다음 활동을 하며 협상에서 구체적인 타협안을 마련하는 과정을 알아보자.

시설 담당 1: 최근 교실의 난방기를 자유롭게 사용할 수 없어 학생들이 많이 불편해한다는 의견을 전해 들었습니다.
_{교실 난방 문제로 시설 담당 측과 학생 측이 협상을 하게 된 배경}
그래서 교실 난방 문제를 해결하고자 이 자리를 마련했습니다.

학생 대표 1: 우선 저희들의 의견에 관심을 가져 주셔서 고맙습니다. 최근 계속되는 한파로 교실 온도가 낮아져 감기
에 걸린 친구들이 점점 늘어나고 있습니다. 그런데 난방기를 교실에서 조절할 수 없어서 많이 답답한 상황입니다.
_{학생 측이 제기한 문제 상황 - 학생들의 건강을 위해 난방 자율 조절을 주장함}
물론 학교는 공공시설이라서 일정 기준에 따라 난방이 실시되는 것은 알고 있지만, 중앙에서 난방을 일괄 통제하
다 보니 교실 상황에 따라 난방 효과에 차이가 나고 이에 따른 불만이 많습니다.
_{학생 측 요구 사항에 대한 근거 ①}

시설 담당 2: 난방 문제는 학생들의 건강과 직결되는 문제라 저희도 신경을 많이 쓰고 있습니다. 그러나 학교 측에서
는 에너지 절약, 예산 문제를 고려해야 합니다. 현재 난방은 일기 예보나 1층 현관의 온도계가 0도 이하인 날에 공
_{공공기관의 원칙을 근거로 둠}
공 기관 실내 적정 온도 기준인 18~20도에 맞추어 실시됩니다. 겨울철 적정 온도를 지키면 에너지를 절약하고 비
_{시설 담당 측 주장의 근거}
용도 줄일 수 있습니다.

학생 대표 2: 물론 에너지를 절약하는 것은 매우 중요합니다. 하지만 이동 수업이 많아지면서 체육관이나 음악실 등
_{시설 담당 측과 학생 측이 공동으로 염두에 두고 있는 사항} _{학생 측 요구 사항에 대한 근거 ②}
교실 외에서 진행되는 수업이 많습니다. 이와 같은 생활 특성을 고려한다면 교실에서 난방을 자율로 조절하는 것
_{학생 측의 요구 사항}
이 에너지 절약에 더 도움이 될 것이라고 생각합니다.

(1) 다음은 학생 대표가 협상 전에 협상 상황을 분석하여 작성한 계획서이다. 학생 대표의 입장에서 빈칸을 채워 보자.

[예시답안]

협상 계획서

1. 협상 배경: 겨울철 교실 난방 문제 때문에 학생 대표와 행정실 시설 담당자가 협상을 하기로 함.

2. 협상 상대 분석
- 공공 기관의 원칙을 근거로 제시할 것임.
- 이동 수업과 같은 학생 생활에 대해 자세히 알지 못할 수 있으므로 이를 자세히 설명할 필요가 있음.

3. 협상 시 고려할 점
- 에너지 절약이라는 공동의 이익을 염두에 두어야 함.
- 떼를 쓴다는 인상을 주지 않도록 근거를 들어 논리적으로 의견을 표현해야 함.
- 학생 대표임을 강조하면서 난방 조절의 자율성을 보장해 줄 것을 주장해야 함.
- 상대적으로 나이가 어리므로 상대에 대한 예의를 지키고 언행에 주의해야 함.

---

(2) 협상이 진행되는 과정에서 시설 담당자 측이 다음과 같은 문제를 제기하였다. 학생 측의 요구 사항을 고려하여 이를 반박할 수 있는 근거를 마련해 보자.

[예시답안]

> **시설 담당 1:** 난방을 제한하지 않으면 무분별한 사용으로 에너지 낭비가 크지 않을까 걱정입니다. 종종 난방이 되고 있는데 교실 창문을 열고 있는 모습을 보았습니다.

- **학생 측 요구 사항:** 교실에서 자율적으로 난방기를 조절할 수 있도록 요구함.

- **근거**

  ① 교실 상황에 따라 난방 효과에 차이가 있음.

  ② 난방 중 창문을 열어 두는 이유 중에는 땀을 흘리고 들어온 체육 시간 직후에 여전히 교실 난방이 되고 있기 때문인 경우도 많음.

  ③ 지나친 난방으로 인한 환기 차원에서 창문을 열어 두는 경우도 있음.

  ④ 난방을 중앙에서 통제하면 이동 수업 중인 빈 교실에 난방이 계속 되는 등 오히려 에너지 낭비가 발생하는 경우가 있음.

(3) 학생 측과 시설 담당 측이 서로 만족할 수 있는 대안을 마련하고, 양측이 양보한 것과 얻은 것을 정리해 보자.

[예시답안]

대안	난방기를 오전에는 자율로, 오후에는 중앙 통제로 조절하되, 학급별로 난방기 조절 관리 담당 학생을 고 타협한 대안을 파 악하도록 한다. 선발하고 교육하여 무분별한 사용으로 인한 에너지 낭비에 대비함.

▼

	학생 측	시설 담당 측
양보한 것	부분적 난방 자율 조절	부분적 난방 중앙 통제
얻은 것	상대적으로 추운 오전의 난방을 자율적으로 조절할 수 있게 됨.	난방기 조절 관리 담당 학생을 두어 무분별한 사용을 통제함.

확인학습 ....

01 윗글의 대화에서 양측 모두 에너지 절약에 동의하고 있다. ○☐ ×☐

02 윗글의 대화에서 시설 담당 측은 중앙 통제 방식은 에너지의 낭비가 없다고 말하고 있다. ○☐ ×☐

03 윗글의 대화에서 학생 측은 난방 문제로 실제 피해를 본 학생이 발생했다고 말하고 있다. ○☐ ×☐

04 윗글의 대화에서 학생 측은 난방을 각 교실에서 조절해야 한다고 주장한다. ○☐ ×☐

05 윗글의 대화에서 시설 담당 측은 사용할 수 있는 예산이 한정되어 있다는 근거를 들고 있다. ○☐ ×☐

객관식 기본문제

[01~04] 다음 글을 읽고 물음에 답하시오.

민규: 해윤아, 안녕? 가능하다면 이번 주 동아리 시간에는 우리 춤 동아리가 강당을 사용하면 안 될까?

해윤: 어, 왜? 강당은 우리 뮤지컬 동아리가 계속 사용하고 있는 공간인데, 갑자기 무슨 일이야?

민규: 알다시피 우리 동아리가 올해 처음 생겼잖아. 그동안은 계속 무용실에서 연습을 했는데, 무용실은 무대가 따로 없어서 공연하기 전에 예행연습을 하기가 어려워.

해윤: 그렇구나. 너희 입장도 이해는 되지만 우리도 곧 있을 축제에서 공연할 작품을 맹연습 중이라 조금 곤란해.

민규: ㉮물론 학기 초에 너희 동아리에서 강당을 사용하기로 했고, 춤과 노래, 연기까지 해야 하는 뮤지컬 동아리가 무대가 있는 강당을 사용하는 건 당연하다고 생각해. 하지만 축제를 앞두고 공연 동아리 수에 비해 연습 공간이 부족하니까 이번 주에는 우리 동아리에게 양보해 주면 좋겠어.

해윤: 하긴 축제를 앞두고 공연 동아리들이 예행연습을 할 수 있는 공간이 없기는 해. 그럼 이번 주는 우리가 무용실을 쓸게. 대본 작성하고 연기 연습 위주로 하면 될 것 같아. 대신에 너희도 우리 좀 도와줘. 이번 축제 때 있을 공연 연습을 하는데 군무가 잘 안 돼서 도움이 필요했거든. 춤은 너희가 전문이니까 우리가 연습하는 것 보고 잘 안 되는 부분 좀 가르쳐 줘.

민규: 그야 당연히 도와줘야지. 우리 팀에서 안무를 담당하고 있는 친구에게 시간을 내 보라고 할게.

해윤: 그럼 이번 기회에 축제 때까지 연습 날짜와 시간을 맞춰 보고, 강당 사용 시간표도 만들까?

민규: 좋은 생각이야. 그리고 서로의 연습을 지켜보고 조언을 해 주는 것도 지속적으로 이어 가면 좋을 것 같아. 우리도 너희 도움이 필요할 때가 있을 테니까.

해윤: 앞으로 강당은 시간표대로 조정하면서 사용하고, 서로의 연습을 지켜보고 의견을 나누는 시간을 정기적으로 갖자.

민규: 그래, 좋아. 어려운 결정인데 양보해 줘서 고마워. 축제 때까지 서로 멋지게 준비해 보자.

---

01 이 글과 같은 방식의 대화에 대한 설명으로 적절하지 <u>않은</u> 것은?

① 개인이나 집단 간의 이익이나 주장이 달라 갈등이 생길 때 나눌 법한 대화이다.

② 문제를 해결하기 위해서 서로 타협하고 조정하면서 해결 방법을 찾아가는 의사 소통 방식이다.

③ 대화를 시작하기 전에 자신의 입장과 상대방의 입장을 모두 자세히 분석하는 것이 효과적이다.

④ 사회의 구성원으로서 생각해 볼 만한 문제에 대해 다양한 의견 교환을 통해 최선의 해결 방안을 찾아낸다.

⑤ 양측이 서로 만족할 만한 결과를 이끌어 내는 것을 목적으로 하는 대화이다.

02 ㉮부터 시작되는 협상의 단계에 대한 설명으로 적절한 것을 <u>모두</u> 고르면?

① 갈등의 원인을 분석하는 단계이다.

② 상대측의 대안을 비판 및 수용한다.

③ 구체적인 제안이나 대안을 검토하는 단계이다.

④ 상대측의 처지와 관점을 이해하는 대화를 나눈다.

⑤ 문제 해결의 가능성이 있는지 확인하는 단계이다.

03 윗글에 대한 설명으로 적절하지 <u>않은</u> 것은?

① 조정과 합의를 통해 갈등을 해결하는 의사 결정 과정이다.
② 축제를 앞두고 두 동아리가 연습 공간 확보 문제를 해결하는 것이 목적이다.
③ 해결해야 할 문제를 명확하게 규정하고 상대의 입장을 이해하되 논리적이지 못한 부분을 찾아서 지적하는 전략을 취하고 있다.
④ 강당은 시간표대로 조정하면서 사용하고, 서로의 연습을 지켜보고 정기적으로 의견을 나누는 시간을 갖는 것이 최종 합의 내용이다.
⑤ 시작 단계에서 서로의 입장을 확인하고, 상대측을 이해하고 구체적인 대안을 검토하는 조정 단계를 거쳐 문제 해결에 합의하는 해결 단계에 이른다.

04 다음은 위와 같은 글의 목적을 달성하기 위해 필요한 태도이다. 적절하지 <u>않은</u> 것은?

① 서로의 처지와 입장을 이해하며 문제 상황을 확인해야 한다.
② 상대측의 요구를 예상해보고, 어떻게 대응할지 준비해야 한다.
③ 협상 과정에서 합리적이고 생산적인 대안을 제시할 수 있어야 한다.
④ 자신의 이익만이 아닌 공동의 이익까지 고려하는 자세를 가져야 한다.
⑤ 어느 한 쪽이 해결 방안에 만족하지 못하더라도 협상 결과를 인정하고 받아들여야 한다.

[05~06] 다음 글을 읽고 물음에 답하시오.

(가) 18세기, 프랑스의 시민 계급은 자유롭고 평등한 사회 건설을 외치며 프랑스 혁명을 일으킨다. 시민군이 가장 먼저 쳐들어간 곳은 바스티유 감옥이고 그다음은 왕궁이었다. 왕궁을 직접 본 성난 시민군은 왕 일가가 그토록 호화롭게 살았다는 사실에 격분하면서 왕궁을 닥치는 대로 파괴하려고 하였다. 왕정의 잔재를 없애 버리겠다는 의지를 드러낸 것이다.

시민군이 왕궁을 습격하자 프랑스 행정 당국은 왕궁을 지키고자 안간힘을 쓴다. 왕궁에 있는 모든 것이 역사적 유물인데, 그것들이 허무하게 사라지는 것이 안타까웠기 때문이다. 이로써 왕궁을 파괴하겠다는 시민군의 요구와 왕궁을 보존하겠다는 행정 당국의 요구가 맞서게 된다.

과연 이 상황에서 어떻게 하면 두 가지 요구를 동시에 만족시킬 수 있을까? 그렇다. 바로 왕궁을 시민들을 위한 박물관으로 만드는 것이다. 이렇게 하면 역사적 유물을 보존하는 동시에 시민들의 입장에서는 왕이 독점하던 왕궁이라는 공간을 자신들이 소유한다고 느끼고 왕정이 끝났음을 선언할 수 있게 된다. 이러한 타협과 조정의 결과가 오늘날 프랑스를 대표하는 관광지이자, 역사의 현장이 된 '루브르 박물관'이다.

– 최철규, 『협상의 신』에서 –

(나)

시설 담당 1: 최근 교실의 난방기를 자유롭게 사용할 수 없어 학생들이 많이 불편해한다는 의견을 전해 들었습니다. 그래서 교실 난방 문제를 해결하고자 이 자리를 마련했습니다.

학생 대표 1: 우선 저희들의 의견에 관심을 가져 주셔서 고맙습니다. 최근 계속되는 한파로 교실 온도가 낮아져 감기에 걸린 친구들이 점점 늘어나고 있습니다. 그런데 난방기를 교실에서 조절할 수 없어서 많이 답답한 상황입니다. 물론 학교는 공공시설이라서 일정 기준에 따라 난방이 실시되는 것은 알고 있지만, 중앙에서 난방을 일괄 통제하다 보니 교실 상황에 따라 난방 효과에 차이가 나고 이에 따른 불만이 많습니다.

시설 담당 2: 난방 문제는 학생들의 건강과 직결되는 문제라 저희도 신경을 많이 쓰고 있습니다. 그러나 학교 측에서는 에너지 절약, 예산 문제를 고려해야 합니다. 현재 난방은 일기 예보나 1층 현관의 온도계가 0도 이하인 날에 공공 기관 실내 적정 온도 기준인 18~20도에 맞추어 실시됩니다. 겨울철 적정 온도를 지키면 에너지를 절약하고 비용도 줄일 수 있습니다.

학생 대표 2: 물론 에너지를 절약하는 것은 매우 중요합니다. 하지만 이동 수업이 많아지면서 체육관이나 음악실 등 교실 외에서 진행되는 수업이 많습니다. 이와 같은 생활 특성을 고려한다면 교실에서 난방을 자율로 조절하는 것이 에너지 절약에 더 도움이 될 것이라고 생각합니다.

05 (가)의 협상을 〈보기〉의 ⓐ~ⓔ와 관련하여 이해한 것으로 적절하지 <u>않은</u> 것은?

┤ 보기 ├

협상이란 ⓐ개인이나 집단 사이에서 ⓑ이익과 주장이 달라 갈등이 생길 때, ⓒ문제를 해결하기 위해 ⓓ서로 타협하고 조정하면서 ⓔ해결 방법을 찾아가는 의사소통의 방식을 의미한다.

① ⓐ : 프랑스 시민군과 프랑스 행정당국 사이
② ⓑ : 왕궁을 둘러싼 의견 충돌이 발생함
③ ⓒ : 역사적 유물을 보존하는 방법을 마련하기 위해
④ ⓓ : 갈등을 합의하여 시민군과 행정당국 서로의 요구를 긍정적으로 수용하면서
⑤ ⓔ : 양측 모두에게 이익이 되는 해결 방법을 모색하기 위한 의사소통 방식

06 다음은 (나)의 협상 전에 학생대표가 협상 상황을 분석하여 작성한 계획서이다. 협상 내용에 반영되지 <u>않은</u> 것은?

협상 계획서

• 협상 배경 : 겨울 철 교실 난방 문제 때문에 학생 대표와 행정실 시설 담당자가 협상을 하기로 함

• 협상 상대 분석
 – 공공 기관의 원칙을 근거로 제시할 것임. ·································· ①
 – 이동 수업과 같은 학생 생활에 대해 자세히 알지 못할 수 있으므로 이를 자세히 설명할 필요가 있음 ②

• 협상 시 고려할 점
 – 학교의 주인은 학생이므로 예산을 집행할 때 학생들의 의견을 반영할 것을 주장해야 함. ··········· ③
 – 에너지 절약이라는 공동의 이익을 염두에 두어야 함. ························ ④
 – 떼를 쓴다는 인상을 주지 않도록 근거를 들어 논리적으로 의견을 표현해야 함. ··············· ⑤

[07~08] 다음 글을 읽고 물음에 답하시오.

민규: 해윤아, 안녕? ㉠가능하다면 이번 주 동아리 시간에는 우리 춤 동아리가 강당을 사용하면 안 될까?

해윤: 어, 왜? 강당은 우리 뮤지컬 동아리가 계속 사용하고 있는 공간인데, 갑자기 무슨 일이야?

민규: 알다시피 우리 동아리가 올해 처음 생겼잖아. 그동안은 계속 무용실에서 연습을 했는데, 무용실은 무대가 따로 없어서 공연하기 전에 예행연습을 하기가 어려워.

해윤: 그렇구나. ㉡너희 입장도 이해는 되지만 우리도 곧 있을 축제에서 공연할 작품을 맹연습 중이라 조금 곤란해.

민규: ㉢물론 학기 초에 너희 동아리에서 강당을 사용하기로 했고, 춤과 노래, 연기까지 해야 하는 뮤지컬 동아리가 무대가 있는 강당을 사용하는 건 당연하다고 생각해. 하지만 축제를 앞두고 공연 동아리 수에 비해 연습 공간이 부족하니까 이번 주에는 우리 동아리에게 양보해 주면 좋겠어.

해윤: 하긴 축제를 앞두고 공연 동아리들이 예행연습을 할 수 있는 공간이 없기는 해. ㉣그럼 이번 주는 우리가 무용실을 쓸게. 대본 작성하고 연기 연습 위주로 하면 될 것 같아. 대신에 너희도 우리 좀 도와줘. 이번 축제 때 있을 공연 연습을 하는데 군무가 잘 안 돼서 도움이 필요했거든. 춤은 너희가 전문이니까 우리가 연습하는 것 보고 잘 안 되는 부분 좀 가르쳐 줘.

민규: 그야 당연히 도와줘야지. 우리 팀에서 안무를 담당하고 있는 친구에게 시간을 내 보라고 할게.

해윤: 그럼 이번 기회에 축제 때까지 연습 날짜와 시간을 맞춰 보고, 강당 사용 시간표도 만들까?

민규: 좋은 생각이야. 그리고 서로의 연습을 지켜보고 조언을 해 주는 것도 지속적으로 이어 가면 좋을 것 같아. 우리도 너희 도움이 필요할 때가 있을 테니까.

해윤: ㉤앞으로 강당은 시간표대로 조정하면서 사용하고, 서로의 연습을 지켜보고 의견을 나누는 시간을 정기적으로 갖자.

민규: 그래, 좋아. 어려운 결정인데 양보해 줘서 고마워. 축제 때까지 서로 멋지게 준비해 보자.

---

07 ㉠~㉤에 대한 설명으로 적절한 것은?

① ㉠ : 협상의 시작 단계로 춤 동아리에서 이번 주 동아리 시간에 강당을 사용하는 것을 양해해달라고 강요하고 있다.

② ㉡ : 협상의 조정 단계로 양보가 어렵다는 자신들의 입장을 내세우며 조심스럽게 거절하고 있다.

③ ㉢ : 협상의 조정 단계로 상대방의 처지를 이해하면서도 연습 환경이 좋지 않은 학교에 대한 원망이 드러난다.

④ ㉣ : 협상의 조정 단계로 상대측의 이익을 위해 자신들의 연습 계획을 변경하고 있다.

⑤ ㉤ : 협상의 해결 단계로 협상 가능성을 진단해보며 제시한 대안을 실행하기로 합의하고 있다.

08 협상에 대한 설명 중, 윗글에서 확인할 수 <u>없는</u> 것은?

① 협상의 시작 단계는 협상 참여자들의 기본 입장을 확인하는 단계이다.

② 협상 방법 중에는 자신이 더 이상 양보할 수 없는 한계를 제시하는 방법이 있다.

③ 협상 참여자 양측은 서로 경쟁하면서도 협상 타결을 위해 서로 협력하는 관계이다.

④ 협상에서는 상대 측의 처지와 관점을 이해하는 과정을 통해 구체적인 타협안을 찾아간다.

⑤ 협상에서 대안을 마련할 때에는 상대의 요구를 수용하는 데 필요한 조건을 제시하여 절충할 수 있다.

객관식 심화문제

[01~06] 다음 글을 읽고 물음에 답하시오.

(가) [시작 단계]

행복시 : '들꽃 축제'는 우리 시에서 먼저 시작했습니다. 그런데 문화시에 이와 비슷한 '풀꽃 축제'가 생긴 이후 우리 시의 관광객이 감소해서 경제적 손실을 크게 입었습니다. 그러나 축제를 중단해 주십시오.

문화시 : 먼저 시작했다고 해서 축제를 독점할 권리가 생기는 것은 아니라고 생각합니다. 행복시와 문화시는 거리도 멀리 떨어져 있고, 두 축제에서 사용하는 꽃과 축제의 세부 내용도 많이 다릅니다.

행복시 : 세부 내용은 다를지라도 소재는 어쨌든 따라 한 것 아닙니까? 우리 관광객이 감소했다니까요. 인정하시고 축제 중단하세요.

문화시 : 그렇게 생각하실 수도 있지만 두 축제는 개최 시기가 다릅니다. 따라서 행복시의 관광객이 우리 축제 때문에 줄 었다고 보기는 어렵지 않을까요? 문화시에 관광객이 더 몰리는 이유는 교통이 좋아 접근성이 높기 때문입니다.

행복시 : 축제 소재가 비슷하면 관광객이 나뉘는 게 당연하죠. 축제를 중단해 보세요. 그럼 우리 관광객이 다시 늘어나는 지 그렇지 않은지 확인할 수 있을 것 아닙니까?

문화시 : 준비하고 있는 축제를 중단하기는 곤란합니다. 소재가 비슷해도 내용을 달리하여 운영한다면, 두 도시 모두 더 큰 이익을 얻을 것이라고 생각합니다. 두 축제가 우리나라를 대표하는 축제로 발전하도록 서로 도울 수 있는 방 안을 협의해보도록 하죠.

(나) [조정 단계]

행복시 : 축제를 중단할 수 없다면 문화시가 풀꽃 축제의 내용을 우리 축제의 내용과 더욱 다르게 하고, 관광객이 감소하 여 발생한 우리 시의 경제적 손실을 보전해주십시오. 그러면 반대하지 않겠습니다.

문화시 : 당장은 힘들지만, 내년부터는 새로운 내용을 개발하여 우리 축제를 들꽃 축제와 더욱 차별화할 수 있도록 노력 하겠습니다. 하지만 행복시의 경제적 손실을 금전적으로 보전해주는 것은 어렵습니다.

행복시 : 그렇다면 경제적 손실은 일부만 보전하도록 하고, 그 대신 유동 인구가 많은 문화시에서 우리 시의 들꽃 축제를 ⓐ홍보하여 다시 관광객이 늘 수 있도록 도와주면 좋겠습니다.

문화시 : 우리 시의 지하철 시설을 이용해 홍보할 수 잇을 것 같습니다. 그러나 경제적 손실을 일부 보전하는 것보다는 공 동 사업을 추진하여 발생하는 이익을 나누는 방안이 더 좋을 것 같은데 어떻습니까?

행복시 : 그것 참 좋은 아이디어네요. 동의합니다.

문화시 : 그리고 요청드릴 것이 있습니다. 우리 시는 축제를 시행한지 얼마 되지 않아 미숙한 점이 많으니 축제를 먼저 개 발한 행복시에서 우리에게 필요한 축제운영 정보를 제공해주시면 감사하겠습니다.

행복시 : 그 부분은 협조해드릴 수 있습니다. 다만 축제 운영 정보를 그대로 주면 두 축제가 너무 비슷해질 우려가 있으 니, '풀꽃 축제'의 이름을 바꾸어서 우리 축제와 차별화할 것을 제안합니다.

문화시 : 유익한 정보를 얻을 수 있다면 우리 축제의 이름을 바꾸는 것도 가능합니다. 우리 시는 비교적 접근성이 높아서 축제의 이름이 바뀌어도 일정 수의 관광객은 확보할 수 있을 것을 약속드립니다.

행복시 : 좋습니다. 먼저 축제를 개발한 도시로서 우리도 문화시의 축제가 성골할 수 있도록 적극 협력할 것을 약속드립 니다.

문화시 : 감사합니다. 저희도 적극적으로 협조하겠습니다. 그럼 ⓑ최종합의안을 작성하고 서명하도록 합시다.

01 윗글을 읽고 협상과 토론을 비교한 설명으로 적절한 것은?

① 협상은 토론과 달리 초기 주장이 소통의 과정에서 바뀔 수 있다.

② 토론은 협상과 달리 상대의 관점에서 문제를 바라볼 필요가 있다.

③ 협상과 토론 모두 양측의 주장이 엇갈리며 마지막에 반드시 승패가 가려진다.

④ 협상과 토론 모두 상대가 제시한 대안을 함께 검토하는 과정을 통해 합의를 이끌어내야 한다.

⑤ 협상과 토론 모두 양측에게 이익이 되는 최선의 해결책을 찾아 의견을 조정하는 과정을 거쳐야 한다.

02 (가)와 (나)에서 확인할 수 있는 협상의 절차에 대한 설명으로 적절하지 않은 것은?

① 시작 단계에서 갈등의 원인이 되는 상황을 파악하고 있다.

② 시작 단계에서 상대방에 대한 이해를 바탕으로 서로에 대한 이견을 좁히고 있다.

③ 시작 단계에서 문제 해결의 가능성을 진단하는 과정을 통해 협의해야 할 내용을 확인하고 있다.

④ 조정 단계에서 서로 입장이 다른 사안에 대해 양측의 양보를 바탕으로 협상을 진행하고 있다.

⑤ 조정 단계에서 양측의 제안을 검토하고 대안을 제시하는 과정을 통해 최선의 해결책을 도모하고 있다.

03 〈보기〉를 참고하여 (가)에서 행복시와 문화시 대표의 말하기에 대해 평가한 내용으로 적절하지 않은 것은?

┤ 보기 ├

• 일반적인 협상가와 뛰어난 협상가 사이에는 평범해 보이지만 중요한 차이점이 많다. 뛰어난 협상가는 상대의 귀에 거슬리는 발언을 삼가고, 상대를 비난하는 경우가 매우 드물다. 결과적으로 부정적인 요소가 많을수록 협상을 성공시킬 확률은 줄어든다는 것을 알 수 있다.

– 스튜어트 다이아몬드(김태훈 옮김), 「어떻게 원하는 것을 얻는가」 –

① 행복시의 대표는 상대의 귀에 거슬릴 수 있는 발언을 했다는 점에서 뛰어난 협상가로 볼 수 없겠군.

② 행복시의 대표는 타당한 근거 없이 자신의 주장만을 내세우며 상대방에게 무리한 요구를 하는 실수를 범하고 있어.

③ 문화시의 대표는 다소 무례하게 들리는 행복시 대표의 발언에도 침착하게 자신의 의견을 논리적으로 전개하고 있어.

④ 문화시의 대표는 상대방의 주장에 모두 동의하며 한발 물러서고 있는데, 이는 상대방의 방심을 불러일으키기 위한 것으로 보여.

⑤ 행복시와 문화시 대표 모두 협상의 목표를 정확히 인지한 상태에서 각자가 원하는 바를 피력하고 있지만, 협상가로서의 자질은 부정적 요소를 해소하겠다는 점에서 문화시 대표가 더 뛰어나 보여.

04 〈보기〉를 (가)에서 양측이 하는 주장을 보완하기 위해 준비한 자료라고 볼 때, 그 활용 방안으로 적절하지 <u>않은</u> 것은?

┤ 보기 ├

㉠ 행복시와 문화시 간의 실제 거리 및 축제 시기

㉡ 풀꽃 축제와 들꽃 축제에서 사용하는 꽃의 품종

㉢ 행복시와 문화시의 유사해 보이는 축제 홍보 포스터

㉣ 연도별 행복시의 들꽃 축제 관광객 수를 나타낸 그래프

㉤ 행복시와 문화시의 축제 세부 프로그램을 안내하는 팸플릿

㉥ 문화시의 교통적 입지와 평소 유동 인구에 대한 통계 자료

㉦ 사람들이 들꽃 축제와 풀꽃 축제를 유사하게 인식하는지에 대한 설문 조사 결과

① ㉠과 ㉡을 활용하여 문화시 대표는 풀꽃 축제가 행복시 들꽃 축제의 관광객 감소와 큰 연관성이 없다는 점을 부각한다.

② ㉢과 ㉤을 활용하여 행복시 대표는 풀꽃 축제와 들꽃 축제의 소재와 프로그램의 세부 내용이 매우 유사함을 증명한다.

③ ㉣을 활용하여 행복시 대표는 풀꽃 축제가 시작되기 이전과 이후의 들꽃 축제의 관광객 수를 비교하는 방식으로 자신의 주장을 뒷받침한다.

④ ㉥을 활용하여 문화시 대표는 행복시의 축제에 갈 관광객들이 문화시로 온 것이 아니라 교통이 편리하여 본래 유동 인구가 많아 관광객들이 많은 것임을 증명한다.

⑤ ㉦을 활용하여 행복시 대표는 사람들이 두 축제를 유사하게 인식한다는 자신의 주장을 뒷받침할 수 있지만, 설문조사의 객관성과 공정성에 대해 상대측이 의문을 제기할 수 있음을 대비한다.

05 《〈보기〉가 윗글의 ⓐ에 필요한 내용이라고 할 때, 〈조건〉에 따라 작성한 홍보 문구로 가장 적절한 것은?

┤ 보기 ├

• 개최 도시 : 행복시

• 개최 시기: 10월 내내

• 축제 이름 : 들꽃 축제

• 명소 : 수많은 들꽃이 피어 있는 둘레길

• 홍보 전략 : 들꽃이 핀 둘레길 산책을 통한 몸과 마음의 휴식

┤ 조건 ├

1. 높임을 나타내는 종결 표현을 사용할 것.

2. 피동 표현을 사용하여 행사 자체를 강조할 것.

3. 의인화를 사용하여 들꽃을 생동감 있게 표현할 것.

4. 최대한 우리말을 사용하고 문법에 맞게 작성할 것.

5. 〈보기〉의 내용이 모두 드러날 수 있도록 구성할 것.

① 10월에 행복시에서 개최되는 들꽃 축제 들어봤니? 각양각색의 들꽃들이 방긋 웃으며 맞아주는 그 곳! 둘레길이 힐링 포인트야. 꼭 기억해.

② 10월 행복시에서는 들꽃의 향연이 펼쳐집니다. 우리나라 고유의 아름다운 들꽃들을 한 자리에서 볼 수 있는 유일한 기회를 놓치지 말아주세요.

③ 10월 행복시에서는 들꽃 축제를 엽니다. 우리나라 고유의 아름다운 들꽃들이 한가득 피어있는 정원에 방문하시길 강력하게 추천합니다. 몸과 마음을 쉬실 수 있을 거예요.

④ 10월의 핫플레이스하면 들꽃 축제가 열리는 행복시죠. 각양각색의 들꽃들이 피어있는 둘레길을 걷다보면 잠시 몸과 마음을 쉴 수 있을 거예요. 일상에 지치신 분들 행복시로 오세요.

⑤ 10월에는 들꽃 축제가 열리는 행복시로 오세요. 수많은 들꽃들이 다양한 색과향을 뽐내며 당신을 맞아줄 것입니다. 들꽃과 함께 둘레길을 걸으며 몸과 마음을 잠시 쉬어가시길 바랍니다.

06 (나)를 바탕으로 작성할 수 있는 윗글의 ⓑ의 내용으로 적절하지 <u>않은</u> 것은?

〈최종합의안〉
1. 문화시는 '풀꽃 축제'라는 이름을 변경한다.
2. 문화시는 지하철 안전문이나 전광판에 행복시의 축제를 홍보한다.
3. 행복시는 내년부터 문화시와 축제의 내용을 차별화할 수 있도록 노력한다.
4. 두 도시는 공동 사업을 추진하고 그 이익은 행복시와 문화시가 공평하게 나눈다.
5. 행복시는 '들꽃 축제'의 운영 정보를 문화시에 제공한다.
6. 행복시와 문화시는 축제의 활성화를 위하여 협력한다.

① 1   ② 2   ③ 3   ④ 4   ⑤ 5

[07~10] 다음 글을 읽고 물음에 답하시오.

상우: 이번 전시회에서는 고등학생인 저희가 친구들의 웃는 모습을 주제로 직접 찍은 사진을 전시할 거예요. 학업 때문에 힘들고 지친 고등학생들에게 힘을 주자는 의미도 있지요.

구 공무원: 학업에 지친 고등학생들을 위로하고 그들에게 힘을 주자는 내용만으로는 전시회의 공공성이 좀 약합니다. 공공성 측면에서 좀 더 내세울 것이 있다면 우리 구의 사업으로 소개할 수도 있을 텐데요.

상우: 네, 있습니다. 학생들이 친구들의 웃는 모습을 찍은 사진을 학교 사진 동아리 누리집에 올리면 한 장당 일정 금액이 모금됩니다. 그렇게 모금된 돈은 △△어린이 재단을 후원하는 데 사용할 거예요. 이 정도면 전시회의 공공성도 어느 정도 확보할 수 있다고 생각합니다.

구 공무원: 동아리 누리집에 사진을 올리면 후원금이 모금되고 그것으로 △△ 어린이 재단을 후원한다니 참 좋은 생각이네요. 그렇게 하면 사진 전시회를 우리 구의 사업으로 소개할 수 있겠습니다.

상우: 네, 정말 잘 되었네요. 다음 주 목요일부터 일요일까지 4일 동안 전시회를 열 예정인데 그때 강당을 빌릴 수 있나요?

구 공무원: 아, 그건 곤란합니다. 다음 주에는 지역 주민을 대상으로 한 강연회가 열릴 예정이라 강당을 빌려 드릴 수 없습니다. 그리고 주중에는 저녁 10시까지, 주말에는 토요일 저녁 6시까지만 강당을 사용할 수 있고, 일요일에는 강당을 운영하지 않아요. 또한 우리 구에서는 다른 주민 및 단체와의 형평성을 고려하여 한 개인 및 단체 당 최대 2일까지만 강당을 빌려주고 있습니다.

상우: 그렇군요. 저희는 학교 수업을 마치고 전시회를 진행해야 해서, 평일에는 저녁 6시 이후부터 3시간씩 강당을 사용하려고 합니다. 전시를 하기에 2일은 기간이 너무 짧습니다.

구 공무원: 음, 그렇다면 다음다음 주에 전시회를 하는 것은 어떨까요? 그때는 강당을 사용하는 행사가 없고, 아직 다른 단체에서 강당을 빌려달라고 신청하지 않았거든요. 학생들이 강당을 빌려 쓰는 시간이 짧기도 하니, 이를 고려해서 3일간 강당을 쓸 수 있게 해 드리겠습니다.

상우: 전시회 날짜를 바꾸는 것은 괜찮습니다만, 전시회 기간이 4일에서 3일로 줄면 관람객이 적어질 수 있어서 저희에게는 아쉬운 일입니다. 그래서 말씀드리고 싶은 것이 있는데요. ㉠이번 전시회를 지역 주민에게 홍보해 주실 수 있나요?

구 공무원: 전시회를 홍보해 달라고요?

상우: 네. 전시회를 여는 3일 동안 최대한 많은 관람객을 모으고 싶은데, 학생들인 저희로서는 지역 주민에게 전시회를 널리 알리는 데 한계가 있어서요.

구 공무원: 저희도 업무로 바쁘기는 하지만, 전시회의 성격이 좋고 공공성도 충분하니까 홍보할 방안을 찾아보겠습니다. 다음 주에 지역 주민을 대상으로 한 강연회가 있으니 그 시간을 활용하는 것도 좋겠네요.

상우: 고맙습니다. 그럼 구청 일정에 맞추어 다음다음 주 목요일부터 토요일까지 3일 동안 강당을 빌리겠습니다.

07 이 협상의 단계에 대한 설명으로 적절한 것은?

① 협상을 통해 얻고자 하는 바를 분명하게 정하는 단계이다.
② 상대측을 설득할 수 있는 대안을 미리 마련해 두는 단계이다.
③ 우리 측과 상대측의 입장을 확인하는 단계이다.
④ 제시된 대안을 재구성하여 합의점을 마련하는 단계이다.
⑤ 서로의 제안을 검토하여 입장 차이를 좁히고, 양보할 수 있는 지점을 찾아 합의를 유도하는 단계이다.

08 이와 같은 협상에 임하는 자세로 적절한 것은?

① 상대의 처지와 관점을 파악한다.
② 당황했을 때는 차분하게 화제를 전환한다.
③ 쟁점이 발생하면 공격적으로 의견을 개진하여 우위를 차지한다.
④ 내가 얻을 것을 확실하게 하기 위해 상대에게 무조건 양보한다.
⑤ 상대가 강압적으로 나온다면 올바른 협상 분위기 조성을 위해 강경하게 나간다.

09 ㉠과 같이 말한 상우의 의도로 적절한 것은?

① 전시회의 공공성과 관련하여 합의하기 위해서
② 구청이 전시회 전반에 지시하는 것을 막기 위해서
③ 전시회의 공공성을 뒷받침하는 근거를 부각하기 위해서
④ '구 공무원'의 제안을 수락했을 때 발생할 불이익을 최소화하기 위해서
⑤ 화제를 전환해서 '상우'의 제안을 긍정적으로 검토하도록 하기 위해서

10 이 담화에서 확인 할 수 있는 내용이 <u>아닌</u> 것은?

① 공공성에 대한 '상우'와 '구 공무원'의 입장 차이
② 전시회의 공공성에 대한 합의 내용
③ 구청 강당의 대여 일정에 대한 입장 차이
④ 구청 강당의 대여 일정에 대한 합의 내용
⑤ 지역 주민들에게 전시회를 홍보하는 것에 대한 입장 차이

[11~13] 다음 글을 읽고 물음에 답하시오.

우리 학교에서는 학년 말 동아리 발표회 날을, 오전에는 부스를 마련하여 체험 및 전시 활동을 하고 오후에는 강당에서 공연 활동을 하는 방식으로 ⓐ운영되어 왔다. (㉠) 체험 및 전시를 운영하는 동아리 소속 학생들을 중심으로 이런 방식을 개선해야 한다는 요구가 제기되었고, 이로 인해 학생들 사이에서도 동아리 부스 운영 방식에 대한 논의가 한창이다.

이 논의에 대한 학생들의 생각을 알고 싶어 우선 우리 학급 학생들을 대상으로 인터뷰를 해 보니 실제로 대부분의 학생들은 현행 부스 운영 방식에 대해 만족하지 않는다고 답하였다. 동아리 부스를 운영했던 친구들은 짧은 운영 시간 때문에 학생들에게 자신들이 준비한 체험 활동을 충분히 제공하지 못했고 전시물들도 다양하게 보여 주기 어려웠다고 하였다. 결국 체험 및 관람 시간이 부족하다는 것이 지금의 부스 운영 방식의 가장 큰 문제임을 알 수 있었다. ⓑ그리고 부스를 방문했던 친구들은 시간이 부족하여 체험과 관람을 충분히 하지 못했다고 답했다.

이러한 문제를 해결할 수 있는 ⓒ방법을 대다수의 학생들이 동아리 부스를 상설로 운영하자는 의견을 제시하였다. 부스를 상설로 운영하면 무엇보다 충분한 시간을 ⓓ확보해야 한다. 그렇게 되면 부스를 운영하는 학생들은 의욕적으로 준비한 체험 활동이나 다양한 전시물들을 친구들에게 충분히 제공해 줄 수 있다. (㉡) 부스를 방문하는 학생들은 원하는 만큼 충분히 체험과 관람에 참여할 수 있을 것이다. 물론 동아리 부스가 상설로 운영되면 그것이 학생들의 교과 학습 능력을 저하시킬 수 있다는 의견도 있었다. (㉢) 동아리 부스를 상설로 운영하는 것이 학생들의 교과 학습 능력을 향상시키는 측면도 크다. 무엇보다도 부스 상설 운영으로 체험 및 전시 기간을 ⓔ늘리는 것이 학생들의 불만을 해소할 수 있는 효과적인 대안임에는 분명하다.

학교에서 동아리 활동은 학생들의 다양한 흥미와 관심을 반영하여 이루어지는 활동이라는 점에서 가치가 있다. 따라서 동아리 활동의 결과를 상설 부스 운영을 통해 나누는 것은 더 많은 학생들이 서로의 흥미와 관심을 공유할 수 있다는 점에서 의의가 있다.

11 ㉠~㉢에 들어갈 표현으로 적절한 것끼리 짝지은 것은?

	㉠	㉡	㉢
ⓐ	하지만	그리고	또한
ⓑ	그러므로	그리고	그러나
ⓒ	하지만	그러나	또한
ⓓ	그러므로	또한	그러나
ⓔ	그러나	또한	하지만

① ⓐ   ② ⓑ   ③ ⓒ   ④ ⓓ   ⑤ ⓔ

12 ⓐ~ⓔ를 수정하기 위한 방안으로 적절하지 않은 것은?

① ⓐ : 불필요한 피동 표현이 사용되었으므로 '운영하여'로 수정한다.
② ⓑ : 글의 흐름을 고려하여 앞 문장과 자리를 바꾼다.
③ ⓒ : 조사의 사용이 잘못되었으므로 '방법으로'로 수정한다.
④ ⓓ : 문장의 호응을 고려하여 '확보할 수 있다'로 수정한다.
⑤ ⓔ : 어휘 사용이 잘못되었으므로 '늘이는'으로 수정한다.

13 윗글을 쓰기 위해 학생이 떠올렸을 생각으로 적절하지 <u>않은</u> 것은?

① 예상되는 반론을 제시하고 재반박하여 주장을 강화해야겠어.

② 부스 운영 사례를 통해 기존 동아리 부스 운영의 문제점을 지적해야겠어.

③ 학급 친구들의 인터뷰 답변을 부스 운영자와 방문자로 나누어 정리해야겠어.

④ 동아리 활동의 가치를 언급하여 동아리 부스 운영 방식 변화의 필요성을 주장해야겠어.

⑤ 문제 해결을 위해 제시한 방안이 대다수 학생들의 의견임을 언급하여 주장을 강화해야겠어.

[14~16] 다음 글을 읽고 물음에 답하시오.

남 : 발표회 때 사용할 공간을 어떻게 정할지 얘기 좀 하자. 선생님께서는 발표회 때 사용할 수 있는 공간이 본관 중앙 계단 옆 교실과 별관 꼭대기 층 교실만 남았다고 하셨어. 너희 문예부는 조용한 곳에서 시화전을 하는 것이 좋을 테니, 우리 천체 관측부가 제일 시끄러운 중앙 계단 옆 교실로 가 줄게.

여 : 원래 중앙계단 쪽은 왕래가 잦아 모든 동아리들이 탐내는 명당 중 하나야. 너 지금 우리 문예부 생각해 주는 척하며 은근슬쩍 명당을 차지하려는 거 맞지?

남 : 뭐, 꼭 그렇지 않다고 할 수 없지만……. 하지만 너희는 시화전을 할 건데, 시를 감상하기에는 조용한 곳이 더 좋 잖아.

여 : 별관 꼭대기는 별자리를 소개하려는 너희 동아리에 더 제격이야. 서로 양보 못 하겠다고 버티기만 한다면 이야기해 봐도 뾰족한 수가 없겠네. 그럼 이대로 그만두자.

남 : 잠깐 내 말 좀 들어봐. 우리 동아리는 너희만큼 알려지지 않아서 별관 꼭대기 층에 있으면 아무도 안 온단 말이야. 너 희는 우리 학교에서 유명한 동아리라 어디에서 발표회를 해도 상관없잖아.

여 : 그렇지도 않아. 다른 건 몰라도 중앙계단 옆 교실은 무슨 일이 있어도 절대 양보할 수 없어. 그 자리는 우리 동아리 최후의 보루야.

남 : 너희는 내년에 더 좋은 자리에서 하고, 올해는 우리에게 중앙계단 옆 자리를 양보해 줘.

여 : 내년에는 어떻게 될지 모르잖아. 차라리 너희가 양보 좀 해 줘. 너희가 양보해 준다면 전에 부탁했던 별과 관련된 문 학작품도 찾아주고, 청소도 해 줄게.

남 : 발표회 준비도 도와주고, 청소도 해 주겠다는 것도 좋기는 하지만, 우리한테는 장소가 더 중요해.

여 : 그럼, 우리 두 동아리 모두 중앙 계단 옆 교실에서 함께 하는 건 어때? 우리 문예부가 시화전 주제를 '시와 별'로 바 꾸면, 별자리를 소개하려는 너희 주제와도 어울려서 좋고 발표 내용도 더 알차게 될 거야. 우리가 주제를 바꾸는 대 신에 너희 동아리가 공간 장식 좀 도와줄래? 그리고 별관 꼭대기 층에 있는 교실은 휴식 공간으로 활용하자.

남 : 와, 그런 방법도 있었네. 좋아.

여 : 그럼, 이제 합의한 거다. 우리 서로 잘 해 보자.

14 위 협상의 쟁점은 무엇인가?

① 동아리 발표회 때 중앙 계단 옆 교실을 천체 관측부와 문예부 중에서 누가 사용할 것인가.

② 동아리 발표회 때 생기는 수익금을 천체 관측부와 문예부가 어떻게 배분해 가져갈 것인가.

③ 동아리 발표회 때 천체 관측부와 문예부 중에서 누가 교장 선생님과 교감 선생님을 모셔올 것인가.

④ 동아리 발표회 때 별관 꼭대기 층에 있는 교실을 천체 관측부와 문예부 중에서 누가 청소를 할 것인가.

⑤ 동아리 발표회 때 별관 꼭대기 층에 있는 교실을 천체 관측부와 문예부 중에서 누가 휴식 공간으로 사용할 것인가.

15 여학생이 활용한 협상 전략만을 〈보기〉에서 있는 대로 고른 것은?

┤ 보기 ├

㉠ 질문을 통해 상대방의 숨은 의도를 확인한다.

㉡ 협상 쟁점을 명확히 하고 자신의 목표를 밝힌다.

㉢ 과거 자신들이 계속 양보해왔던 사실을 언급한다.

㉣ 서로 양보를 함으로써 합의할 수 있는 대안을 제시한다.

① ㉠㉡　　② ㉠㉣　　③ ㉡㉢　　④ ㉠㉡㉣　　⑤ ㉡㉢㉣

16 협상을 마친 후 남학생이 천체 관측부 학생들에게 전할 말로 적절하지 않은 것은?

① 올해는 우리가 문예부를 도와주고, 내년에는 문예부가 우리를 도와주기로 했어.

② 중앙 계단 옆 교실을 나눠 쓰는 만큼, 공간을 효율적으로 활용해야겠어.

③ 별관 꼭대기 층 교실을 휴식 공간으로 활용하기로 했어.

④ 이번 발표회를 성공적으로 잘 치러 내기 위해서는 문예부와의 협력이 중요해.

⑤ 문예부와 같이 하면 불편함 점도 있지만, 문예부가 유명하니 홍보의 측면에서는 도움이 될 거야.

(가)

초록구 대표 : 우리 초록구는 하늘산 자락에 자리를 잡아 공기가 맑고 주변 환경이 조용하기로 유명합니다. 초록구가 다른 지역보다 도시 기반 시설이 부족한데도 우리 구민들은 하늘산의 자연조건에 큰 의의를 두며 생활해 왔습니다. 푸른시에서 추진하는 추모 공원 건립 사업이 시 차원에서 필요한 일인 것은 알겠지만, 이러한 결정이 화장 시설 가동으로 발생하는 환경오염 문제와 혐오 시설 설치에 따른 집값 하락 등 지역 주민이 입을 피해를 고려하신 것인지 궁금합니다. 구민이 입게 될 피해를 최소화할 현실적인 해결책이 없다면 우리 초록구는 시에서 추진하고 있는 추모 공원 건립을 반대합니다.

푸른시 관계자 : 최근 화장에 대한 국민 호응이 급속히 높아지면서 푸른시의 화장률은 2016년에 이미 80%를 넘어섰고, 앞으로 점점 더 높아질 전망입니다. 그러나 푸른시에는 화장 시설이 하나밖에 없습니다. 현재 시설 규모는 한계 능력을 초과하여 수요자의 약 20% 정도가 삼일장(三日葬)을 원하는데도 사일장(四日葬) 이상을 치르거나 다른 지역 화장 시설을 이용하는 불편을 겪고 있습니다.

이에 시에서 시민과 전문가의 의견을 수렴한 결과 하늘산 일대가 시설 건립의 최적지라고 판단하였습니다. 물론, 초록구에서는 환경오염과 집값 하락의 가능성을 걱정하실 수 있습니다. 이것은 이미 확보된 기술로 해결할 수 있다고 생각합니다.

(나)

초록구 대표 : 아니, 장례식장과 봉안당이 있는 곳에 어떤 문화 시설을 조성할 수 있으며, 주민이 어떻게 그곳에서 휴식을 취하고 문화를 즐길 수 있다는 말씀이십니까?

푸른시 관계자 : 초록구 주민들께서는 새로 조성되는 추모 공원이 문화 시설로서 가능할 수 없을 것을 우려하시는 것 같습니다. 그러면 봉안당과 장례식장을 제외하고 최소 필요 시설인 ㉠화장장만 설치하는 것으로 원안을 수정하여, 문화 시설의 성격이 강화된 추모 공원을 조성하는 안에 대해서는 어떻게 생각하십니까?

초록구 대표 : 저희의 처지를 이해하고 봉안당과 장례식장을 제외하는 안으로 수정해 주셔서 고맙습니다. 그러나 화장장이 있다는 것이 최대한 외부에 드러나지 않았으면 합니다. 장례 차량의 출입이 하늘산 등산객과 인근 주민의 눈에 덜 띄도록 화장 시설을 지하화하고 진입로도 외부로 잘 드러나지 않게 해 주십시오.

푸른시 관계자 : ㉡저희도 주민의 처지에서 화장장이 외부에 노출되는 것을 원하지 않을 것으로 생각하였습니다. 그래서 이를 반영한 설계안을 마련했습니다. 여기, 준비한 설계안을 보시겠습니까? 지상에는 나무숲 공원을 조성하고 방문객이 출입하는 곳은 이 나무숲에 가려지게 설계하여 땅에 묻힌 듯 드러나지 않는 건물을 지으려고 합니다. 그리고 외부에서는 주변 경관에 어울리는 지붕만 보이도록 하겠습니다.

초록구 대표 : 말씀 잘 들었습니다. 건축 설계적 차원에서 기존 화장장의 단점을 보완하려 고심하신 적이 느껴졌습니다. 그러나 저희가 더 우려하는 것은 환경 문제입니다. 화장장에서 발생하는 소음이나 매연, 분진 및 다이옥신과 수은 등으로 주거 환경이 오염되어 주민의 건강한 삶이 위협받을 수 있다는 점에 대해서는 어떻게 생각하십니까?

푸른시 관계자 : 네, 환경 문제를 우려하는 주민의 마음은 충분히 이해합니다. 그래서 저희는 화장 문화가 발달한 나라의 선진 기술을 도입하여 유해 물질을 제거하는 연소 설비와 가스 냉각 설비를 최고 수준으로 갖출 예정입니다. 특히, 화장로 시스템을 획기적으로 개선하여 공해 발생을 최소화하는 '향류형 화장로'를 설치할 것입니다. 이 시설은 배출되는 다이옥신과 수은을 90% 이상 제거할 수 있습니다.

초록구 대표 : 향류형 화장로가 기존 방식과 무엇이 다르다는 말씀이십니까? 또, 제거를 확신하시지만, 다이옥신과 수은이 배출되는 것은 사실 아닙니까?

푸른시 관계자 : 네, 향류형 화장로라는 말이 좀 생소하시죠? ㉢조금 더 설명해 드리겠습니다. 향류형 화장로는 연소 물질을 화장로 내부에서 4회 연소하는 방식입니다. 매연가스가 밖으로 바로 배출되지 않아서 주민들이 염려하시는 배출 가스와 냄새 문제를 해결한 최첨단 친환경 화장로입니다. 또한, 걱정하시는 다이옥신과 수은의 배출량은 매우 미미합니다. 다이옥신 배출은 소각 시설 허용 기준의 10분의 1 이하이며 수은 배출은 기준치의 1,000분의 1 수준입니다. 저희가 설치할 화장로는 이 또한 분사 냉각 장치와 여과 집진 시설로써 90% 이상 제거할 수 있습니다.

[A]

초록구 대표 : 아무리 화장로 시스템이 개선되었다 해도 화장로 15기로 하루 6회씩이나 화장을 하는 것은 지나칩니다. 화장장 및 화장로의 규모를 반으로 축소해 주십시오.

푸른시 관계자 : ㉣현재 우리 시의 상황을 고려할 때 화장로 규모는 양보하기 어렵습니다. 부족한 화장 시설을 확보하려면 15기는 꼭 필요합니다. 우리 시민들이 인근 시의 화장 시설에 의존하지 않고, 원하는 때에 쾌적하고 경건한 분위기 속에서 장례를 치를 수 있는 환경을 조성하는 것은 초록구 주민 여러분을 위한 일이기도 합니다. 15기 미만을 운용하면 새 화장장을 건립하는 의미가 없습니다. 원래 계획은 20기를 설치해 하루 8회씩 운용하는 것이었으나, 환경 및 주민 건강에 대한 우려를 반영하여 최소 규모로 추진하려는 것입니다.

초록구 대표 : 알겠습니다. 15기 운용이 현실적인 최소 필요량이라는 것은 인정합니다. 그러나 환경적으로 안전하도록 관리를 철저하게 하여 시설을 운용해 주셔야 합니다. 주민 대표로 구성된 감시단이 지속해서 감시하고, 환경 문제가 발생하면 그 즉시 운용 축소를 요구하겠습니다.

푸른시 관계자 : 저희도 환경 감시 제도를 운용하여 시설 관리를 강화할 계획이었습니다. 주변 500m 이내의 대기, 수질, 토양, 생활환경을 지속해서 평가하는 환경 감시단 활동에 지역 주민 대표가 참여하는 것에 동의합니다. 또한, 환경 오염 없이 시설이 운영되도록 철저히 관리하겠으며, 만약 주민이 우려하는 환경 문제가 발생하면 화장로 가동 횟수를 감축하겠습니다.

초록구 대표 : ㉤네, 저희도 적극적으로 참여하여 깨끗한 환경이 유지되도록 협조하겠습니다. 그런데 푸른시의 필요 시설 확충으로 저희 구민이 입게 되는 유·무형의 피해를 보상할 현실적 방안은 무엇입니까? 저희는 시에서 생활 편의 시설도 함께 유치해 주시기를 바랍니다. 특히, 초록구는 의료 시설이 부족해 가까운 다른 시나 도심의 의료 시설을 이용하고 있으며 문화 체육 시설도 부족합니다. 시립 의료 시설과 종합 체육관을 함께 유치해 주십시오.

(다)

푸른시 관계자 : 푸른시의 평균적 사회·문화 시설 현황에 비추어 볼 때 초록구의 기반 시설이 부족하다는 문제는 시에서도 이미 파악하고 있습니다. 그러나 현실적으로 종합 체육관 건설은 그 비용과 용도 면에서 부정적입니다. 가까운 사랑구의 종합 체육관도 만성 적자로 운영이 어렵습니다. 또한, 초록구민도 사랑구의 종합 체육관을 충분히 이용하고 있는 것으로 알고 있습니다.

　다만, 시립 의료 병원은 현재 시설이 낙후하여 이전 검토 중인 것으로 알고 있습니다. 시에서도 초록구에 의료 시설을 이전하는 것을 우선순위로 하겠습니다. 그러나 이 문제는 관계 부처와 협의하여 결정할 사안이므로 최대한 좋은 결과를 이끌어 보겠습니다.

초록구 대표 : 네, 좋은 결과 기대합니다. 만약 관계 부처의 반대로 시립 의료 병원의 이전이 불가하다는 결론이 나왔을 때는 시에서 대학 병원 규모의 의료 시설 설립을 허가하는 조건으로 추모 공원 건립에 동의합니다.

---

17 〈보기〉에서 (가)에 드러난 협상 참여자들의 관점을 구분한 것으로 적절하지 <u>않은</u> 것은?

┤ 보기 ├

〈초록구 태표〉
• 입장 : 추모 공원 건립을 반대한다.
• ①문제 의식 : 화장 시설 가동으로 인한 환경 오염 문제, 혐오 시설 설치에 따른 집값 하락 등 지역 주민의 피해가 예상된다.
• ②문제 해결의 가능성 : 구민이 입게 될 피해를 최소화할 현실적 해결책을 제시하면 추모 공원 건립이 가능하다.

〈푸른시 관계자〉
• ③입장 : 최근 화장을 하는 사람들이 많아졌다.
• ④문제의식 : 화장 시설이 부족하여 시민들이 불편을 겪고 있다.
• ⑤문제 해결의 가능성 : 환경 오염이나 집값 하락의 가능성은 기술력 확보로 문제를 해결할 수 있다.

18 〈보기〉를 바탕으로 ⊙~⑩을 이해한 것으로 적절하지 <u>않은</u> 것은?

┌─ 보기 ┐

　　협상은 어떤 목적에 부합되는 결정을 하기 위하여 여럿이 서로 입론하는 것으로 타결 의사를 가진 둘 또는 그 이상의 당사자 사이에 양방향 의사소통을 통하여 상호 만족할 만한 수준으로 합의에 이르는 과정을 말한다.

① ⊙ : 협상 방법 중에는 상대의 요구를 수용하는 데 필요한 조건을 제시하여 절충하는 방법이 있다.

② ⓒ : 협상에서 상대측의 반박을 예상하고 적절하게 대응할 수 있어야 한다.

③ ⓒ : 협상에서는 상대방의 이해를 도울 수 있는 추가 정보를 제공하여 상대방의 요구에 협력적으로 반응한다.

④ ② : 협상 참여자는 양보할 수 없는 최소 요구 사항을 가지고 있다.

⑤ ⑩ : 협상 참여자는 상대방의 입장을 배려하고, 이익을 양보할 수 있다.

19 [A]의 협상 과정을 정리한 내용으로 적절하지 <u>않은</u> 것은?

초록구 대표
⊙ 화장장 및 화장로의 규모를 반으로 축소해 달라고 요구함

↓

푸른시 관계자
ⓒ 부족한 화장 시설을 확보하기 위해 최소 15기는 필요함을 주장함.

↓

초록구 대표
ⓒ 푸른시 관계자의 최고 요구 사항을 거절하며 환경 오염에 대해 문제를 제기함.

↓

푸른시 관계자
② 환경 오염이라는 문제점에 추가적 대안으로 환경 감시 제도를 운용할 것임을 강조함.

↓

초록구 대표
⑩ 피해를 보상할 현실적 대안을 요구함.

① ⊙　　　　② ⓒ　　　　③ ⓒ　　　　④ ②　　　　⑤ ⑩

20 초록구 대표와 푸른시 관계자의 말하기 방식에 대한 학생들의 반응으로 가장 적절한 것은?

┤ 보기 ├

ㄱ. 상대방의 노력과 배려를 인정하고 고마움을 표하고 있군.

ㄴ. 상대방의 입장을 고려하며 협력적으로 반응하며 상대방의 의견을 존중하고 있군.

ㄷ. 상대방의 주장에 대한 오류나 논리적 취약성을 비판적으로 지적하며 상대방을 설득하고 있군.

ㄹ. 상대방의 말을 재진술하여 문제를 명확히 하고, 상대방의 입장을 이해했다는 것을 전달하고 있군.

ㅁ. 상대방의 근거에 동의하며 상대방과의 정보 공유에 초점을 목적으로 하면서 원만한 의사소통을 하고 있군.

① ㄱ, ㄴ, ㄷ   ② ㄱ, ㄴ, ㄹ   ③ ㄴ, ㄷ, ㄹ   ④ ㄴ, ㄹ, ㅁ   ⑤ ㄷ, ㄹ, ㅁ

[21~24] 다음 글을 읽고 물음에 답하시오.

(가) 초록구 대표 : 우리는 다음과 같은 사항에서 심각한 피해를 예상하며, 이를 해결하지 못하면 우리 구에 추모 공원을 건립할 수 없다는 것이 구민의 의견입니다. 저희 조사에 따르면 화장 시설이 있는 다른 지역에서 카드뮴, 염화수소, 미세 먼지, 다이옥신, 수은 등이 배출되어 피해를 보는 사례가 보고되고 있습니다. 또한, 대형차량이 통행하면서 발생할 교통 혼잡과 소음 등이 조용한 삶을 선호하는 주민들에게 피해를 줄 것입니다. 우리 주민은 환경적 조건을 가장 중요하게 생각하여 이 지역에 거주하고 있습니다. 환경오염에 대한 시의 대책은 무엇입니까? 다음으로 이러한 주거 조건 하락으로 입을 경제적 손실도 우려됩니다. 우리는 화장 시설 설치기 주민의 주거권을 침해하고 삶의 질을 떨어뜨릴 것이라고 생각합니다.

푸른시 관계자 : 아직 우리나라에서 화장장이나 묘지가 혐오 시설로 여겨지는 것은 사실입니다. 그러나 화장 시설 설치는 지방 자치 단체의 의무 사항으로 우리 시가 해결해야 하는 매우 중요한 문제입니다. 미국이나 유럽은 물론 이웃 국가인 일본이나 중국도 주택가에 화장장이 있습니다. 일본은 도쿄 도심에만 공영 화장장이 20개가 넘는데, 그중에는 주택가 한복판에 위치해 바로 옆에 6층 높이의 아파트가 나란히 서 있는 현대식 화장장도 있습니다. 이번에 건립하는 시설도 장례식장, 화장장, 봉안당을 포함한 추모 공원 형태로 조성할 계획입니다. 시민들이 녹지와 다양한 문화 시설을 휴식 공간으로 사용함으로써 오히려 삶의 질을 높일 수 있을 것입니다.

초록구 대표 : 아니, 장례식장과 봉안당이 있는 곳에 어떤 문화 시설을 조성할 수 있으며, 주민이 어떻게 그곳에서 휴식을 취하고 문화를 즐길 수 있다는 말씀이십니까?

푸른시 관계자 : 초록구 주민들께서는 새로 조성되는 추모 공원이 문화 시설로서 가능할 수 없을 것을 우려하시는 것 같습니다. 그러면 봉안당과 장례식장을 제외하고 최소 필요 시설인 화장장만 설치하는 것으로 원안을 수정하여, 문화 시설의 성격이 강화된 추모 공원을 조성하는 안에 대해서는 어떻게 생각하십니까?

초록구 대표 : 저희의 처지를 이해하고 봉안당과 장례식장을 제외하는 안으로 수정해 주셔서 고맙습니다. 그러나 화장장이 있다는 것이 최대한 외부에 드러나지 않았으면 합니다. 장례 차량의 출입이 하늘산 등산객과 인근 주민의 눈에 덜 띄도록 화장 시설을 지하화하고 진입로도 외부로 잘 드러나지 않게 해 주십시오.

푸른시 관계자 : 저희도 주민의 처지에서 화장장이 외부에 노출되는 것을 원하지 않을 것으로 생각하였습니다. 그래서 이를 반영한 설계안을 마련했습니다. 여기, 준비한 설계안을 보시겠습니까? 지상에는 나무숲 공원을 조성하고 방문객이 출입하는 곳은 이 나무숲에 가려지게 설계하여 땅에 묻힌 듯 드러나지 않는 건물을 지으려고 합니다. 그리고 외부에서는 주변 경관에 어울리는 지붕만 보이도록 하겠습니다.

(나) 초록구 대표 : 잘 들었습니다. 건축 설계적 차원에서 기존 화장장의 단점을 보완하려 고심하신 적이 느껴졌습니다. 그러나 저희가 더 우려하는 것은 환경 문제입니다. 화장장에서 발생하는 소음이나 매연, 분진 및 다이옥신과 수은 등으로 주거 환경이 오염되어 주민의 건강한 삶이 위협받을 수 있다는 점에 대해서는 어떻게 생각하십니까?

푸른시 관계자 : 네, 환경 문제를 우려하는 주민의 마음은 충분히 이해합니다. 그래서 저희는 화장 문화가 발달한 나라의 선진 기술을 도입하여 유해 물질을 제거하는 연소 설비와 가스 냉각 설비를 최고 수준으로 갖출 예정입니다. 특히, 화장로 시스템을 획기적으로 개선하여 공해 발생을 최소화하는 '향류형 화장로'를 설치할 것입니다. 이 시설은 배출되는 다이옥신과 수은을 90% 이상 제거할 수 있습니다.

초록구 대표 : 향류형 화장로가 기존 방식과 무엇이 다르다는 말씀이십니까? 또, 제거를 확신하시지만, 다이옥신과 수은이 배출되는 것은 사실 아닙니까?

푸른시 관계자 : 네, 향류형 화장로라는 말이 좀 생소하시죠? 조금 더 설명해 드리겠습니다. 향류형 화장로는 연소 물질을 화장로 내부에서 4회 연소하는 방식입니다. 매연가스가 밖으로 바로 배출되지 않아서 주민들이 염려하시는 배출 가스와 냄새 문제를 해결한 최첨단 친환경 화장로입니다. 또한, 걱정하시는 다이옥신과 수은의 배출량은 매우 미미합니다. 다이옥신 배출은 소각 시설 허용 기준의 10분의 1 이하이며 수은 배출은 기준치의 1,000분의 1 수준입니다. 저희가 설치할 화장로는 이 또한 분사 냉각 장치와 여과 집진 시설로써 90% 이상 제거할 수 있습니다.

초록구 대표 : 아무리 화장로 시스템이 개선되었다 해도 화장로 15기로 하루 6회씩이나 화장을 하는 것은 지나칩니다. 화장장 및 화장로의 규모를 반으로 축소해 주십시오.

푸른시 관계자 : 현재 우리 시의 상황을 고려할 때 화장로 규모는 양보하기 어렵습니다. 부족한 화장 시설을 확보하려면 15기는 꼭 필요합니다. 우리 시민들이 인근 시의 화장 시설에 의존하지 않고, 원하는 때에 쾌적하고 경건한 분위기 속에서 장례를 치를 수 있는 환경을 조성하는 것은 초록구 주민 여러분을 위한 일이기도 합니다. 15기 미만을 운용하면 새 화장장을 건립하는 의미가 없습니다. 원래 계획은 20기를 설치해 하루 8회씩 운용하는 것이었으나, 환경 및 주민 건강에 대한 우려를 반영하여 최소 규모로 추진하려는 것입니다.

초록구 대표 : 알겠습니다. 15기 운용이 현실적인 최소 필요량이라는 것은 인정합니다. 그러나 환경적으로 안전하도록 관리를 철저하게 하여 시설을 운용해 주셔야 합니다. 주민 대표로 구성된 감시단이 지속해서 감시하고, 환경 문제가 발생하면 그 즉시 운용 축소를 요구하겠습니다.

푸른시 관계자 : 저희도 환경 감시 제도를 운용하여 시설 관리를 강화할 계획이었습니다. 주변 500m 이내의 대기, 수질, 토양, 생활 환경을 지속해서 평가하는 환경 감시단 활동에 지역 주민 대표가 참여하는 것에 동의합니다. 또한, 환경 오염 없이 시설이 운영되도록 철저히 관리하겠으며, 만약 주민이 우려하는 환경 문제가 발생하면 화장로 가동 횟수를 감축하겠습니다.

초록구 대표 : 네, 저희도 적극적으로 참여하여 깨끗한 환경이 유지되도록 협조하겠습니다. 그런데 푸른시의 필요 시설 확충으로 저희 구민이 입게 되는 유·무형의 피해를 보상할 현실적 방안은 무엇입니까? 저희는 시에서 생활 편의 시설도 함께 유치해 주시기를 바랍니다. 특히, 초록구는 의료 시설이 부족해 가까운 다른 시나 도심의 의료 시설을 이용하고 있으며 문화 체육 시설도 부족합니다. 시립 의료 시설과 종합 체육관을 함께 유치해 주십시오.

푸른시 추모 공원 건립 합의안

1. 푸른시는 초록구 하늘산 일대에 화장장 시설을 포함한 추모 공원을 건립한다.
2. 화장 시설과 진입로를 지하화하며 외부 노출을 최소화한다.
3. 향류형 화장로 시스템 도입으로 공해 발생을 최소화한다.
4. (   )
5. 주민 대표로 구성된 환경 감시단이 화장장 주변 500m 이내에 환경을 지속해서 평가하고, 환경 문제 발생 시 화장로 가동 횟수를 감축한다.
6. 푸른시는 초록구에 시립 의료 병원을 이전하거나, 대학 병원 규모 이상의 의료 시설 설립을 허가한다.

21 윗글에 대한 설명으로 가장 적절한 것은?

① 다양한 문제에 대해 여러 사람의 직관과 대화를 통해 이치를 깨달은 말하기이다.

② 공통의 문제 의식을 지닌 사람들이 가장 합리적인 해결 방안을 모색하는 말하기이다.

③ 대상에 대한 전문적인 지식을 바탕으로 대중에게 알기 쉽게 풀어서 전달하는 말하기이다.

④ 하나의 논제에 대하여 찬성과 반대로 나뉘어 각각의 주장에 대한 근거를 제시하며 시비를 가리는 말하기이다.

⑤ 개인이나 집단 사이에 이해가 서로 상충하는 상황에서 문제를 해결하기 위해 타협하고 조정하여 해결방법을 찾는 말하기이다.

22 윗글에서 사용된 협상의 의사소통 방식이 <u>아닌</u> 것은?

① 상대방의 반박을 예상하고 이에 적절하게 대응한다.

② 상대방의 이해를 도울 수 있는 정보를 추가로 제공한다.

③ 전문가의 의견을 인용하여 제시된 의견의 신뢰성을 높인다.

④ 상대의 입장을 인정하고 의견을 존중하고 있음을 보여 준다.

⑤ 협상의 목적, 협상이 이루어지는 상황을 고려하여 말할 내용을 준비한다.

23 초록구 대표의 주장으로 알맞지 <u>않은</u> 것은?

① 화장장 설치로 인해 문화 시설이 부족해진다.

② 화장 시설 설치는 구민들의 삶의 질을 떨어뜨린다.

③ '향류형 화장로'도 유해 물질을 완전히 제거할 수는 없다.

④ 화장장 건립으로 공해 물질의 배출에 따른 환경오염이 우려된다.

⑤ 화장장 설치에 따른 주민들의 피해에 대해 현실적인 보상이 필요하다.

24 〈보기〉의 내용 중 푸른시 관계자가 사용한 말하기 방식으로 바르게 묶인 것은?

┌─ 보기 ┤

ㄱ. 반어적 표현을 사용하여 자신의 주장을 강조한다.

ㄴ. 상대방의 노력과 배려를 인정하고 고마움을 표시한다.

ㄷ. 상대의 입장에서 생각하고 거기에 따른 방안을 제시한다.

ㄹ. 상대방의 말을 재진술하여 문제를 명확히 하고 상대의 입장을 이해했다는 것을 전달한다.

ㅁ. 과거의 사례를 근거로 들어 상대방이 약속을 지키지 않았을 경우 취할 행동을 제시한다.

① ㄱ, ㄴ   ② ㄴ, ㄷ   ③ ㄷ, ㄹ   ④ ㄴ, ㄷ, ㅁ   ⑤ ㄷ, ㄹ, ㅁ

서술형 심화문제

01 〈보기〉는 협상의 절차와 과정을 구조화한 것이다. 〈보기〉의 빈 칸 ⓐ, ⓑ에 들어갈 어휘를 2음절로 적으시오.

┤ 보기 ├

시작 단계	갈등의 원인을 분석하고 문제 해결의 가능성을 확인한다.
(ⓐ) 단계	• 문제를 확인하여 상대의 처지와 관점을 이해한다. • 구체적인 제안이나 대안을 상호 검토하여 서로 입장 차이를 좁혀 나간다.
해결 단계	최선의 해결책을 제시하여 (ⓑ)과 조정을 통해 문제를 해결하고 합의한다.

[02~03] 다음 글을 읽고 물음에 답하시오.

민규: 해윤아, 안녕? 가능하다면 이번 주 동아리 시간에는 우리 춤 동아리가 강당을 사용하면 안 될까?

해윤: 어, 왜? 강당은 우리 뮤지컬 동아리가 계속 사용하고 있는 공간인데, 갑자기 무슨 일이야?

민규: 알다시피 우리 동아리가 올해 처음 생겼잖아. 그동안은 계속 무용실에서 연습을 했는데, 무용실은 무대가 따로 없어서 공연하기 전에 예행연습을 하기가 어려워.

해윤: 그렇구나. 너희 입장도 이해는 되지만 우리도 곧 있을 축제에서 공연할 작품을 맹연습 중이라 조금 곤란해.

민규: 물론 학기 초에 너희 동아리에서 강당을 사용하기로 했고, 춤과 노래, 연기까지 해야 하는 뮤지컬 동아리가 무대가 있는 강당을 사용하는 건 당연하다고 생각해. 하지만 축제를 앞두고 공연 동아리 수에 비해 연습 공간이 부족하니까 이번 주에는 우리 동아리에게 양보해 주면 좋겠어.

해윤: 하긴 축제를 앞두고 공연 동아리들이 예행연습을 할 수 있는 공간이 없기는 해. 그럼 이번 주는 우리가 무용실을 쓸게. 대본 작성하고 연기 연습 위주로 하면 될 것 같아. 대신에 너희도 우리 좀 도와줘. 이번 축제 때 있을 공연 연습을 하는데 군무가 잘 안 돼서 도움이 필요했거든. 춤은 너희가 전문이니까 우리가 연습하는 것 보고 잘 안 되는 부분 좀 가르쳐 줘.

민규: 그야 당연히 도와줘야지. 우리 팀에서 안무를 담당하고 있는 친구에게 시간을 내 보라고 할게.

해윤: 그럼 이번 기회에 축제 때까지 연습 날짜와 시간을 맞춰 보고, 강당 사용 시간표도 만들까?

민규: 좋은 생각이야. 그리고 서로의 연습을 지켜보고 조언을 해 주는 것도 지속적으로 이어 가면 좋을 것 같아. 우리도 너희 도움이 필요할 때가 있을 테니까.

해윤: 앞으로 강당은 시간표대로 조정하면서 사용하고, 서로의 연습을 지켜보고 의견을 나누는 시간을 정기적으로 갖자.

민규: 그래, 좋아. 어려운 결정인데 양보해 줘서 고마워. 축제 때까지 서로 멋지게 준비해 보자.

02 이 글을 보고 밑줄 친 ㉠에 해당하는 내용을 각각 서술하시오.

┌─┤ 보기 ├─────────────────────────────────┐
협상의 절차 –

시작 단계		조정 단계		해결 단계
– 갈등 원인 분석 – 기본 입장 확인 – 협상 가능성 진단	▶	– ㉠상대측의 처지와 관점 이해 – 구체적 제안이나 대안 검토	▶	– 상대측의 대안 비판 및 수용 – 타협하고 조정하며 문제 해결에 합의

• 민규 : _____

• 혜윤 : _____

03 윗글에서 '춤 동아리'와 '뮤지컬 동아리' 양측이 협상을 통해 얻은 이익을 각각 〈조건〉에 맞게 서술하시오.

┌─┤ 조건 ├─────────────────────────────────┐
• 춤 동아리의 이익은 ~ 이고, 뮤지컬 동아리의 이익은 ~ 이다.'의 형식으로 쓸 것

04 다음은 행복시와 문화시의 협상 담화 내용이다. 협상의 절차 중 담화 내용이 어떤 절차에 속하는지 쓰고 조건에 따라 서술하시오.

> **행복시 관계자** : 문화시가 우리 시의 들꽃 축제와 비슷한 축제를 개최하는 바람에 우리 시의 축제 고유성이 훼손되었다. 문화시는 풀꽃 축제를 당장 중단해주시기 바랍니다.
>
> **문화시 관계자** : 꽃이나 풀꽃을 소재로 한 축제는 행복시만의 전유물이 아니다. 소재만 비슷할 뿐 세부 내용은 차이가 있으므로 중단할 이유는 없습니다.
>
> **행복시 관계자** : 문화시가 축제를 개최한 이후로 우리 시의 관광객이 감소하였습니다. 이는 우리 시의 경제적 손실로 이어졌습니다.
>
> **문화시 관계자** : 우리 시에 관광객이 몰리는 이유는 접근성이 높기 때문입니다. 행복시의 관광객을 빼앗았다는 직접적인 이유가 될 수 없습니다.
>
> **행복시 관계자** : 문화시가 풀꽃 축제의 내용을 우리 축제의 내용과 더욱 다르게 하고, 관광객이 감소하여 발생한 우리 시의 경제적 손실을 보전해 준다면 문화시의 풀꽃 축제 운영을 반대하지 않겠습니다.
>
> **문화시 관계자** : 당장은 힘들지만, 내년부터는 새로운 내용을 개발하여 우리 축제를 들꽃 축제와 차별화하겠습니다. 그런데 행복시의 경제적 손실에 대한 건은 저희가 보전할 수 없습니다.
>
> **행복시 관계자** : 그렇다면 경제적 손실은 일부만 보전해주시기 바랍니다. 그 대신 유동 인구가 많은 문화시에서 우리 시의 들꽃 축제를 홍보하여 다시 관광객이 늘 수 있도록 도와주셨으면 좋겠습니다.
>
> **문화시 관계자** : 우리 시에서 행복시의 축제를 홍보하는 것은 가능합니다. 그러나 경제적 손실을 일부 보전하는 것보다는 공동 사업을 추진하여 발생하는 이익을 공유하는 방안이 좋을 것 같습니다.
>
> **행복시 관계자** : 네, 그럼 공동 사업을 어떻게 추진하면 좋을지 추가로 이야기해보도록 하지요.

┤ 조건 ├
1. 위 담화 내용에 해당하는 협상 단계를 명사로 쓸 것
2. 성공적인 협상을 위해 문화시 관계자가 협상에서 고려한 최초 양보점과 최종 양보점을 쓸 것

[01~03] 다음 글을 읽고, 물음에 답하시오.

바닷속 미세 플라스틱의 위협

수십 년 흘러든 플라스틱 미세 입자, 수산물 내장에서 잇따라 검출
한국 해역 오염 세계 최고 수준, 먹이 그물 거쳐 인체 도달 가능성도

(가) 미세 플라스틱은 맨눈으로는 잘 보이지 않는 5밀리미터 이하의 작은 플라스틱 조각으로, 현재 전 세계 대부분의 바다에서 발견되고 있다. 바다에는 해저 지각에서 녹아 나온 물질과 육지에서 바람에 날리거나 강물을 타고 흘러든 온갖 물질이 섞여 있는데, 인류는 지난 수십 년 사이에 미세 플라스틱이라는 새로운 물질을 바다에 대량으로 섞어 넣었다.

미세 플라스틱이 사람들의 눈길을 끌기 시작한 것은 오래되지 않았다. 불과 십몇 년 전까지만 해도 사람들은 버려진 그물에 걸리거나 떠다니는 비닐봉지를 먹이로 잘못 알고 삼켰다가 죽은 해양 생물의 불행에만 주로 관심이 있었다. 그러다 2004년 세계적인 권위를 지닌 과학 잡지 『사이언스(Science)』에 영국 플리머스 대학의 리처드 톰슨 교수가 바닷속 미세 플라스틱이 1960년대 이후 계속 증가해 왔다는 내용의 논문을 발표했다. 그 후로 미세 플라스틱이 해양 생태계에 끼치는 영향을 규명하려는 후속 연구들이 이어졌다.

(나) 최근에는 각질 제거나 세정, 연마 등의 기능을 위해 1밀리미터 정도의 작은 미세 플라스틱을 넣은 화장품이나 치약 같은 생활용품이 미세 플라스틱 문제의 원인으로 주목받고 있다. 이런 제품 가운데는 지름 500마이크로미터 이하의 플라스틱 알갱이들이 수십만 개까지 들어 있는 것도 있다. 이처럼 생산 당시 의도적으로 작게 만든 플라스틱을 '1차 미세 플라스틱'이라고 하는데, 이 알갱이들은 하수 처리장에서 걸러지지 않은 채 바다로 흘러든다.

미세 플라스틱은 바다에 떠다니는 다양한 플라스틱계 쓰레기가 파도나 자외선 때문에 부서져 만들어지기도 한다. 못 쓰게 된 어구, 페트병, 일회용 숟가락, 비닐봉지, 담배꽁초 필터, 합성 섬유 등 각종 플라스틱이 함유된 생활용품이 부서져 만들어진 미세 플라스틱을 '2차 미세 플라스틱'이라고 한다. 아직까지는 1차 미세 플라스틱에 비해 2차 미세 플라스틱의 비중이 더 높다는 게 전문가들의 설명이다.

(다) 해양 생물들이 플라스틱 조각을 먹이로 알고 먹으면, 포만감을 주어 영양 섭취를 저해하거나 장기의 좁은 부분에 걸려 문제를 일으킬 수 있다. 또한 플라스틱은 제조 과정에서 첨가된 잔류성 유기 오염 물질을 포함하고 있으며 바다로 흘러들어 간 후에는 물속에 녹아 있는 다른 유해 물질까지 끌어당긴다. 미세 플라스틱을 먹이로 착각하고 먹은 플랑크톤을 작은 물고기가 섭취하고, 작은 물고기를 다시 큰 물고기가 섭취하는 먹이 사슬 과정에서 농축된 미세 플라스틱의 독성 물질은 해양 생물의 생식력을 떨어뜨릴 수 있다.

미세 플라스틱은 인간에게도 위협이 될 수 있다. 한국 해양 과학 기술원의 실험 결과, 양식장 부표로 사용하는 발포 스티렌은 나노(10억분의 1) 크기까지 쪼개지는 것으로 확인되었다. 나노 입자는 생체의 주요 장기는 물론 뇌 속까지 침투할 수 있는 것으로 알려져 있다. 내장을 제거하지 않고 통째로 먹는 작은 물고기나 조개류를 즐기는 이들은 수산물의 체내에서 미처 배출되지 못한 미세 플라스틱을 함께 섭취할 위험이 상대적으로 높아지는 셈이다.

(라) 미세 플라스틱이 인간에게 어느 정도 위협이 되는지 현재로서는 과학자들도 분명한 답을 내놓지 못하고 있다. 하지만 미국이나 영국 등의 나라에서는 사람이나 환경에 심각한 피해를 줄 우려가 있으면 인과 관계가 확실히 입증되기 전이라도 필요한 조치를 해야 한다는 '사전 예방의 원칙'에 따라 이미 여러 환경 단체가 미세 플라스틱을 추방하기 위한 활동을 활발히 하고 있다. 이들은 치약이나 세정용 각질 제거제 등을 생산하는 제조업체들에 미세 플라스틱 알갱이를 호두 껍데기나 코코넛 껍질과 같은 유기 물질로 대체하도록 촉구하고 있다. 또한 소비자들에게는 미세 플라스틱이 함유된 생활 용품을 쓰지 않도록 하는 캠페인을 진행 중이다.

국내의 환경 운동 단체들도 발포 스티렌 부표가 부서져서 생기는 2차 미세 플라스틱을 줄이기 위해 부표의 소재를 다른 재료로 바꾸거나 사용을 줄이는 양식법을 개발할 것을 정부에 제안했다. 이는 해양 수산부의 해양 쓰레기 관리 기본 계획에 반영되었고, 해당 기관은 어민들과 함께 발포 스티렌 부표 폐기물 발생을 줄일 수 있는 구체적인 방안을 찾아 적용하는 사업을 펼칠 계획이다.

(마) 한국의 남해 연안 바닷물 속의 미세 플라스틱 오염도는 세계 최고 수준이다. 한국 해양 과학 기술원의 유류·유해 물질 연구단이 조사한 것을 보면, ○○시 해역 바닷물 1세제곱미터에는 평균 21만 개의 미세 플라스틱 입자가 들어 있다. 이것은 싱가포르 해역 바닷물 속 미세 플라스틱 평균 개수인 2,000개보다 100배 넘게 많은 것이다.

한국 해양 과학 기술원의 심△△ 연구단장은 "미세 플라스틱 연구가 본격적으로 시작된 지 십 년도 안 돼 아직 심각성과 관련하여 말하기는 어렵지만, 우려할 순간이 되면 이미 되돌릴 수 없으므로 우리나라에서도 예방 차원에서 좀 더 관심을 기울일 필요가 있다."라고 강조했다.

-『한겨레』, 2014년 4월 16일 기사 -

---

01 이 글의 내용과 일치하지 <u>않은</u> 것은?

① 미세플라스틱이 인간에게 어느 정도 위협이 되는지는 과학자들도 아직 밝히지 못하고 있다.

② 2004년 톰슨 교수가 발표한 논문의 영향으로 미세 플라스틱이 해양 생태계에 끼치는 영향을 규명하려는 후속 연구들이 이어졌다.

③ 1차 미세 플라스틱은 생산 당시 의도적으로 작게 만들어진 것이다.

④ 2차 미세 플라스틱은 인간보다 생태계에 더욱 악영향을 끼친다.

⑤ 전문가들에 따르면 아직까지는 1차 미세 플라스틱보다 2차 미세 플라스틱의 비중이 더 높다고 한다.

02 윗글을 바탕으로 미세플라스틱으로 인한 피해를 설명한 것으로 적절하지 <u>않은</u> 것은?

① 해양 생물들이 플라스틱 조각을 먹이로 알고 먹으면 영양 섭취를 저해한다.

② 먹이 사슬 과정에서 농축된 미세 플라스틱의 독성 물질이 해양 생물의 생식력을 떨어뜨릴 수 있다.

③ 인체에 먹이 사슬 과정에서 농축되어 유입된 미세 플라스틱이 생식력을 떨어뜨릴 수 있다.

④ 수산물의 체내에서 미처 배출되지 못한 미세 플라스틱이 인체에 유입되어 위협이 된다.

⑤ 해양 생물들의 장기의 좁은 부분에 걸려 문제를 일으킬 수 있다.

03 윗글을 바탕으로 미세 플라스틱의 위협에서 벗어날 수 있는 해결방안으로 적절하지 <u>않은</u> 것은?

① 소비자들은 플라스틱이 함유된 생활용품 분리수거를 철저히 실시한다.

② 미세 플라스틱 알갱이를 호두 껍데기나 코코넛 껍질과 같은 유기 물질로 대체한다.

③ 플라스틱 제조 과정에서 첨가되는 잔류성 유기 오염 물질을 줄인다.

④ 해양 수산부와 어민들이 미세 플라스틱 발생을 줄일 수 있는 구체적인 방안을 함께 마련해 나간다.

⑤ 미세 플라스틱 발생을 줄인 뛰어난 기술을 지닌 싱가포르와의 교류를 통해 실질적인 해결책을 마련해 나간다.

[04~07] (가)는 학생이 글쓰기를 위해 분석한 쓰기 맥락이고, (나)는 (가)를 바탕으로 쓴 초고이다. 다음을 읽고 물음에 답하시오.

(가) 쓰기 맥락

- 글의 목적 : 우리 지역 사람들을 대상으로 심폐 소생술을 배우자고 설득한다.
- 글의 주제 : 심폐 소생술을 배우자.
- 예상 독자 : 우리 지역 사람들(심폐 소생술에 대한 배경지식은 부족하지만, 건강과 안전에 관심이 많음.)
- 매체 : 인쇄 매체인 지역 신문

(나) 학생의 초고

거실에서 텔레비전을 함께 보던 가족이 갑자기 의식을 잃고 쓰러졌을 때, 우리가 할 수 있는 일은 무엇일까요? 고등학생 박○○ 양은 어머니께서 갑자기 쓰러지자 119에 신고한 후, 소방대원이 알려 주는 심폐 소생술을 침착하게 실행하여 어머니를 살릴 수 있었습니다.

심정지 환자를 발견하면 즉시 응급 처치를 해야 하는데, 이때 필요한 것이 바로 심폐 소생술입니다.

질병 관리 본부의 발표에 따르면, 2012년부터 2015년까지 일반인이 실시한 심폐 소생술 비율이 증가함에 따라 심정지 환자의 생존율도 함께 증가하였다고 합니다. ⊙그래서 미국(39.9퍼센트)이나 일본(36.0퍼센트), 싱가포르(20.6퍼센트) 등 다른 나라와 비교하면 ⓒ우리나라는 아직도 일반인이 실시한 심폐 소생술 비율이 매우 낮은 수준입니다. 그 이유는 무엇일까요?

연구 결과에 따르면 많은 사람들이 심폐 소생술이 무엇인지, 이를 어떻게 해야 하는지 모를뿐더러 일부 사람들은 ⓒ오히려 자신의 응급 처지가 환자에게 해를 끼칠지도 모른다고 걱정하는 것으로 나타났습니다. 이러한 걱정을 떨쳐 버릴 수 있는 가장 좋은 방법은 직접 심폐 소생술을 배우는 것입니다. ⓔ실제 심폐 소생술 교육을 받은 제 친구의 말에 따르면 교육을 받기 전보다 교육을 받은 후에 심폐 소생술에 대한 자신감이 훨씬 높아졌다고 합니다.

응급 환자를 목격한 후 구조를 요청하는 요령을 배우고, 인체 모형을 대상으로 응급 처치 방법을 익히는 등 실습 위주의 교육을 통해 심폐 소생술을 반복적으로 연습하여 몸에 익히면 유사한 상황이 생겼을 때 당황하지 않고 심폐 소생술을 실행할 수 있을 것입니다. ⓜ또한 심폐 소생술을 잘못하면 뇌 손상과 같은 후유증이 남을 수 있어 교육 동영상의 정확도는 매우 중요합니다.

위급 상황은 예고 없이 찾아옵니다. 다른 사람을 돕고 싶은 마음이 있어도 도울 방법을 몰라 응급 환자를 보고만 있을 수밖에 없다면 그 안타까움은 이루 말할 수 없을 것입니다. 그러므로 소중한 생명을 지키기 위해 심폐 소생술을 배우고 익힙시다.

04 〈보기〉는 학생이 (나)를 쓰기 전에 떠올린 생각이다. (나)에 반영된 내용으로 적절한 것을 〈보기〉에서 고른 것은?

┤ 보기 ├

ㄱ. 주제와 관련된 실제 사례를 언급하며 독자의 관심을 유도해야겠어.
ㄴ. 중심 화제와 관련된 질문을 던지는 방식으로 집중을 유도해야겠어.
ㄷ. 심폐 소생술의 구체적인 방법을 안내하며 심폐 소생술의 효과를 제시해야겠어.
ㄹ. 예상 독자가 이미 알고 있는 심폐 소생술에 대한 지식을 상기시키며 주장을 강조해야겠어.

① ㄱ, ㄴ   ② ㄱ, ㄷ   ③ ㄴ, ㄷ   ④ ㄴ, ㄹ   ⑤ ㄷ, ㄹ

05 자료 1~3을 활용하여 (나)를 보완하기 위한 방안으로 적절하지 <u>않은</u> 것은?

┤ 조건 ├

자료1	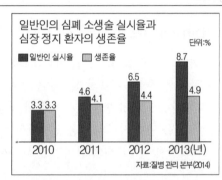 ▲ 심정지에 따른 결과 심정지(심장이 수축하지 않아 혈액 공급이 완전히 멎은 상태)가 발생했을 때 아무런 조치를 취하지 않으면 4~5분 내에 뇌 손상이 일어나기 때문에 심정이 초기 5분의 대응이 운명을 좌우합니다. – 서울특별시 영등포구 보건소 누리집 –
자료2	2012년부터 2015년까지 조사한 결과 일반인의 심폐 소생술 실시율이 증가함에 따라 심정지 환자의 생존율이 증가하였다. – 질병 관리 본부 누리집 –
자료3	〈동영상 자료〉 ○○의대 김△△ 교수 팀은 인터넷상의 심폐 소생술 동영상 1,600건을 분석했습니다. 그 결과 의학적으로 정확하면서 교육 효과가 높은 동영상은 2퍼센트에 불과한 것으로 나타났습니다. 심폐 소생술을 잘못하면 뇌손상과 같은 후유증이 남을 수 있어 교육 동영상의 정확도는 매우 중요합니다. 전문가들은 심폐 소생술이 사람의 생명을 다루는 기술인만큼, 교육 동영상을 철저히 관리해야 한다고 강조합니다. 인증 표시를 도입하거나 부정확한 동영상을 삭제하는 등 대책 마련이 필요합니다. – 와이티엔(YTN) 「뉴스정식」 (2015. 5. 19) –

① 자료 1 : 서론에서 심폐 소생술의 중요성을 보여주는 자료로 활용한다.
② 자료 1 : 도표를 제시하여 심정지 발생 시 초기 대응이 중요함을 강조한다.
③ 자료 2 : 심폐 소생술 교육이 필요한 이유를 뒷받침하는 근거 자료로 활용한다.
④ 자료 2 : 일반인이 실시한 심폐 소생술 비율이 거의 변하지 않고 있음을 보여주는 자료로 활용한다.
⑤ 자료 3 : 매체의 특성을 고려할 때 적절하지 않은 형태의 자료이므로 활용하지 않는다.

06 ㉠~㉤을 고쳐 쓰기 위한 방안으로 적절하지 <u>않은</u> 것은?

① ㉠ : 앞뒤 내용을 자연스럽게 연결하지 못하므로 '하지만'으로 고친다.
② ㉡ : '매우 낮은' 수준이 어느 정도인지 정확하지 않고 모호하므로 구체적인 수치를 제시한다.
③ ㉢ : 문맥에 맞지 않는 단어이므로 '예상한 것과 달리'라는 뜻의 '차라리'로 고친다.
④ ㉣ : 공신력 있는 자료가 아니므로 삭제하고, 신뢰할 수 있는 기관의 자료를 활용한다.
⑤ ㉤ : 주체와 관련 없는 내용으로서 글의 통일성을 저해하므로 삭제한다.

07 윗글을 쓰기 위한 글쓰기 전략으로 적절하지 <u>않은</u> 것은?

① 독자의 흥미를 끌 만한 구체적인 사례를 들면서 글을 시작해야겠어.
② 공신력 있는 기관의 발표 자료를 인용하여 내용의 신빙성을 높여야겠어.
③ 객관적인 수치로 우리나라의 일반인 심폐 소생술 실시 비율이 낮음을 지적해야겠어.
④ 실제 심폐 소생술 교육을 받은 믿을 만한 사람의 말을 인용하여 신뢰성을 확보해야겠어.
⑤ 심폐 소생술을 배우자는 당부로 글을 마무리하여 글의 목적과 주제를 분명히 해야겠어.

[08~11] (가)는 학생이 글쓰기를 위해 분석한 쓰기 맥락이고, (나)는 (가)를 바탕으로 쓴 초고이다. 다음을 읽고 물음에 답하시오.

(가) 18세기, 프랑스의 시민 계급은 자유롭고 평등한 사회 건설을 외치며 프랑스 혁명을 일으킨다. 시민군이 가장 먼저 쳐들어간 곳은 바스티유 감옥이고 그다음은 왕궁이었다. 왕궁을 직접 본 성난 ㉠시민군은 왕 일가가 그토록 호화롭게 살았다는 사실에 격분하면서 왕궁을 닥치는 대로 파괴하려고 하였다. 왕정의 잔재를 없애 버리겠다는 의지를 드러낸 것이다.

시민군이 왕궁을 습격하자 ㉡프랑스 행정 당국은 왕궁을 지키고자 안간힘을 쓴다. 왕궁에 있는 모든 것이 역사적 유물인데, 그것들이 허무하게 사라지는 것이 안타까웠기 때문이다. 이로써 왕궁을 파괴하겠다는 시민군의 요구와 왕궁을 보존하겠다는 행정 당국의 요구가 맞서게 된다.

과연 이 상황에서 어떻게 하면 두 가지 요구를 동시에 만족시킬 수 있을까? 그렇다. 바로 왕궁을 시민들을 위한 박물관으로 만드는 것이다. 이렇게 하면 역사적 유물을 보존하는 동시에 시민들의 입장에서는 왕이 독점하던 왕궁이라는 공간을 자신들이 소유한다고 느끼고 왕정이 끝났음을 선언할 수 있게 된다. 이러한 타협과 조정의 결과가 오늘날 프랑스를 대표하는 관광지이자, 역사의 현장이 된 '루브르 박물관'이다.

(나)

교장 선생님께

안녕하세요. 저는 1학년 3반 김시우입니다.

최근 우리 학교 매점에서 파는 식품을 사 먹은 몇 명의 학생들이 배탈이 난 일이 있었습니다. 저도 간식을 먹기 위해 매점을 자주 이용하는데, 매점에서 판매하는 식품의 안전이 염려되어 한 가지 건의를 드리려고 합니다.

'교내 식품 안전 지킴이' 제도를 도입하여 우리 학교 매점에서 유해·불량 식품을 판매하지 않도록 해 주세요. 어린이 식생활 안전 관리 특별법에 의하면 초·중·고교 매점은 학생들에게 안전하고 영양가 있는 식품을 공급하도록 노력해야 합니다. 하지만 우리 학교 매점에서는 버젓이 유해·불량 식품을 판매하고 있습니다.

학생들은 하루 중 대부분의 시간을 학교에서 보냅니다. 제 2 의 가정인 학교에서 학생들의 건강을 책임지는 것은 당연하다고 생각합니다. 학생들이 고열량·저영양의 식품을 섭취하여 영양 불균형 상태에 놓이는 것을 방지하고, 안전한 먹거리를 섭취하여 바람직한 식습관을 가질 수 있도록 제 건의를 받아들여 주시기 바랍니다.

학부모와 학생으로 구성된 '교내 식품 안전 지킴이'가 매점에서 판매하는 유해·불량 식품을 감독하고, 전교생을 대상으로 식품 안전 기초 교육을 하면 학생 스스로 안전한 식품을 섭취하고자 할 것입니다.

다시 한번 '교내 식품 안전 지킴이' 제도를 도입해 주시기를 당부드립니다. 감사합니다.

20○○년 ○월 ○일
1학년 3반 김시우 올림.

(다)

민규: 해윤아, 안녕? 가능하다면 이번 주 동아리 시간에는 우리 춤 동아리가 강당을 사용하면 안 될까?

해윤: 어, 왜? 강당은 우리 뮤지컬 동아리가 계속 사용하고 있는 공간인데, 갑자기 무슨 일이야?

민규: 알다시피 우리 동아리가 올해 처음 생겼잖아. 그동안은 계속 무용실에서 연습을 했는데, 무용실은 무대가 따로 없어서 공연하기 전에 예행연습을 하기가 어려워.

해윤: 그렇구나. 너희 입장도 이해는 되지만 우리도 곧 있을 축제에서 공연할 작품을 맹연습 중이라 조금 곤란해.

민규: 물론 학기 초에 너희 동아리에서 강당을 사용하기로 했고, 춤과 노래, 연기까지 해야 하는 뮤지컬 동아리가 무대가 있는 강당을 사용하는 건 당연하다고 생각해. 하지만 축제를 앞두고 공연 동아리 수에 비해 연습 공간이 부족하니까 이번 주에는 우리 동아리에게 양보해 주면 좋겠어.

해윤: 하긴 축제를 앞두고 공연 동아리들이 예행연습을 할 수 있는 공간이 없기는 해. 그럼 이번 주는 우리가 무용실을 쓸게. 대본 작성하고 연기 연습 위주로 하면 될 것 같아. 대신에 너희도 우리 좀 도와줘. 이번 축제 때 있을 공연 연습을 하는데 군무가 잘 안 돼서 도움이 필요했거든. 춤은 너희가 전문이니까 우리가 연습하는 것 보고 잘 안 되는 부분 좀 가르쳐 줘.

민규: 그야 당연히 도와줘야지. 우리 팀에서 안무를 담당하고 있는 친구에게 시간을 내 보라고 할게.

해윤: 그럼 이번 기회에 축제 때까지 연습 날짜와 시간을 맞춰 보고, 강당 사용 시간표도 만들까?

민규: 좋은 생각이야. 그리고 서로의 연습을 지켜보고 조언을 해 주는 것도 지속적으로 이어 가면 좋을 것 같아. 우리도 너희 도움이 필요할 때가 있을 테니까.

해윤: 앞으로 강당은 시간표대로 조정하면서 사용하고, 서로의 연습을 지켜보고 의견을 나누는 시간을 정기적으로 갖자.

민규: 그래, 좋아. 어려운 결정인데 양보해 줘서 고마워. 축제 때까지 서로 멋지게 준비해 보자.

08 윗글에 대한 설명으로 가장 적절한 것은?

① (가)는 (나)와 달리 쓰기 맥락에 따라 내용이나 형식이 달라질 수 있다.

② (가)와 달리 (나)와 (다)는 대면하여 갈등을 해결하고자 하는 말하기이다.

③ (가)와 (나)는 일반적으로 '서론-본론-결론'으로 구성되고, (다)는 '시작-조정-해결'의 절차를 갖는다.

④ (가)는 정보를 전달하여 이해시킬 것을 목적으로 하지만 (나)와 (다)는 상대의 생각과 행동을 변화시키는 것을 목적으로 한다.

⑤ (가)와 (나)는 계획하기 단계에서 예상독자를 염두에 두어야 하지만, (다)는 갈등 원인과 자신의 입장만 확인하면 된다.

09 ㉠과 ㉡의 협상과정에서 알 수 있는 사실이 아닌 것은?

① ㉠이 협상 과정에서 양보한 것은 왕궁을 파괴하지 않은 것이군.

② ㉠과 ㉡ 사이의 갈등은 왕궁을 파괴하려는 측과 보존하려는 측의 갈등이군.

③ ㉡이 협상과정에서 얻은 것은 왕궁에 있는 역사적 유물을 지켜낸 것이로군.

④ ㉠과 ㉡의 갈등해결을 위한 대안으로 왕궁을 박물관으로 만드는데 합의한 것이로군.

⑤ 협상을 통해 ㉠과 ㉡은 왕궁의 아름다움을 보존하는 공동의 요구를 모두 만족시킬 수 있었군.

10 (다)의 대화 상황에 대한 설명으로 적절하지 않은 것은?

① 강당을 어느 동아리에서 사용할 것인지를 두고 협상을 하는 중이군.

② 시작단계에서 민규는 자신의 입장을 내세워 해윤이에게 부탁하고 있군.

③ 시작단계에서 서로 자기 동아리의 입장을 내세워 갈등이 해결되지 않는군.

④ 조정단계에서 민규는 해윤이의 입장을 이해하고 새로운 대안을 제시하고 있군.

⑤ 해결단계에서 서로 만족할 만한 해결책을 찾고 합의가 원만하게 이루어졌군.

11 (나)와 〈보기〉에 대한 설명으로 적절하지 <u>않은</u> 것은?

┤ 보기 ├

학생회 여러분에게

안녕하세요. 저는 1학년 3반 김시우입니다.

항상 우리 학교 학생들의 편안한 학교생활을 위해 애쓰는 학생회에 감사한 마음을 전하며 한 가지 건의 사항을 말씀드립니다.

학생들이 교내 매점에서 안전한 식품을 사 먹을 수 있도록, 유해·불량 식품 근절 운동을 시행할 것을 대의원 회의 안건으로 채택해 주시기 바랍니다. 교내 매점은 어린이 식생활 안전 보호를 위해 시장, 군수 또는 자치구의 구청장이 지정하여 관리할 수 있는 '식품 안전 보호 구역'에 해당합니다. 식품 안전 보호 구역에서는 건강을 위협하는 유해·불량 식품의 판매를 금지하고 있습니다. 그런데 우리 학교 매점에서는 학생들의 건강을 해치는 유해·불량 식품을 버젓이 판매하고 있습니다.

학생회는 학생의 목소리를 대변하는 곳입니다. 지난달, 제가 속한 환경 동아리에서 1학년 학생 320명을 대상으로 우리 학교 매점에서 판매하고 있는 식품의 안전 관련 설문 조사를 하였습니다. 조사 결과 80퍼센트에 해당하는 학생들이 매점에서 판매하는 식품의 안전성이 의심된다고 답하였습니다.

학생들이 안전성을 의심하면서도 유해·불량 식품을 사 먹는 것은 관련 정보가 부족하기 때문입니다. 학생회에서 유해·불량 식품 근절 운동을 시행하여 학생들에게 관련 정보를 제공한다면 학생들이 바람직한 식습관을 기를 수 있을 것입니다.

위와 같은 사항을 신중하게 고려하여 대의원 회의 안건으로 채택해 주시기 바랍니다. 감사합니다.

20○○년 ○월 ○일
1학년 3반 김시우 올림.

---

① (나)와 〈보기〉는 모두 상대를 설득하려 하고 있다.

② (나)의 예상 독자는 교장 선생님이고, 〈보기〉는 학생회 임원들이다.

③ (나)와 〈보기〉 모두 자신의 건의를 받아들였을 때의 전망을 드러내고 있다.

④ (나)의 주제는 교내 식품 안전 지킴이 제도의 도입이고, 〈보기〉는 학생들의 바람직한 식습관 형성을 위한 학교의 역할이다.

⑤ (나)에서는 어린이 식생활 안전 관리 특별법을, 〈보기〉에서는 식품 안전 보호 구역 제도를 근거로 들어 주장을 펼치고 있다.

고등국어
HIGH SCHOOL

실전기출 문제은행

정답 및 해설

2B
2학기기말

창비 | 최원식

(1) 국어의 어제와 오늘

확인학습
P.09

01 ○ 02 ○ 03 × 04 ○ 05 ○ 06 ○ 07 ○ 08 ○
09 ○ 10 ○ 11 ○ 12 ×

01 동국정운식 표기에 음가 없는 'ㅇ'이 사용되었다.

05 방점을 통해 분별할 수 있다.

객관식 기본문제
P.15~20

01 ⑤ 02 ② 03 ③ 04 ⑤
05 ④ 06 ① 07 ① 08 ③
09 ⑤ 10 ⑤ 11 ③ 12 ④
13 ④ 14 ④ 15 ④ 16 ①
17 ④

01 ㅂ과ㄷ을 써서 ㄸ로 사용했다.

02 ㉠'니'에서 두음법칙이 없었다는 것을 확인.
  ㉡ 어리다(어리석다 → 나이가 적다) 의미의 이동,
  ㉢ '바+주격조사 ㅣ'

03 원형을 밝혀 적지 않고 소리 나는 대로 적었다.

04 현대 국어에서 쓰일 수 없고 중세 국어에선 어두자음군이라는 명칭으로 쓰인다.

05 양성모음 'ㆍ,ㅗ,ㅏ,ㅛ,ㅑ'가 있는데 'ㆍ,ㅑ'로 모음 조화가 제대로 지켜졌다.

06 '배'에 쓰인 조사는 주격조사이다. '에서'는 단체와 결합할 때 주격조사로 사용되므로 같은 역할을 하고 있다.

07 '말씀'은 의미의 축소의 예이다.

08 '노·미'에서 이어적기가 사용되었는데 '어엿비'에만 쓰이지 않았다.

09 ㉠은 ㅸ, ㉡은 초성자 밑에 모음을 쓰라는 설명으로 'ㅗ, ㆍ'가 해당되며, ㉢은 초성자 오른쪽에 모음을 붙여써야 하는 점으로 'ㅏ, ㅣ, ㅑ'가 해당된다.

10 사룸은 의미가 변화된 단어가 아니다.

11 'ㅅ뭇·디'처럼 어휘가 사라진 것은 음운 측면이 아니라 어휘 면에서 변화를 보이는 것이다.

12 평성은 방점이 0개이며 낮은 소리를 나타낸다.

13 '나+ㅣ'로 주격조사 'ㅣ'가 사용되었지만, '제'에는 쓰이지 않았다.

14 (가)에는 한자어를 이상적인 소리로 표기한 동국정운식 표기를 하고 있고, (나)에서는 현실음에 맞춰 동국정운식 표기를 하지 않았다.

15 현대국어에는 중세국어와 달리 선어말 어미를 통한 객체높임이 없다.

16 배는 '바 + ㅣ'로 분석할 수 있다. '바'는 체언의 끝소리가 모음이므로 주격조사로 'ㅣ'가 온 것이다.

17 '뜯'은 음성모음인 'ㅡ'가 사용되었고, 받침이 있으므로 '을'이 적당하고, '몸'은 양성모음인 'ㅗ'가 사용되었고, 받침이 있으므로 '올'이 적당하고, '공자'는 양성모음인 'ㅏ'가 사용되었고, 받침이 없으므로 '룰'이 적당하다.

객관식 심화문제
P.21~39

01 ⑤ 02 ② 03 ④ 04 ③
05 ⑤ 06 ④ 07 ⑤ 08 ⑤
09 ② 10 ⑤ 11 ① 12 ③
13 ② 14 ⑤ 15 ⑤ 16 ⑤
17 ③ 18 ⑤ 19 ③. ⑤ 20 ⑤
21 ④ 22 ③ 23 ⑤ 24 ①
25 ⑤ 26 ③ 27 ④ 28 ③
29 ⑤ 30 ② 31 ③ 32 ⑤
33 ④ 34 ⑤ 35 ① 36 ④
37 ② 38 ③ 39 ④ 40 ①
41 ④ 42 ④ 43 ⑤ 44 ③

01 '곶'을 보면 종성에 'ㅈ'이 사용되었는데, 8종성법이 지켜졌다고 볼 수 없다.

02 '中듕國·귁·에'의 '에'는 비교의 의미를 지니는 부사격 조사이다.

03 ⓓ는 '쉽게'로 해석해야 한다.

04 ㉠'어린'은 '어리석은'에서 '나이가 적다'로, ㉢'어엿비'는 '가엾다'에서 '아름답다'로 의미의 이동이 일어났고, ㉡'노미'는 '사람'에서 '남자를 낮잡아 이르는 말'로, ㉣'얼굴'은 '몸 전체'에서 '안면'으로 의미의 축소가 일어났다. ㉤'일훔'은 현대어와 같은 의미이다.

05 (다)시기는 근대국어시기로, '옴/움'이 아닌 '기'의 사용이 나타나고 있다.

06 '거슨'은 '것+은'으로 분석할 수 있는데 음성모음인 'ㅓ'와 양성모임인 'ㆍ'가 어울렸으므로 모음조화가 지켜지지 않았다.

07 (다)는 근대국어시기로, 7종성법을 사용하였다.

08 초성에 둘 이상의 자음이 오는 것은 '쁘ㄹ·미니·라'와 같은 부분에서 확인 할 수 있다. '·훓·배 이·셔·도'에는 초성에 둘 이상의 자음이 나타나지 않았다.

09 중세국어에서는 두음법칙이 적용되지 않았고, 현대국어에서 두음법칙이 적용되었다.

10 (나)는 중세국어의 자료로 '쎤·셍'과 같은 부분에서 이상적인 한 자음을 표기한 동국정운식 표기를 하였고, (다)는 근대국어의 자료로 '子·직'와 같은 부분에 형식 종성이 나타나지 않는 것으로 보아 동국정운식 표기가 나타나지 않은 것을 알 수 있다.

11 ⓐ는 비교부사격조사이다. 비교의 기능을 하는 것은 ①이 적절하다.

12 ⓐ에는 'ㅂ, ㅍ', ⓑ에는 'ㆆ', ⓓ에는 'ㅏ, ㅓ, ㅗ, ㅜ', ⓔ에는 'ㅑ, ㅕ, ㅛ, ㅠ'가 들어가는 것이 적절하다.

13 (가)에는 종성부용초성이, (나)와 (다)에는 8종성법이 사용되었다.

14 '·'는 첫음절에서는 'ㅏ'로, 둘째음절 이하에서는 'ㅡ'로 바뀐 것을 확인할 수 있다.

15 A에서는 'ㄹㅇ'형 활용을 확인할 수 있고, B에서는 의미의 이동을 확인할 수 있고, C에서는 이어적기와 어두자음군, 모음조화를 확인할 수 있고, D에서는 'ㅸ'의 사용을 확인할 수 있는데 이는 훈민정음 초성 17자에 해당하는 글자가 아니다.

16 적절하게 고치면 이어적기와 모음조화를 적용하여 '·모·믈'로 고쳐야 한다.

17 '바·ㄹ·래'는 '바롤+애'로 분석하고, '·뿌·메'는 '뿌+움+에'로 분석하고, ':효·도·이'는 '효도+이'로 분석하므로 모음조화를 잘 지켰다. 반면 '일:훔·을'은 '일훔+을'로 분석하는데 양성모음인 'ㅗ'뒤에 음성모음인 'ㅡ'가 왔으므로 모음조화를 지키지 않았다.

18 ㄱ. 평등사상은 나타나지 않는다.
    ㄹ. 훈민정음 창제 동기만 밝히고 있을 뿐 창제 원리를 밝힌 것은 아니다.
    ㅅ. 우리나라의 말이 중국의 말과 달라 백성들이 문자생활하는 데 어려움이 있었기 때문에 글자를 만든 것이다. 중국과 소통하려고 만든 것은 아니다.

19 (가)의 '니르고져'를 보면 두음법칙이 지켜지지 않은 것을 확인할 수 있고, (다)에서는 음가가 없는 'ㅇ'을 표기하지 않았다.

20 ⑰'하다'는 '많다'의 의미만 지니고 있다. ⑱의 '배'는 '바+ㅣ(주격조사)'로 이루어져 있다.

21 고려 건국부터 16세기 말까지의 국어를 중세 국어라 한다.

22 '밍글+ᄂᆞ+오+니' ㄹ과 ·가 탈락된 것만 확인 가능하고 이어적기가 쓰인 것을 확인할 수는 없다.

23 방점은 의미의 높낮이를 표시하기 위한 것이다. 동국정운식 표기와는 상관이 없다.

24 '에'를 현대어로 옮기면 '과'가 된다.

25 '이셔도'는 이어적기가 쓰인 것이다.

26 후음의 기본자 'ㅇ'에 가획하여 'ㆆ'으로 만들었다. 반설음은 설음의 기본자 'ㄴ'에 가획하여 'ㄹ'로 만들고, 반치음은 치음의 기본자 'ㅅ'에 가획하여 'ㅿ'으로 만들었다.

27 '·+ㅡ=ㅗ', 'ㅣ+·=ㅏ'로 합용의 원리가 적용되었다.

28 입성은 방점의 개수와 상관이 없다.

29 '스뭇다'는 원래 통하다를 뜻하는 말이었으나 지금은 사라진 단어이다. '말씀'은 의미의 축소로 '원래 일반적인 말 전체 → 남의 말을 높여 이르거나 자기의 말을 낮추어 이름.'이며, '어엿브다'는 '불쌍하다 → 예쁘다'로 의미의 이동이 나타났다.

30 '바+주격조사 ㅣ'의 결합이다. 생략되지 않았다.

31 ③은 이어적기가 쓰인 것이고 다른 어형의 변화가 일어난 것은 아니다.

32 ㉮'뜯+을' : 음성 모음('ㅡ')끼리 결합하고, '믈+은' : 음성 모음('ㅡ')끼리 쓰였다.

33 방점은 글자 왼쪽에 찍는 것이다.

34 ⓐ는 '바+ㅣ'로 분석할 수 있고, 여기에 쓰인 주격조사는 'ㅣ'이다.

35 구개음화가 일어나지 않은 표기를 찾아야한다. '됴코'의 '됴'에서 구개음화가 일어나지 않았다.

36 '쑴에', 'ᄇᆞᄅᆞ매', '플은', '곳을' 다 이어적기가 쓰였고 ④는 이어적기 표기가 아니다.

37 이어적기와 'ㄹㅇ'활용을 적용해야 한다.

38 ⓐ: ㅃ – 합용병서에 대한 설명이다, ⓑ: ㅸ – 연서에 대한 설명이다.

39 '내 우름'처럼 이어적기가 완전히 사라진 건 아니다.

40 시간의 흐름, 역사에 따라 의미가 변화를 겪는다.

41 '스뭇디, 펴디'에서 구개음화가 지켜지지 않았고, '니르고져' 등 두음법칙도 지켜지지 않았다.

42 주격조사 '이'는 자음으로 끝난, 즉 받침이 있을 때 사용된다.

43 '·, ㅗ'는 양성 'ㅓ'는 음성으로 모음조화가 지켜지지 않았다.

44 (나)에 '수ㅸ' 에서 ㅸ이 사용되었고, (다)에서 사용되지 않았다.

P.40~45

01 ㉠ ㄱ, ㄴ, ㅁ, ㅅ, ㅇ ㉡ ·, ㅡ, ㅣ

02 이어적기(연철)

03 '爲윙ᄒᆞ야'에서 보듯이 중세 국어에서 잘 지켜지던 모음조화가 현대 국어에서는 '위하여'에서처럼 잘 지켜지지 않는다. '中듕國귁에'의 '에'는 비교 부사격조사로 현대 국어에서 '과'로 쓰인다. '스믈'이 현대 국어에서는 원순 모음화가 일어나 '스물'로 쓰인다. '흟배'에서 보듯이 현대 국어에서 쓰이는 주격조사 '가'가 중세 국어에서는 쓰이지 않았다.

04 중세 국어에서는 소리 나는 대로 적었으나 현대 국어에서는 어법에 맞게 표기한다.

05 어휘 면에서 기존 어휘가 없어지기도 하고, 형태나 의미가 바뀌기도 하며 새로운 어휘가 만들어지거나 외부에서 들어오기도 한다. 어휘 소멸은 '전ᄎᆞ, 스뭇디', 의미 이동은 '어린, 어엿비', 의미 축소는 '말ᄊᆞᆷ, 놈'이 그 예이다.

06 공통적으로 설명한 문법 원리는 모음조화이다. 모음조화는 'ㅏ, ㅗ, ·' 따위의 양성 모음은 양성 모음끼리, 'ㅓ, ㅜ, ㅡ' 따위의 음성 모음은 음성 모음끼리 어울리는 현상이다.

07 훈민정음에는 나라의 말이 중국과 다르니 우리 것이 필요하다는 '자주정신', 한자가 어려워 백성들이 자기 생각을 표현할 수 없음을 안타깝게 여긴 '애민정신', 새로 28자를 만든 '창조정신', 백성들이 쉽게 익혀 쓰기에 편하게 만들고자 했던 '실용정신'이 나타난다.

08 종성법으로 'ㄱ, ㄴ, ㄷ, ㄹ, ㅁ, ㅂ, ㅅ, ㅇ'의 여덟 자만 받침으로 사용하는 것이다.

09 초성은 상형의 원리에 의해 'ㄱ, ㄴ, ㅁ, ㅅ, ㅇ'을 만들었고, 가획의 원리에 따라 'ㅋ, ㄷ, ㅌ, ㅂ, ㅍ, ㅈ, ㅊ, ㆆ, ㅎ', 이체자로 'ㆁ, ㄹ, ㅿ'을 만들었다. 중성은 상형의 원리에 의해 '·, ㅡ, ㅣ'를 만들었고, 합성의 원리에 의해 'ㅗ, ㅏ, ㅜ, ㅓ, ㅛ, ㅑ, ㅠ, ㅕ'를 만들었다. 종성은 종성부용초성에 의해 종성의 글자를 별도로 만들지 않고 초성으로 쓰는 글자를 다시 사용했다.

10 밍ᄀᆞ노니 : 밍글- + -ᄂᆞ- + -오- + -니

11 (1) ㉠ 소리 나는 대로, ㉡ 어법에 맞게 (2) ⓐ 말ᄊᆞᆷ, 놈 ⓑ 축소

12 ㉢, ㉣, ㉠, ㉵, ㉡, ㉲

13 '말ᄊᆞᆷ'은 일반적인 말의 뜻에서 말의 높임이나 낮춤으로 의미가 축소되었다. '노미'는 일반적인 사람의 뜻에서 남자의 비속어로 의미가 축소되었다. '어린'은 어리석다에서 나이가 적다로 의미가 이동하였다. '어엿비'는 가엾다의 뜻에서 아름답다의 뜻으로 의미가 이동하였다.

14 친구가 선생님께 선물을 드렸다.

(2) 상황과 대상에 맞는 표현

P.54~55

확인학습

01 (1) ○, (2) ○, (3) ×, (4) ○, (5) ○, (6) ×, (7) ○, (8) ○,
(9) '선생님, 저희 어머니께서 도시락을 안챙겨주셨어요.' '께서', '주셨어-'에서 주체높임법, '저희'와 '-요'에서 상대 높임법
02 (1) ×, (2) ×, (3) ○, (4) ○, (5) 진행상, 완료상
03 (1) ×, (2) ○, (3) ×, (4) ○, (5) ×
04 (1) ×, (2) ×, (3) ○, (4) ×,
(5) '내가 벌에게 쏘였다. 내가(주어), 벌에게(부사어), 쏘였다(서술어) → (쏘 + -이- + -다)피동 접미사가 쓰인 피동사

객관식 기본문제

P.56~66

01 ③	02 ③	03 ⑤	04 ④
05 ③	06 ③	07 ③	08 ③
09 ①	10 ④	11 ⑤	12 ③
13 ④	14 ⑤	15 ③	16 ②
17 ④	18 ③	19 ⑤	20 ⑤
21 ④	22 ⑤	23 ③	24 ②
25 ②	26 ①	27 ④	28 ②
29 ④	30 ④	31 ②	

01 어머니의 생각은 간접 높임의 대상이다. 간접 높임은 선어말 어미 '-(으)시-'를 통해서만 가능하다. '계시다'라는 특수 어휘를 사용할 수 없다.

02 문장의 주체, 즉 주어 '선생님'을 높이고 청자 '채영'이는 낮추고 있다.

03 '공부 열심히 하렴'은 대화 상대를 낮춰서 표현하는 것이고 주어 '엄마는'은 객체가 아닌 주체이다.

04 '께서'는 주체 높임의 조사이다.

05 '드리시다'는 문장의 주체와 객체를 높이고 있다. 선물을 주는 사람은 주체와 객체가 아니라 청자이므로 적절하지 않다.

06 선어말 어미 '많으신', 조사 '께서', 주체 높임의 용언 '잡수다' 간접높임 '연세'가 사용되고 있다.

07 객체 높임의 목적격 조사는 없다.

08 '오다'에 주체 높임의 선어말 어미 '-시-'가 사용되고 있고 '-ㅂ니다'를 통해 상대를 높이고 있다.

09 '오시래'는 영수를 높여주므로 '오라셔'로 고치는 것이 맞고, 교장 선생님의 '말씀'은 간접높임의 대상이므로 특수 어휘 '계시다'를 통해서 높이면 안되므로 '있으시다'로 고치는 것이 적절하다.

10 객체높임의 용언 '드리다'가 사용되고 '따님'이라는 간접 높임의 어휘가 사용되고 있다.

11 앉는 행위 자체는 이미 끝난 것으로 완료상이 맞다.

12 '-으(ㄴ)'은 선어말 어미가 아니라 관형사형 어미이다.

13 (가)는 '-고 있다'를 통해 진행상을, (나)는 '-어 버리다'를 통해 완료상을 나타내고 있다.

14 '쥐 버렸고'에 사용된 '-어 버리다'는 완료상을 나타낸다.

15 '그려 간다'는 행위가 아직 진행 중이므로 진행상이다.

16 과거시간 부사어 '어제', 선어말 어미 '-았-'을 통해 과거시제를 나타내고 있다.

17 학교에 지원하겠다는 의지를 드러내고 있으므로 ④번이 제일 적절하다.

18 '이번 여름은 날씨가 정말 더웠다'는 과거 시제이다. ③번도 과거시제이다.

19 '낫고 있다', '나아 가다' 모두 진행상을 나타낸다.

20 식당 개업은 미래의 일이므로 사건시가 발화시보다 나중인 미래 시제가 적절하다.

21 형용사의 경우 과거시제를 나타내는 관형사형 어미는 '-던'이 사용된다.

22 진행상의 경우 '-고 있다'를 주로 사용하고 완료상의 경우 '-아/어 있다'를 주로 사용한다.

23 ③의 '울리지'는 피동이 아닌 사동 표현이다.

24 ㉠은 '팔다'의 피동 표현 '팔리다', ㉡은 '잊다'의 피동 표현 '잊히다'가 사용되고 있다.

25 '믿겨지지'는 '믿다'에 피동 접사 '-기', 피동문을 만드는 어미 '-어지다'가 함께 쓰인 이중피동표현으로 '믿어지지' 혹은 '믿기지'로 고치는 것이 적절하다.

26 '놀렸다'는 기본형이 '놀리다'로 남을 욕보이는 행위를 뜻한다. 어간 자체에 '리'가 포함된 단어이므로 피동접미다 '리'가 쓰였다고 볼 수 없다.

27 '지었다'라는 서술어의 주체가 홍길동전이 아닌 허균이므로 허균이 주어이다.

28 태풍이 행위의 주체가 되어야 한다.

29 직접인용에는 큰따옴표의 문장에 '라고'가 결합하고 간접인용문엔 '고'가 결합한다. 서술격 조사 '이다'는 간접인용문에 '이라고'를 붙인다.

30 직접에서 간접인용으로 바꿀 때 '나'는 '자기'로 바꿔야 하므로 '거기가 자기가 사는 곳이라고'로 고쳐야 한다.

31 뿐이라고, 사랑한다고(간접인용), "나갔어"라고 "넓구나"라고 (직접인용)

객관식 심화문제

P.67~89

01 ②	02 ①	03 ②	04 ①
05 ①	06 ②	07 ②	08 ③
09 ②	10 ④	11 ②	12 ④
13 ④	14 ②	15 ①	16 ③
17 ⑤	18 ⑤	19 ③	20 ①
21 ②	22 ③	23 ⑤	24 ①
25 ①	26 ④	27 ⑤	28 ④
29 ①	30 ③	31 ①	32 ⑤
33 ①	34 ④	35 ②	36 ③

37 ③	38 ②	39 ④	40 ③
41 ⑤	42 ③	43 ④	44 ③
45 ④	46 ④		

01 인용절 속의 어미, 인용 조사, 대명사, 지시 표현, 높임 표현 등에 변화를 주의하며 문맥상 매끄러울 수 있는 답은 ②이다.

02 ㉡은 주격조사 '이'를 '께서'로 바꿔야 한다. ㉢은 할아버지께서는이 옳다. ㉣은 사동오류가 아닌 이중피동의 오류이다. ㉤은 시제오류가 아니라 인용표현의 오류이다.

03 ②의 들었다는 능동표현이다.

04 ㉠의 '께서'는 주체를 높이는 조사가 맞지만 ㉡의 '계'는 객체를 높이는 표현이다.

05 '아버지께서는'의 '께서'는 주체 높임이고 할아버지를 '뵙고'에서 객체 높임 표현도 알 수 있다.

06 〈보기2〉의 -겠-은 가능성이나 능력의 의미로 쓰이므로 ②가 가장 적절하다.
① 추측, ③ 추측, ④ 의지, ⑤ 완곡하게 말하는 태도.

07 '계'는 객체 높임이다.

08 '나는 어머니께 꽃다발을 드렸다.'가 옳은 높임 표현이다.

09 '헐리어졌다'는 '헐리었다', 혹은 '헐어졌다'로 고쳐써야 한다.

10 '모시고' → 객체높임, '잡수실-' → 주체높임, '여쭙거라' → 객체높임이 사용되었다.

11 주체높임법이 아닌 상대높임법을 쓰면 되는 경우이다. '감기실 게요'는 -시-의 남용이므로 '감기겠습니다.'의 종결어미를 씀으로서 청자인 손님을 높이는 상대높임법을 쓰는 것이 적절하다.

12 간접높임 표현에서는 특수어휘 ('계시다')가 사용될 수 없으므로 '있으시다'로 바꿔야 한다.

13 올바른 직접 인용을 사용하였다. ① 참가되었어 → 참가했어. ② 실패하였지만 → 실패하겠지만 ③ 말해 주었어 → 말씀해 주셨어. ⑤ 발표문이므로 공적인 자리에서 사용할 상대 높임법의 종결어미들을 사용해야 한다.

14 주무신다는 주무시(어간) + ㄴ(선언말어미) + 다(종결어미)이다. '주무시'의 '시'는 선어말 어미가 아니다.

15 ㉠은 사건시와 발화시가 일치하는 현재 시제이다.

16 고객의 신분증이므로 간접 높임의 대상이 될 수있으나 간접 높임에는 특수어휘의 사용은 적절하지 않다.

17 〈보기1〉의 참가하였지만 (능동) → 〈보기2〉의 참가하게 되었지만 (피동)

18 시제는 둘 다 현재 시제이다. 형용사는 진행형이 불가능하므로, '아름답고 있다'는 '아름답다'로 고쳐 쓴다.

19 '예쁘던'의 품사는 형용사이며 '초등학생이던'의 '이던'은 서술격조사 '이다'이다.

20 '드렸다'는 객체를 높이기 위해 사용된 것이다.

21 객체인 할머니를 '모시고'의 특수어휘로 높이고 -습니다의 종결어미를 써서 상대도 높이고 있다.

22 ③만 가능성이나 능력을 의미하고 나머지 보기는 완곡하게 말하는 태도를 의미한다.

23 ㉠과 ㉡ 모두 현재시제로 발화시와 사건시의 시간 차이가 존재하지 않는다.

24 ② 불필요한 피동표현이므로 '마무리되길'이 적절하다. ③ 직접 인용이므로 '라고'를 붙여 준다. ④ 주체인 할아버지를 높여야 하므로 '말씀해 주셨어'가 적절하다. ⑤ '만들어지려면'을 '만들려면'으로 불필요한 피동표현을 줄인다.

25 '어제'라는 시간 부사를 통해 시제가 과거 시제임을 알 수 있다.

26 ① 오는 동작의 주체는 이 문장에서 객체인 선희이다. ② '께'와 '드리다'는 객체 높임의 표현이다. ③ '있다'의 특수어휘는 '계시다'이다. ⑤ 공적인 자리에서는 '-해요체' 보다는 '-하십시오체'가 적절하다.

27 가. 간접 높임(교수님의 책) 나. 객체 높임(객체인 할머니를 높이는 '모시고') 다. 간접 높임(교장 선생님의 말씀) 라. 객체 높임(객체인 선생님을 높이는 '뵈어야겠다') 마. 주체 높임(주체인 아버지를 높이는 특수어휘 '드신다')

28 높임의 대상은 '사장님'이고 문장의 객체여서 부사격조사 '께'를 사용하였고 특수어휘 '여쭈다'를 이용한다.

29 시간을 언어적으로 표현한 것이다.

30 미래에 일어날 말을 추측하는 데 쓰이고 있다.

31 진행상은 '-고 있다, -아/-어 있다'를 쓴다. '-어 버리다'는 완료상이다.

32 '만났다'에는 피동 접미사가 결합될 수 없다.

33 ㉠과 ㉡ 모두 상대높임의 종결표현이 사용되고 있다.

34 형용사의 경우 과거 시제를 표현하기 위한 관형사형 어미로 '-던'을 쓴다.

35 간접인용은 형식은 변형할 수 있지만 내용을 변형하는 것은 아니다.

36 '늦어도 어제는 고향에 소포가 도착했겠다'는 '능력'의 의미가 아니라 '추측'의 의미이다.

37 ③은 '-어 버리다'를 사용한 완료상이다. ①②④⑤는 모두 진행상이다.

38 객체 높임의 동사 '뵈다'가 사용되고 높임의 명사 '큰댁'이 사용되고 있다.

39 '물어 보았다' 또한 '여쭈어 보았다'로 고치는 것이 적절하다.

40 ㄱ에서는 피동표현이 사용되고 있지 않고, ㄴ은 체언에 접사 '-되다'가 붙어 피동표현이 사용되고 있고, ㄷ은 '밝히다'에 '-어지다'가 결합하여 피동의 의미를 나타낸다. ㄹ은 '쓰다'에 피동 접미사 '-이-'와 '-어지다'가 동시에 붙은 잘못된 이중피동 표현이다.

41 선어말 어미 '-았-'이 사용되고 있는 것은 맞지만 과거 시제가 아니라 미래 추측의 의미를 나타내고 있다.

42 사건시가 발화시보다 먼저인 것은 과거시제이고 사건시보다 발화시가 먼저인 것은 미래시제이다. '나는 다급하게 초인종을 눌

렀다'는 선어말 어미 '-었-'을 통해 과거시제를 나타내고, '네가 떠날 곳으로 곧 따라갈게'는 관형사형 어미 '-ㄹ'을 통해 미래시제를 나타내고 있다.

43 '잊혀진'은 '잊다'에 피동 접미사 '-히-'와 어미 '-어지다'가 동시에 사용된 이중 피동으로 올바르지 않은 표현이다. 둘 중에 하나만 사용하는 것이 올바른 피동 표현이다.

44 객체높임의 특수 어휘 '드리다'와 주체 높임의 선어말 어미 '-시-'가 사용되고 있다.

45 '속이다'는 '속다'에 사동접미사 '-이-'가 붙은 것이다. 피동의 의미는 찾을 수 없다.

46 주체높임의 조사 '께서', 객체높임의 특수 어휘 '모시다'가 사용되고 있다.

서술형 심화문제
P.90~105

01 (1) 국어 책은 다른 책보다 잘 읽힌다. 이중 피동이 쓰였다.
  (2) 누군가 어둠 속에서 "철수가 바로 범인이다"라고 소리쳤다. 인용격 조사가 적절하지 않다.

02 (1) 그는 은퇴 후에도 여전히 바쁘다. 형용사는 동작상으로 쓸 수 없다.
  (2) 이 제품이 요즘 제일 잘 나가는 색상이에요. 높임 표현이 잘못 쓰였다.

03 철수는 선생님께 "영희가 아픕니다"라고 말씀드렸습니다.

04 저는 → 나는, 않다라고 → 않다고, 쓰여질 → 쓰일,
  받을 → 받으신, 잊혀지지 → 잊히지

05 (1) 참가하였습니다–잘못된 피동표현이므로 수정해야 한다. (2) 어머니께서는–주격 조사로 주체 높임을 나타내야 한다. (3) 실패하겠지만–미래 시제로 수정해야 한다.

06 아버지가 할머니께 "식사 하셨어요?"라고 여쭤 보셨어요.

07 ㉠ 생일을 축하한다. ㉡ 생일을 축하해요 ㉢ 생일을 축하해 ㉣ 지금 사귀는 사람이 있으세요? ㉤ 지금 사귀는 사람이 있니?

08 (1) 과거 시제, 완료상–과거 시제 선어말 어미 –었–과 완료의 보조용언 '–어 버리다'를 사용했다.
  (2) 현재 시제, 진행상–현재를 나타내는 시간 부사 '지금', 진행을 나타내는 보조용언 '–고 있다'를 사용하였다.

09 지나는데도→지났는데도, 없게 돼→ 없어 어떡하느냐라고→어떡하냐고, 걱정을 하지→ 걱정을 하시지, 힘들 것 같아→ 힘든 것 같아

10 〈보기1〉에서 1, 2에 제시된 문장이 잘못된 이유는 이중 피동 때문이다. 비로 인해 파인 땅을 복구한다. 나는 아직도 그녀가 잊어지지 않는다.

11 선생님께서 나에게 당신과 함께 해서 정말 기쁘지 않냐고 물어보신다.

12 ㉠ 주문하신 음료 나왔습니다. ㉡ 손님, 가격은 모두 만 이천 원 되겠습니다.
  ㉢ 그녀의 눈은 언제나 초롱초롱하고 아름답다.

13 ㄱ.할아버지께서는 일찍 주무시고 일찍 일어나신다. ㄴ.만수는 할머니를 산본 역까지 모셔다 드렸다. ㄷ.나는 선생님께 모르는 문제를 여쭈보러 갔다.

14 ㉠나는 → ㉡저는, ㉢나에게 → ㉣제게,
  ㉤말씀해 주었습니다 → ㉥말씀해 주셨습니다.
  ㉦실패하였지만 → ㉧실패하겠지만,
  ㉨어머니께서는 "실패 ~ "라고 말씀해 주었습니다. → ㉩어머니께서는 실패란 하나의 사건일 뿐이라고 말씀해 주셨습니다.

15 저는 당신께서 빌려주신 물건을 돌려드리겠다고 말씀드렸습니다.

16 ㉠ 용준아 선생님께서 너를 데리고 오라셔
  ㉡ 창문이 닫히지 않아 찬바람이 들어온다.

17 (1) 문장의 주체인 주어를 높이는 높임법, 할머니께서 책을 읽고 있으시다(계시다). (2) 문장의 객체인 목적어나 부사어를 높이는 높임법, 나는 아버지께 추석 선물을 드렸다.

18 (1) 잘못된 높임 표현: 이 제품의 95 사이즈는 하나 남았습니다.
  (2) 이중피동: 세계 각국이 '잊힐 권리'를 법적으로 보장하려고 한다.

19 (1) ㉠은 높임 대상인 '아버지'를 직접 높이는 문장이고, ㉡은 아버지의 신체 일부를 간접적으로 높이는 문장이기 때문이다.
  (2) ㉢<㉡<㉣<㉠, 격식 해라체, 격식 하게체, 격식 하오체, 격식 하십시오체

20 (1) ㉠은 단순히 연우가 어제 책상을 닦은 사실만 전달하는 반면 ㉡은 화자의 연우가 책상을 닦은 사실을 전달하는 동시에 연우가 그 사실을 화자가 직접 경험하여 알게 되었음을 드러낸다.
  (2) 관형사형 어미 '–은', 선어말 어미 '–었–'이다.

21 언어 예절을 지키며 대화하기 위해서는 대화 상황과 대화를 고려해야 하며, 언어 예절을 잘 지켜야 하는 이유는 다른 사람과 원활하게 의사소통을 하고 원만한 인간관계를 유지할 수 있게 하기 때문이다.

22 (1) 세상이 눈에 덮였다.
  (2) 나는 이웃이 어려울 때 서로 돕는 것이 옳은 일이라고 생각한다.

23 (1) 그는 나에게 내가 참 착하다고 말했다. (2) 매끄럽고 간결한 느낌을 준다.

24 아버지께서는 책을 읽으셨고, 저는 그 옆에서 일기를 썼어요.

25 (1) ㉠– ㉢, ㉣ / ㉡– ㉠, ㉤ (2) ㉠의 '내일'이라는 부사어, 선어말 어미 '–겠–'을 통해 미래 시제를 나타내며, '앉아 있겠다'의 보조 용언 '–아 있다'는 완료상을 나타낸다. ㉡의 관형사형 어미 '–던'과 '–은'은 과거 시제를, 시제 표시가 없는 서술격 조사'–이다'는 현재 시제를 나타낸다.

26 (1) ㉠ 할아버지께서는 매일 이 시간이면 낮잠을 주무신다. ㉡ 나는 어머니께 아버지께서 안방에 있으신지(계신지) 여쭤 보았다.
  (2) 주격 조사와 특수 어휘로 주체 높임을 나타내야 한다. 주격 조사와 부사격 조사, 특수 어휘, 주체 높임 선어말 어미로 주체와 객체 높임을 나타내야 한다.

27 (1) 아들이 어제 저에게 오늘 집에 있으라고 말했습니다
  (2) 오빠는 어제 자신의 휴대 전화에 메시지를 꼭 보내라고 나에게 말했다.

28 참가되었어→ 참가하였어(참가했어),
  무엇이 배워졌는지가→ 무엇을 배웠는지가

29 (1) 혜영이는 아까 도서관에 갔어–시제의 일치의 오류
  (2) 할아버지께서는 매일 이 시간이면 낮잠을 주무셔– 잘못된 높임 표현
  (3) 창문이 닫히지 않아 찬바람이 들어온다–이중피동
  (4) 사육장 관계자는 시설의 개선이 필요하다고 말했습니다– 올바르지 않은 인용격 조사의 사용

30 선생님께서 동생에게 선물을 주실 것이다.

31 (1) 다른 데서 들은 말이나 읽은 글을 인용할 때 그 형식은 유지하지 않고 내용만 인용하는 방식
  (2) 어제 할아버지께서 오늘 진지를 사서 할아버지께 오라고 말씀하셨다.

32 ⓐ–시간이 너무 촉박하다. ⓑ–이 구간은 그냥 빨리 넘어가자.
  ⓒ–이곳은 위험하니 저쪽으로 비켜라.
  ⓓ–그토록 찾던 물건을 드디어 구했구나.

33 주체 높임(어머니가, 가나요)과 객체 높임(데리고)이 올바르게 쓰이지 않았다. 어머니께서 할머니를 모시고 병원에 가시나요?

34 원작가의 의도를 손상시키고 있다.

35 담겨져 → 담기어(담겨), 짜여지면서 → 짜이면서, 생각되어진다 → 생각된다.

36 큰따옴표가 사라진다. 조사 '라고'가 '고'로 바뀐다. '–입니까'가 '–냐'로 바뀐다. 높임법이 바뀐다. 지시 대명사가 '그쪽'에서 '이쪽'으로 바뀐다.

37 할아버지께서는 걱정거리가 있으시다. 높임의 선어말 어미 '–시–'를 활용하여 할아버지의 생각인 '걱정거리'를 높여 주체를 간접적으로 높였다.

38 (1) 진행상: ㉡, ㉢ (2) 완료상: ㉠, ㉣

39 보조 용언 '–어 있다'로 완료상을 나타내고 있다.

(3) 바람직한 국어 생활

P.108

확인학습

01 ○ 02 × 03 ○ 04 × 05 ○ 06 ○ 07 ○ 08 ○

객관식 기본문제

P.110~114

01 ④   02 ③   03 ④   04 ①
05 ①   06 ④

01 ㄱ. 이 글은 이 글은 언어생활에서 속담과 같은 관용 표현, 외래어와 외국어, 통신 언어 등을 상황에 맞지 않게 사용하거나 무분별하게 많이 사용하면 도리어 의사소통에 문제가 생기기도 함을 설명하고 있으며, 국어 문화 발전을 위해서는 이를 바르게 고쳐 사용하려는 노력이 필요함을 주장하고 있다.
ㄷ. (가)는 담화 관습, (나)는 관용표현, (다)는 외래어와 외국어의 개념을 정리하고 있다.
ㅁ. 이 글은 담화관습을 분류하고, 우리 언어 공동체가 관습적으로 사용하는 표현들을 올바르게 사용하자고 하며, 성찰하고 있다.
02 ㉣은 우리말로 바꿔 쓸 수 있는 외국어로, 말하려는 내용을 함축적이고 인상 깊게 전할 수 있다고 하기 어렵다.
03 ㉢은 '버스 카드 충전'이란 뜻으로 비속어가 사용되지 않았다.
04 이 글은 외국어 문제를 다루고 있다.
05 〈보기〉에서 다루고 있는 언어는 통신언어에 해당한다. 통신언어는 컴퓨터와 정보 통신 기술의 발달로 생긴 새로운 담화 관습이다.
06 ㉠, ㉡은 모두 관용표현으로 둘 이상의 단어가 하나로 합쳐져 원래의 뜻과 전혀 다른 새로운 뜻으로 굳어진 것이다.

객관식 심화문제

P.115~122

01 ④   02 ③   03 ④   04 ①
05 ③   06 ③   07 ③   08 ②
09 ②   10 ⑤   11 ①   12 ③
13 ②

01 통신언어를 무조건 가상 공간에서만 사용해야 하는 것은 아니다. 젊은 세대들은 일상 생활에서 서로 통신언어를 사용한다면 친밀감을 느낄 수 있다.
02 ㉢에 나타난 JMT는 외국어에 해당하지 않는다.
03 ④의 뜻은 '새로 들어온 사람이 본래 터를 잡고 있었던 사람을 내쫓거나 해를 입힌다는 것을 비유적으로 이르는 말'이다. 외래어와 외국어의 남용은 고유어의 사용을 위축되게 할 수 있다.
04 ②, ③, ④, ⑤는 유사한 의미의 관용 표현이지만 ①은 아니다.
① 가마를 태우다 : 그럴듯하게 추어올려 얼렁뚱땅 넘어가거나

속여 넘기다. / 비행기를 태우다 : 남을 지나치게 칭찬하거나 높이 추어올려 주다.
② 바가지를 차다, 깡통을 차다 : 거지가 되다
③ 꼬리를 물리다, 꼬리를 잡히다 : 행적을 들키다.
④ 가랑이가 찢어지다, 목구멍에 거미줄 치다 : 몹시 가난하다.
⑤ 코가 꿰이다, 발목을 잡히다 : 약점이 잡히다
05 〈보기1〉이나 〈보기2〉에도 주원이는 자신이 잘못한 이유를 밝히지 않고 있다.
06 할아버지와 영미는 세대 간의 언어 차이로 인해 의사소통에 문제를 겪고 있다. 성별간의 언어 차이로는 볼 수 없다.
07 사회적 위치에 따른 전문 용어는 나오지 않았다.
08 공적인 자리가 아니기 때문에 격식체가 아니라 비격식체를 사용해여 친밀감을 드러내고 있다.
09 (가)의 통강아지라는 말을 손녀의 세대에서는 쓰지 않기 때문에 의사소통의 문제가 생긴 것이다.
10 진행자는 사연을 소개하고 있지만, 구체적으로 어떻게 고쳐야 하는 지는 말하고 있지 않다.
11 (가) – ㉠, (나) – ㉡, (다) – ㉣ 에 해당한다.
12 지역 방언은 그 자체만으로 가치 있으므로 존중하는 태도를 지녀야 한다. 공적인 상황에서는 원활한 의사소통을 위해 표준어를 사용하는 편이 좋지만, 사적인 상황에서는 삼갈 필요가 없다.
13 세대의 특성이 반영된 말은 같은 세대끼리의 친밀감을 높이는 역할을 한다.

서술형 심화문제

P.123

01 ⓐ : 외래어 ⓑ : 외국어
02 테이크 아웃, 웨이팅 타임, 셰프는 외국어이고, 네티즌, 메뉴는 외래어이다. 외국어는 고유어로 대체하여 쓸 수 있는 다른 나라의 언어이고, 외래어는 외국에서 들어왔지만 대체할 고유어가 없거나 이제는 널리 사용되어 우리말처럼 쓰이는 말이다.
03 '사공이 많으면 배가 산으로 간다'는 '여러 사람이 자기주장만 내세우면 일이 제대로 되기 어려울 수도 있으나, 그렇다고 각자 다른 생각들을 인정하지 않고 의견을 모으지 않은 채 특정 개인의 주장에만 따른다면 또 다른 문제가 생길 소지가 있다'는 뜻이고, '두 사람의 머리가 한 사람의 머리보다 낫다'는 '시간이 좀 더 걸리더라도 함께 의논하면 더 좋은 결론을 이끌어 낼 수 있다'는 뜻이다. 이러한 관용 표현을 썼을 때의 장점은 사용하여 말하려는 내용을 함축적이고 인상 깊게 전할 수 있고, 그 사회의 풍속, 사상 등의 문화가 담겨 있어 그것들을 알고 배울 수 있다는 점이다.

단원 종합평가

P.124~130

01 ①   02 ③   03 ③   04 ④
05 ⑤   06 ②   07 갑고
08 ㉠ : 열매, ㉡ : 가뭄에, ㉢ : 바다에
09 ㉠ 그의 마지막 득점이 경기의 승부를 뒤집었다.
㉡ 처음 바다를 본 그녀는 바다가 정말 넓다고 혼잣말을 했다.
10 (1) +, +, +
(2) 주체 높임: 할머니께서(주격 조사 '께서'), 오셨는지(선어말 어미 '-시-'),

객체 높임: 아버지께(부사격 조사 '께'), 여쭈어(특수 어휘), 상대 높임: 보아라
(종결어미 '–아라'로 해라체를 사용)

11 (A)지나친 높임– 이 제품은 반응이 아주 좋아요
(B)형용사는 동작상과 결합할 수 없다– 그는 은퇴 후에도 여전히 바쁘다

12 ①   **13** ⑤   **14** ⑤   **15** ③

16 ②   **17** ④

01 ㄱ. '쏜·미니·라'에서 확인할 수 있다. ㄴ. '히·여:수·비'에서 ㅇㅇ과 ㅸ의 사용을 확인할 수 있다.

02 '스뭇·디'는 8종성법의 예이다. 중세국어 시기에는 받침에서도 'ㅅ'을 발음했음을 알 수 있다.

03 '부모씌'는 '부모께'로 해석한다. 중간의 'ㅅ'이 관형격 조사로 사용되지 않았다.

04 ㄴ. '두·려'는 현대국어의 '에게'에 해당하는 조사로, 현대국어에서는 사용하지 않는 조사이다. ㄹ. '비·르·소미·오'는 '비릇+옴+이오'로 분석되는데 음성모음인 'ㅡ'와 양성모음인 'ㅗ'가 어울렸으므로 모음조화가 파괴된 것을 알 수 있다.

05 보기는 'ㅎ종성 체언'에 대한 설명이다. 'ㅎ종성체언'은 모음으로 시작하는 조사나 'ㄱ, ㄷ, ㅂ'으로 시작하는 조사를 만났을 때 나타났다. 따라서 ㉮는 모음으로 시작하는 조사를 만났기 때문에 'ㅎ'을 밝혀 적고, ㉯는 'ㄱ, ㄷ, ㅂ'이외의 자음으로 시작하는 조사를 만났기 때문에 'ㅎ'을 밝혀 적지 않고, ㉰는 'ㄷ'으로 시작하는 조사를 만났기 때문에 ㅎ과 ㄷ이 만나 'ㅌ'으로 적어야 한다.

06 ㉡에는 구개음화 현상이 일어나지 않은 것을 알 수 있다.

12 '께'라는 객체높임의 조사가 사용되고 있지만 특수어휘는 사용되고 있지 않다.

13 '-더-'를 통해 주체의 과거 회상의 의미를 나타내고 있다.

14 '내가 발표를 맡겠다고'가 아니라 '자기가 발표를 맡겠다고'로 바꿔주는 것이 적절하다.

15 서비스는 외래어 판별 기준 네 가지에 모두 부합하므로 외래어이다.

16 통신언어를 사용하면 통신언어에 익숙하지 않은 기성세대들과의 의사소통 장벽이 생기게 된다.

17 (가)는 세대 간의 언어 차이 때문에 의사소통이 이루어지지 않고 있다. (나)는 서로의 언어적 표현을 이해하지 못해 의사소통에 문제가 생겼다. (나)에서는 A의 완곡어법을 B가 이해하지 못했다.

(1) 바닷속 미세 플라스틱의 위협(김정수)

확인학습   P.134

01 ○   02 ○   03 ○   04 ×   05 ×   06 ×   07 ○   08 ○

객관식 기본문제   P.136~140

01 ④   02 ②   03 ②   04 ①

05 ②   06 ①   07 ④

01 (자)에는 싱가포르 해역 바닷물 속 미세 플라스틱의 평균 개수와 우리나라 남해 연안 바닷물 속의 미세플라스틱의 개수 비교를 통해 미세플라스틱으로 인한 문제가 심각하고, 이를 빨리 해결해야 함을 강조하고 있다.

02 ㄱ. ㉠은 신문기사의 부제에 해당한다. 부제는 표제를 보충하여 내용을 구체적으로 풀어 보완한다. ㄷ. '㉣ : 또한, ㉤ : 또한'이 들어가야 하므로 옳다.

03 외국과 우리나라의 환경 단체들의 사례를 든 것은 미세플라스틱 문제의 해결방안을 구체적으로 보여 주는 것이지 갈등 사례를 보인 것은 아니다.

04 윗글의 (사)단락의 '미세 플라스틱이 인간에게 어느 정도 위협이 되는지 현재로서는 과학자들도 분명한 답을 내놓지 못하고 있다.'를 보면 아직 어느 정도 위협이 되는지 밝혀지지 않은 것을 알 수 있다.

05 이 글은 신문기사로 '미세 플라스틱'에 관한 문제를 알리고 있다.

06 미세 플라스틱은 1960년대 이후 계속 증가해왔고, 2004년에는 이러한 내용이 담긴 논문이 발표되었다.

07 미세 플라스틱이 인체에 미치는 문제는 정확히 파악하기 어렵다.

객관식 심화문제   P.141~147

01 ②   02 ④   03 ②   04 ②

05 ③   06 ①   07 ②   08 ⑤

09 ④

01 (나)는 미세 플라스틱에 사람들이 관심을 갖게 된 계기가 중심 내용이다.

02 내장을 제거하지 않고 통째로 먹는 작은 물고기나 조개류 섭취를 즐기는 사람은 미세 플라스틱 섭취할 위험이 높다.

03 (라)는 미세 플라스틱의 개념과 형성에 대한 부분이다. 플라스틱 수입량과 관련된 도표는 필요하지 않다.

04 생산 당시 의도적으로 작게 만들어진 미세 플라스틱은 1차 미세 플라스틱이고, 생활용품이 부서져 만들어진 미세 플라스틱은 2차

미세 플라스틱인데, 본문을 보면 아직까지는 1차 미세 플라스틱에 비해 2차 미세 플라스틱의 비중이 더 높다고 설명하고 있다.

05 ㄱ. '인천 대학교 해양학과'의 연구 결과이므로 인지도가 높은 기관이라고 할 수 있다. 이러한 기관의 연구 결과는 글의 신뢰도를 높일 수 있다.

ㄷ. 위의 자료에는 그래프나 도표가 없지만 이러한 자료를 덧붙이면 글을 읽는 사람이 자료를 좀 더 파악하기 쉬워진다.

ㄹ. 위의 자료의 첫 문단을 보면 '우리가 매일 먹는 소금'을 보면 소금은 우리가 매일 섭취하는 성분이라고 할 수 있다. 그러한 소금을 통해 미세 플라스틱을 섭취하게 되는 것이므로 인체에 유입될 가능성을 짚어줄 수 있다.

06 작은 물고기나 조개류의 섭취를 줄이는 것은 별 관련이 없다. 윗글의 '미세 플라스틱을 먹이로 착각하고 먹은 플랑크톤을 작은 물고기가 섭취하고, 작은 물고기를 다시 큰 물고기가 섭취하는 먹이 사슬 과정에서 농축된 미세 플라스틱의 독성 물질은 해양 생물의 생식력을 떨어뜨릴 수 있다.'를 보면 큰 물고기에 독성 물질이 농축되어 있는 것을 알 수 있다.

07 제품 속의 미세 플라스틱도 문제이다.

08 ⓜ에 들어갈 내용은 '한국 해양 과학 기술원의 심△△ 연구단장은 "미세 플라스틱 연구가 본격적으로 시작된 지 십 년도 안 돼 아직 심각성과 관련하여 말하기는 어렵지만, 우려할 순간이 되면 이미 되돌릴 수 없으므로 우리나라에서도 예방 차원에서 좀 더 관심을 기울일 필요가 있다."라고 강조했다.'이다. 여기에서는 발포 스티렌 부표의 심각성을 알릴 필요는 없다. 이미 앞에서 언급한 내용이기 때문이다.

09 미세 플라스틱 문제에 대한 상반된 입장을 합리적으로 절충하고 있는 부분은 확인할 수 없다.

서술형 심화문제   P.148~149

01 1. '바닷속 미세 플라스틱의 위협'이라는 표제를 제시하여 독자가 신문 기사의 핵심 내용을 한눈에 파악할 수 있다.
2. 외국과 우리나라 환경 단체의 사례를 제시하여 미세 플라스틱 문제의 해결 방안을 구체적으로 보여주었다.
3. 한국 해양 과학 기술원 심△△ 연구단장의 면담 내용을 인용하여 내용의 신뢰도를 높였다.

02 자료 1은 문단 (사)와 어울린다. 자료 1을 함께 제시하면 미세 플라스틱 문제의 심각성을 시각적으로 보여 줄 수 있다.
자료 2는 문단 (자)와 어울린다. 미세 플라스틱 오염 현황이 구체적으로 제시된 남해 연안뿐만 아니라 우리나라의 전국 12개 해안에서 검출된 미세 플라스틱의 평균 밀도가 전 세계 주요 비교 지역보다 13배 높은 수준이라는 통계 자료를 제시함으로써, 우리나라의 미세 플라스틱 문제가 심각함을 강조할 수 있다.

---

(2) 펼쳐라, 설득하는 글쓰기

확인학습   P.152

01 ×   02 ○   03 ×   04 ○   05 ○   06 ○   07 ○   08 ○

확인학습   P.155

01 ○   02 ○   03 ○   04 ×   05 ○

객관식 기본문제   P.156~163

01 ③	02 ①	03 ④	04 ①
05 ⑤	06 ③	07 ④	08 ⑤
09 ②	10 ③	11 ⑤	

01 ㄴ. (가)의 둘째 문단의 '소비자들은 특정 상품을 사거나 사지 않는 선택을 함으로써 자신이 추구하는 가치를 드러낼 수 있다'를 통해 확인할 수 있다.
ㄹ. (가)의 첫째 문단의 '우리는 어떤 상품을 선택하고 구매해야 할까?'를 통해 확인할 수 있다.

02 (가)에는 소비를 '시장 경제 시대의 투표'에 비유하고 있고 (나)에는 '학교'를 '제 2의 가정'에 비유하여 표현하고 있다.

03 (가)에는 기업의 기부로 환히 웃는 난민 어린이나 정당한 대가를 받으며 일하는 제삼 세계 노동자의 모습이 나타나있지 않다.

04 시우가 배탈이 난 것은 아니다.

05 (가)는 '교내 식품 안전 지킴이' 제도 도입을 건의하는 내용이고, (나)는 '유해·불량 식품 근절 운동'을 시행할 것을 건의하는 글이다.

06 (가)의 건의 내용은 '교내 식품 안전 지킴이' 제도의 도입이다. 이 제도의 구성 팀은 글쓴이가 건의한 내용을 새롭게 도입하는 것이다. 원래 있던 것을 수정하는 것은 아니다.

07 윤리적 소비의 구체적인 사례는 나타나 있지만 한계는 나타나있지 않다.

08 세계 인권 선언에서는 모든 사람들이 동일한 노동을 하면 동일한 보수를 받아야 한다고 규정하고 있다. 합리적 소비와 윤리적 소비를 비교하여 권고한 것은 아니다.

09 윗글의 글쓴이는 가격과 품질에서 높은 만족을 얻을 수 있는 합리적 소비보다 저개발국의 인권이나 환경 보호를 위한 윤리적 소비를 지향하고 있다.

10 (가)에는 건의 내용과 관련된 대상의 개념을 정의하는 부분이 없다. (나)에는 식품 안전 구역의 개념을 정의하였다.

11 교내 매점은 '식품 안전 보호 구역'에 해당한다.

01 ④	02 ③	03 ③, ④	04 ②
05 ④	06 ⑤	07 ⑤	08 ①
09 ②	10 ④	11 ⑤	12 ⑤
13 ⑤	14 ③	15 ④	16 ①
17 ⑤	18 ②	19 ④	20 ②
21 ⑤	22 ④	23 ②	24 ⑤
25 ⑤	26 ③		

01 시민 단체에서 실태 조사를 한 내용은 손 건조기의 평균 소비 전력이다. 형광증백제가 휴지에서 검출된 내용은 뉴스 보도에서 다루었다.

02 손 건조기 사용이 세균을 퍼뜨린다는 사실에 대한 출처를 제시함으로써 글의 신뢰성을 높일 수 있으며 내용에 대한 연구자의 저작권을 존중할 수 있으므로 바람직한 사고 과정이다.

03 ③ (나)의 3문단 '손 건조기의 소비 전력이 상당하다'에서 소비 전력이 크다는 것을 알 수 있다. ④ (나)의 마지막 문단에 '손수건 가지고 다니기, 친구에게 손수건 선물하기'에서 실천방안을 구체적으로 확인할 수 있다.

04 관용적 표현이란 속담이나 사자성어 등 두 단어 이상이 모여 새로운 뜻을 만든 말을 뜻하는데 윗글에는 나타나지 않는다.

05 4문단에 전문가의 연구 결과가 제시되어 있다.

06 구체적인 '시간'이나 '공간 이동' 묘사는 나타나지 않는다.

07 손수건과 지속 가능한 소비문화 습관의 관계는 글에 제시되지 않았다.

08 '산림 보호', '쓰레기 배출량' 감소, '이산화탄소 배출 감소'는 모두 '손수건의 사용으로 지구 환경 보호가 가능하다'의 근거 자료로 사용할 수 있다.

09 '전문가의 연구 결과'가 나타난 것은 (다)의 '마크 윌콕스 교수' 부분이다. (나)에는 통계 자료와 실태 조사가 나타난다.

10 '주장을 뒷받침하는 타당한 근거 제시'는 설득하는 글쓰기에서 고려해야 하는 사항이며, 글의 종류에 상관없이 지켜야 하는 윤리적인 글쓰기 태도와는 관련성이 낮다.

11 손수건의 사용으로 자원 부족 문제를 완전히 해결할 수 있다는 표현은 과장된 표현으로 독자에게 거부감을 줄 수 있다.

12 ㄱ. 1문단의 '단 한번도 ~ 키웠습니까?',
ㄷ. 4문단의 '마크 윌콕스 교수가 연구한 결과',
ㄹ. 1문단의 필자의 경험담에서 확인할 수 있다.

13 ㉮ 주제는 '휴지 사용을 자제하자'가 아니라 '손수건을 사용하자'는 것이다. ㉯ '우리 학교 세 학급 103명을 대상으로 하여 설문 조사를' 했다. ㉰ 1~2문단, ㉱ 3~4문단에서 확인할 수 있다.

14 고치기 전에는 손 건조기를 사용할 때 생기는 문제에 대해서만 다루는데, 고친 후는 '마크 윌콕스 교수'의 연구라는 출처를 제시함으로써 타당성과 신뢰성을 높이고 있다.

15 이 글은 칼럼으로 글쓴이의 주장을 전달하고 행동에 변화를 주려는 글이다. 대립적인 입장과 그 두 주장을 절충하는 것은 아니다.

16 이 글에는 물음과 그에대한 대답은 드러나지 않는다. 밀턴과 같은 권위있는 사람의 말을 빌려 주장을 강조하고, 실제 있던 존 스노의 사례등 실제했던 사례를 들어 이해하기 쉽게 설명하고 있다.

17 🔲1에는 독자에게 익숙한 갈릴레이의 사례를 제시하여 글쓴이의 주장에 설득력을 더하고 있다.

18 갈릴레이나 존 스노가 했던 생각과 같은 당시의 사회적 통념을 넘어간 생각을 뜻한다.

19 이 글은 글쓴이의 주장과 설득이 나타나있을뿐 여러 가설을 제시한 것은 아니다.

20 존 스노와 갈릴레이는 당시 사회의 통념에 도전해서 사회의 성장과 발전을 도모한 사람이라고 할 수 있다.

21 변증법은 서로 대립하는 두 의견의 절충을 통해 결론내는 것을 말하는데 이 글의 예시들은 모두 공통되는 주장을 뒷받침 하는 것들이다.

22 이 글은 글쓴이가 자신의 주장을 말하고 설득하는 글인데 그러한 글에서는 글쓴이의 주장이 타당한지 확인하고 그 근거가 적절한지 판단하며 읽어야한다.

23 (다)에서는 영국의 의사 '존 스노'라는 권위있는 사람의 말을 빌려 글쓴이의 주장을 강조하고 있다.

24 이 글은 설득하는 글로 글쓴이의 주장과 그 근거가 적절한지 파악해가며 읽어야한다. 생각이나 정서, 상상력을 자극하는 글은 문학갈래의 글을 읽을 때 해당한다.

25 이 글은 갈릴레이와 같은 유명한 과학자의 사례를 들어 독자들이 이 글에 더 쉽게 접근하고 관심을 불러 일으킨다.

26 존 스노는 획기적인 연구로 콜레라의 전염 양상응 밝혀냈지만 발생 원인과 치료 방법을 밝힌 것은 아니다.

01 ㉠에 나타난 표현 방법은 정의이다. ㉠에서는 윤리적 소비의 뜻을 명확히 밝힘으로써 그 범위를 규정짓고 본질을 독자에게 정확히 전달하고 있다.
ⓒ에 나타난 표현방법은 비유이다. 소비 행위를 투표에 비유하여 윤리적 소비가 소비자의 정당한 권리 행사임을 강조한다.
ⓒ에 나타난 표현 방법은 인용이다. '세계 인권 선언'이라는 공신력 있는 문서를 근거로 제시함으로써 글쓴이 주장의 신뢰성을 확보했다.

02 이 글의 주장은 합리적 소비에 대한 성찰과 윤리적 소비에 대한 올바른 인식을 통해 공생할 수 있는 사회를 만들자는 것이다.
그에 대한 근거는 첫째로 윤리적 소비는 더 나은 세상을 만들기 위한 권리 행사이다. 둘째로 윤리적 소비는 빈곤 문제 해결에 기여한다. 셋째로 윤리적 소비는 지구를 지키는 친환경 소비이다.

(3) 서로 만족하는 협상

01 이 글은 협상하는 말하기이다. 대화를 시작하기 전에는 갈등의 원인을 분석하고, 기본 입장을 확인하며 협상 가능성을 진단한다. 상대방의 입장을 자세히 분석하는 것은 조정단계에서 하는 일이다.

02 ㉮부터 시작되는 협상의 단계는 '조정 단계'에 해당한다. 이 단계는 상대측의 처지와 관점을 이해하고 구체적 제안이나 대안을 검토한다. 상대측의 대안 비판 및 수용, 타협하고 조정하며 문제 해결에 합의하는 것은 '해결 단계'에 해당한다.

03 윗글에 상대의 입장을 이해하는 부분은 나타나있지만 논리적이지 못한 부분을 지적하는 말은 없다.

04 윗글은 협상에 해당한다. 협상은 상대측과 타협하고 조정하여 최선의 해결책을 마련하고 문제 해결에 합의해야 한다. 어느 한쪽만 만족하고, 불만족해서는 안 된다.

05 (가)의 협상은 왕궁을 파괴하겠다는 시민군의 요구와 왕궁을 보존하겠다는 행정 당국의 요구가 맞선 것이 문제이다.

06 예산 집행 시 학생들의 의견을 반영할 것은 언급하지 않았다.

07 ㉠에는 강요가 나타나지 않는다.

    ㉡은 협상의 시작단계이다.

    ㉢에는 학교에 대한 원망이 드러나지 않는다.

    ㉣은 협상의 해결단계이다.

08 협상은 서로간의 갈등을 조정·합의하는 과정인데 더 이상 양보할 수 없는 한계를 제시하는 것은 협상의 방법으로 옳지 못하다.

01 협상과 토론은 모두 초기 주장이 바뀌면 안 된다. 서로의 합의점을 찾아 타협하고 조정하는 것은 가능하다.

02 상대의 처지와 관점을 이해하는 것은 조정단계에서 하는 일이다.

03 문화시의 대표가 상대방의 주장에 동의하며 한발 물러선 것은 방심을 불러일으키기 위한 것이 아니라 긍정적인 요소를 통해 협상을 성공시킬 확률을 높이는 것이다.

04 ㉤은 행복시와 문화시의 축제 세부 프로그램을 안내하는 팸플릿인데, (가)에서 문화시의 발언 중 '두 축제에서 사용하는 꽃과 축제의 세부 내용도 많이 다릅니다.'을 보면 세부 내용이 매우 유사함을 증명하는 것은 적절하지 않다.

05 조건1은 '오세요, 것입니다, 바랍니다'에서, 조건 2는 '들꽃 축제가 열리는'에서, 조건 3은 '들꽃들이 당신을 맞아준다, 들꽃과 함께 둘레길을 걷는다'에서, 조건4는 잘 지키고 있다. 따라서 정답은 ⑤이다.

06 행복시가 먼저 축제를 시작한 쪽이고, 축제의 내용을 차별화 하는 주체는 '문화시'이다.

07 이 협상의 단게는 조정 단계이다. 따라서 서로가 협상을 통해 얻고자 하는 바를 분명하게 정하는 단계라고 할 수 있다. 설득할 수 있는 대안 마련은 협상 전에, 서로의 입장을 확인하는 것은 시작단계에, 대안을 재구성하고 합의점을 찾는 것은 해결 단계이고, 제안을 서로 검토하고 입장 차이를 좁히는 것은 조정 단계에 해당한다.

08 서로의 처지와 관점을 파악해야 서로가 원하는 합의점을 도출하기에 훨씬 수월해지기 때문에 이와 같은 자세로 협상에 임해야 한다.

09 상우는 전시 기간이 4일에서 3일로 줄었기 때문에 거기에서 오는 불이익을 줄이기 위해 홍보를 해달라고 하며 그 불이익을 최소화 하려고 한다.

10 전시회를 홍보하는 것에 대한 입장 차이는 드러나지 않으며, 상우와 구 공무원 모두 동의한 사항이다.

11 ㉠의 앞은 기존의 동아리 발표회 날에 대해 설명하고 있고, ㉠의 뒤는 기존 방식에 대한 개선 요구가 나타났기 때문에 '하지만'이 적절하다.

    ㉡은 부스를 상설로 운영하는 것의 장점을 부연설명하는 것이므로 '그리고'가 적절하다.

    ㉢의 앞은 동아리 부스를 상설로 운영하는 것의 부정적 측면을 말하고 있고, ㉢의 뒤는 그와 반대의 의견을 말하고 있기 때문에

12 전시기간은 '늘리는'이라고 쓰는 것이 적절하다. '늘이는' 것은 '선따위를 연장하다'의 의미이다.

13 이 글은 기존의 부스 운영이 동아리 발표날에만 운영했기 때문에 짧은 시간 진행된다는 것이 문제라고 하였다. 부스 운영 자체가 문제시 된 것은 아니다.

14 위 협상의 쟁점은 첫 번째 발화에서 확인해 볼 수 있는데 '발표회 때 사용할 공간을 어떻게 정할지 얘기 좀 하자.'는 말에서 중심이 되는 것은 '발표회 때 사용 공간'이라는 것을 알 수 있고, 다음 발화에서 발표회 때 사용가능한 공간이 두 군데 남았는데 그 중 '중앙 계단 옆 교실'을 문예부가 쓸 것인지 천체관측부가 쓸 것인지가 중심이 되는 것을 확인할 수 있다.

15 ㉠은 '너 지금 우리 문예부 생각해 주는 척하며 은근슬쩍 명당을 차지하려는 거 맞지?'에서 확인할 수 있고, ㉣은 '그럼, 우리 두 동아리 모두 중앙 계단 옆 교실에서 함께 하는 건 어때?'에서 확인할 수 있다.

16 이 협상의 결과는 '우리 문예부가 시화전 주제를 '시와 별'로 바꾸면, 별자리를 소개하려는 너희 주제와도 어울려서 좋고 발표 내용도 더 알차게 될 거야. 우리가 주제를 바꾸는 대신에 너희 동아리가 공간 장식 좀 도와줄래? 그리고 별관 꼭대기 층에 있는 교실은 휴식 공간으로 활용하자.'에서 확인할 수 있고, 그에 대해 '와, 그런 방법도 있었네. 좋아.'라고 동의한 것을 보아 올해 동아리 전시를 서로 도와서 진행하기로 한 것을 알 수 있다.

17 푸른시의 입장은 화장 시설이 부족해서 화장장 건립이 반드시 필요한데 초록구 하늘산 일대가 시설 건립에 최적이라는 것이다.

18 이익을 양보하는 부분은 아니다.

19 푸른시가 요구하는 최소 15기를 양보하고 합의한다. 최고 요구 사항을 거절하고 있지 않다.

20 상대방의 주장에 대한 오류나 논리적 취약성을 비판하고 있지 않고(ㄷ), 상대방과의 정보 공유에 초점을 목적으로 하고 있는 것이 아니다.(ㅁ)

21 위 글은 협상 담화인데 ⑤가 협상의 개념으로 가장 적절하다.

22 전문가의 의견을 인용한 부분은 없다.

23 문화 시설에 대해 언급한 사람은 푸른시 관계자이다. 초록구 대표는 추모 공원이 문화시설로서 기능할 수 없을 것을 우려하는 것이지 부족해진다는 것에 걱정하는 것이 아니다.

24 "잘 들었습니다. 건축 설계적 차원에서 기존 화장장의 단점을 보완하려 고심하신 적이 느껴졌습니다. 그러나 저희가 더 우려하는 것은 환경 문제입니다. 화장장에서 발생하는 소음이나 매연, 분진 및 다이옥신과 수은 등으로 주거 환경이 오염되어 주민의 건강한 삶이 위협받을 수 있다는 점에 대해서는 어떻게 생각하십니까?"에서 확인할 수 있다.

---

01 ⓐ 조정 ⓑ 타협

02 민규 – 강당이 학기 초부터 뮤지컬 동아리의 사용 공간이라는 점과 뮤지컬 동아리라는 특성상 무대가 있는 강당 사용이 필요함을 이해함. / 혜윤 – 축제를 앞두고 공연 예행연습을 할 공간이 부족한 상황임을 이해함.

03 춤 동아리의 이익은 강당을 함께 사용하게 된 것이고, 뮤지컬 동아리의 이익은 준비하고 있는 공연의 군무 연습 도움이다.

04 조정단계, 최초 양보점은 들꽃 축제의 차별화이고 최종 양보점은 공동사업을 추진하여 발생 이익을 나누는 것이다.

---

01 ④	02 ③	03 ⑤	04 ①
05 ④	06 ③	07 ④	08 ④
09 ⑤	10 ④	11 ④	

01 미세 플라스틱이 인간과 생태계에 악영향을 끼치지만 그 둘을 비교하는 내용은 윗글에 나타나있지 않다.

02 미세플라스틱이 해양 생물의 생식력을 떨어뜨리는 내용은 윗글에 있지만 인간에게 적용되는지는 나타나있지 않다.

03 싱가포르 해역 바닷물 속 미세 플라스틱 평균 개수가 적긴 하지만 미세 플라스틱 발생을 줄인 기술을 가졌는지는 윗글에서 확인할 수 없다.

04 첫 번째 문단에 사례가 등장하고, 두 번째 문단에서 질문을 던지는 방식을 사용했다.

05 자료 2에서는 일반인이 실시한 심폐 소생술 비율이 높아지고 있음을 알 수 있다.

06 '차라리'는 '예상한 것과 달리'의 뜻이 아니라 '저렇게 하는 것보다 이렇게 하는 것이 나음을 나타내는 말'이다.

07 실제 심폐 소생술 교육을 받은 사람의 말을 인용한 부분은 찾을 수 없다.

08 (가)는 설명문이고, (나)는 건의문이고, (다)는 협상이다. 설명문은 정보 전달이 주된 목적이고, 건의문과 협상은 상대방의 생각과 행동을 변화시키는 것을 목적으로 한다.

09 ㉠은 왕궁의 아름다움을 보존하는 것을 요구하지 않았다.

10 민규가 새로운 대안을 제시한 것이 아니고 해윤이가 새로운 대안을 제시했다.

11 〈보기〉의 주제는 유해·불량 식품 근절 운동 시행할 것을 대의원 안건으로 채택해달라는 것이다.

MEMO